ネイバーフッド
デザイン

まちを楽しみ、助け合う
「暮らしのコミュニティ」のつくりかた

荒 昌史［著］　HITOTOWA INC.［編］

英治出版

COMMA COFFEE

はじめに

ここは、私が好きなまちの一角です。

今日は天気もよく、気持ちのよい日。

街路樹が立ち並ぶ道を歩いてゆくと、団地やマンションのなかに、広場が見えてきます。自然と耳に入ってくるのは、駆け回って遊んでいる子どもたちの声。

親たちもそれを見守りつつ、雑談を楽しんでいるようです。

そこを通りかかったご年配の女性が「こんにちは」と声をかけます。顔見知りなのか、「大きくなったねえ」なんて世間話をしている様子。また違う方向からは、犬の散歩をしているおじさんもやってきました。それを見た子どもたちも集まってきて、犬をなでたりして遊んでいます。

子どもも大人も混ざり合って、和やかな交流の輪が広がって。

私もそんな光景を眺めつつ、その横を通り過ぎていきます。

その女性も「そろそろ行かなくちゃ。週末のイベントの準備で、友達と会う約束をしてるのよ」と、広場の脇に建っているコミュニティスペースのほうへ歩いていきます。どうやらまちのマルシェで手作りの雑貨を販売するようです。なんとなく行方を見守っていると、コミュニティスペースの受付でスタッフと笑い合っていて、なんだか楽しそう。

私もカフェに仕事をしにきたついでに、コミュニティスペースに立ち寄ってみます。受付では、スタッフにこの地域でやってみたいビジネスのアイデアについて相談している人も。また別の一角では放課後を過ごす小学生たちが、近所の人に見守られながら宿題に取り組んでいるところのようです。

奥のスペースでは、学生たちが写真展を開催中。このまちをテーマにした写真展。まちなかの自然やお店、お祭りなど身近な写真がさまざまに展示されています。

なかには「あら、これ懐かしいわねえ」なんて写真を見て目を細めている方も。長くこのまちに住む人も、新しくこのまちに暮らし始めた人も行き来できるような開放的な雰囲気が、とても心地よく感じられます。

廊下に出てみると、その端ではばったり会ったらしい二人が、「おっ、ひさしぶり、元気？最近顔見ないから心配してたよー」「ひさしぶり。ちょっと最近仕事が忙しくてさ」なんて会話を繰り広げていたり。このまちではそういった光景が日常的に見られます。

別の集会室では、まちの防災活動に関して真剣に話し合いをしているところ。どうやら、来月行われるまちの防災訓練についてディスカッション中のよう。このまちの防災訓練はさまざまな趣向が凝らされていて楽しく、私も参加するのを楽しみにしているんです。

さて、私もカフェでひと仕事。ビールを飲みたいのをぐっとこらえてデカフェのラテを注文、パソコンを開きます。交流や会話目的だけでなく、こんなふうにひとりの時間を過ごせるのもここのよいところ。少し離れたカウンター席では静かに読書を楽しんでいる人も。思い思いの時間が、流れています。


外に出ると、夕暮れが近づいてきている時間帯。

気持ちのよい風が吹くなか、ジョギングをしている人も。まちのスポーツ施設では、年代や障がいの有無もさまざまな人たちが、フットサルやテニスなどを楽しんでいるところ。

さらに歩いてゆくと、商店街の一角では、まちの居酒屋の前、道路に乗り出したテラス席でわいわいお酒を飲んでいる人たちも。飲みながら、商店街にある空き店舗の活用について意見交換をしている人たちもいます。自分や仲間を幸せにするために使ったお金が、地域の個人商店に入り、商店街やまちの価値を守ることにもつながっていく。とてもいい循環。

徒歩圏内にたくさんの会話やアクティビティがあふれていて、多様な人々の、多様なつながりが複層的に重なり合っている。まちの全員が知り合いという必要はないけれど、それぞれに近所の友人や知人がたくさんいる。このまちのライフスタイルが好きで、このまちをもっとよくしたいと思って活動している人、または活動しようと思っている人たちがたくさんいる。ここは、そんなまちです。

そして、いま描写してきたように人々が暮らしを楽しみ、助け合えるまちをつくるのがネイバーフッドデザインです。

正確に言うとネイバーフッドデザインは、「つながりさえできればそれで完成」ではありません。私たちが考えるネイバーフッドデザインの定義は、「同じまちに暮らす人々が、いざというときに助け合えるような関係性と仕組みをつくること」です。

その関係性が、都市における地域課題、ひいては社会環境問題の解決につながってゆくこと。それが根幹です。

では、そうしたつながりや助け合いの関係性は、どのように育んでいくのでしょうか？

本書でご紹介していくのは、まさにその過程についてです。

つながりや関係性を育むひとつひとつの機会は、日々のごく小さなものかもしれません。たとえば公園での何気ない会話だったり、飲み会やスポーツだったり、マルシェなどのイベントやその準備だったり。言ってしまえば「なんてことのない日常のシーン」の数々。助け合いの関係性は、こうした小さな機会の積み重ねの延長線上に、自然とあるもの。しかし、一見自然に見えますが、デザインされているからこそ、育まれるものもあります。

こうした考えのもと、私たちＨＩＴＯＴＯＷＡは日本における数々のまちや集合住宅でネイバーフッドデザインの取り組みを続けてきました。本書は、その軌跡と、そのなかで得られた知見についてまとめたものです。

すでに問題意識を持って地域やまちの活動をされている方や、管理組合・自治会・町内会を運営されている方、またデベロッパー・管理会社の方、地域に根ざして福祉や子育て、災害対策等に携わる方々などにも、活動のヒントとなる内容を多く盛り込んだつもりです。

加えて、まだ活動には取り組んでいなくとも、なんとなく都市やまちの問題に興味がある、地域のコミュニティに関心がある学生や、ご近所付き合いをよりよい形にしたいがきっかけがないと考えている方々にもぜひ読んでいただきたいと思っています。

「ご近所付き合い」というと、どこか「面倒だ」と身構える方もいらっしゃるかもしれません。しかし、ネイバーフッドデザインで提唱するつながりは、いわゆる「しがらみ」のようにガチガチのものではありません。むしろ、人それぞれがライフスタイルやライフステージによって心地よい関わり方を選べるような、多様で寛容なつながりを目指しています。

第1章では、ネイバーフッドデザインの社会背景を解説します。孤独な子育て、単身で暮らす高齢者の増加など、都市における地域課題・社会環境問題を知ることで、つながりの必要性についてより多面的につかんでいただけるのではないかと思います。

第2章では、ネイバーフッドデザインとは何かについて理解を深めていきます。ネイバーフッドデザインの価値とは何か。自治会や商店街、都市開発との関係性など、ネイバーフッドデザインをまちづくりの観点で解説します。

また第3章~第8章では、数々の現場における事例やエピソードを交えながら、ネイバーフッドデザインを構成する「6つのメソッド」について具体的にお伝えしていきます。各章に実践的な内容を多く盛り込みました。皆さんの取り組みにおいて、何かのヒントになれば幸いです。

そして第9章では、ネイバーフッドデザインの実践者としての視点から、創業時のエピソードやこれから描いていきたい未来像についてお話ししてみたいと思います。

本書が、都市の住まいや生活をよりよくしようと取り組まれている方々の一助となることを願ってやみません。日常をより楽しく豊かにし、そしていざというときには手を差し伸べ合えるようなつながりが、日本の都市において当たり前となることを目指して。

2022年4月　荒　昌史

ネイバーフッドデザイン　目次

はじめに 001
用語について 014

第1章 なぜ「ネイバーフッド」が重要なのか

いざという時が来てからでは遅いから 017
「共助」の必要性が高まっている時代 022
流動性の高い社会で、コミュニティのハブが求められている 024
増える災害。そのとき、近所に助け合える関係性はあるか？ 026
ご近所同士のつながりで、救える命がある 029
東日本大震災の復興現場でもらった言葉 032
"Stay Home With Your Neighborhood." 033
コロナ禍で見えた「つながりづくり」の新たなかたち 036
実は身近な「孤育て」 038
単身高齢者の増加とどう向き合うか 042
ネイバーフッドは自然との共生につながる 048

第2章 ネイバーフッドデザインとは何か

まちに与える4つの価値 055
しがらみでも孤独でもない 058
コミュニティは「サービス」じゃない 061
ネイバーフッド・コミュニティと「自治会」 063
目指すのは「自然と関わりたくなる」状態 066
ハードありきの開発から、人々の暮らしありきの開発へ 069
「自分たちで生活をつくる」楽しみを取り戻す 071
住宅管理にも嬉しいネイバーフッドデザイン 074
エリアマネジメントとネイバーフッドデザイン 076
商店街の再生にも有効なつながりづくり 080
ネイバーフッドデザイン6つのメソッド 085

第3章 未来とゴールのデザイン

①「まちの未来像」の重要性 094

② まちの「現在地」を捉える 098
③「まちの未来像」と「プロジェクトのゴール」をイメージする 105
④ 解決策のパズルが組み合わさる 110
⑤ 未来のデザインは多様な人々をつなぐ 114

第4章 機会のデザイン

① ゴール達成までの道のりを設計する 122
② まちの人々に「チャンス」だと理解してもらう 127
③ 消費的・瞬間的でなく、創造的・持続的な機会を 133
④ 一人ひとりのパーソナリティに着目する 136
⑤ 小さな心配りを徹底的にちりばめる 139

第5章 主体性のデザイン

①「もう一歩」「もう半歩」に寄り添う 149
② その人の幸せのために行動する 155

③ 対話を通じて、まちとの接点を言語化する 158
④ リーダーシップを発揮しやすい土壌づくり 163
⑤ まちの課題への共感は、主体性の連鎖を生む 167

第6章 場所のデザイン

① 場所から考えない 176
② 無人・有人管理から「友人管理」へ 183
③「使われ方」をハード面や運営に反映する 189
④ 人が集まり、会話が生まれる仕掛けをつくる 192
⑤ 個性を場所に反映する 199

第7章 見識のデザイン

①「気づく」ための知識をちりばめる 209
② 体験と追体験の機会をつくる 212
③ 課題解決型のチームをつくり、見識を深めていく 221

④ 専門家・専門機関とつながりやすくする 225
⑤ 意外性のある楽しさを取り入れる 229

第8章 仕組みのデザイン

① 〔協働〕行政との関係性――依存から共創へ 240
② 〔協働〕地縁組織間の関係性――相互に理解し合う 242
③ 〔協働〕集合住宅における管理面での協働 248
④ 〔財源〕管理から経営へ 257
⑤ 〔財源〕「空間活用」の重要性 262
⑥ 〔組織〕一貫性を持つ 266

第9章 人と和のために、これからも

デベロッパー時代に見た、開発の明暗 276
将来世代の可能性を損なわない範囲で、現世代のニーズを満たす 280
コミュニティで暮らす、を実践して 282

まちづくりにおけるスポーツの価値と可能性 284
描いていきたいのは、友人が徒歩圏にいる暮らし 289
ゆるやかなつながりと、セーフティネットの両立 291
「子どもの声がうるさい」問題に思うこと 293
生きづらさは、見えづらいから 297
まちで、時間とうまく付き合うには 299
言葉に潜む「分断」の文化を変えていく 302
「15分圏内」の文化的な価値を大事にする 304
はじめの一歩、そのヒント 312
おわりに 314

用語について

本書ではたびたび「コミュニティ」という言葉を用いますが、これにはさまざまな定義があります。1917年に提唱された社会学者マッキーヴァーによる有名な区分では、人々の生活が営まれる地域に基づく基本的な共同性や生活圏全体が「コミュニティ」、そのなかでさまざまな目的のために形成される集団が「アソシエーション」とされ、分けて語られています。

ただ、アソシエーションという言葉は現代、少なくとも私たちの活動で実際に使うことはほとんどなく、読者の方にとってもその使い分けがわかりづらさを生んでしまうかもしれないと考えました。そこで本書では、次のとおり用語を定義して進めます。

本書においてはまず、ご近所や地域で暮らしを営んでいる（住んでいる／商売を営んでいる／通勤や通学をしている）人々やその集まりを「コミュニティ」と呼びます。

またそのコミュニティのなかで、互いに存在を認知し、挨拶を交わすなど顔見知りで双方に信頼がある関係性を「ネイバーフッド・コミュニティ」と表現します。このネイバーフッド・コミュニティを育んでいく活動がネイバーフッドデザインです。

かつ、そのエリアで何らかの目的を持ち、チームを組んで活動をしている人たちのことを、「チーム」「プロジェクト」「サークル」などと表します。またそこで行われている活動自体を、「コミュニティによい影響を与える活動」という意味で、「コミュニティ活動」と呼びます。このコミュニティ活動自体も、ネイバーフッドデザインの一環と位置づけられます。

また本書における「ネイバーフッドデザイン」の定義は、HITOTOWA独自のものです。海外でもネイバーフッドデザインという言葉は使われていますが、それはどちらかというとハード面における近隣街区の整備を指すことが多い印象です。私たちの提唱するネイバーフッドデザインはハード・ソフトの両面にまたがるものであり、本書では特にソフト面に重きを置いて論を進めています。

さらに、国内ではよく「コミュニティデザインとはどう違うのか?」という質問もいただきます。コミュニティデザインにおける対象は、地縁、血縁、学縁、仕事縁、趣味縁、価値観縁などさまざまな縁を含みますが、ネイバーフッドデザインは地縁の要素をベースとしたものです。つまり、人と人の物理的な近さが大前提にあります。それ以外の違いについては一言では言い切れないので、本書を読んでご理解いただければ嬉しく思います。

第1章 なぜ「ネイバーフッド」が重要なのか

いざという時が来てからでは遅いから

突然ですが、家の近所によく声をかけ合うような知人・友人はいますか？

都市の単身世帯では、「隣に誰が住んでいるのか、顔も名前も知らない」という方もめずらしくありません。家庭を持つと比較的、近所の方を意識することが増えるかもしれませんが、「まともに話したのは引越の挨拶くらい」「そもそも引越挨拶すらしていない」という方も多いのではないでしょうか。

職場や学校、趣味の場に一定のつながりはあるし、友人もいる。完全にひとりというわけではない。でも、住むまちで日常を送るなかでは声をかけ合う知人がおらず、どこか「漠然とした孤独感」がある……。

昨今、日本の都市では老若男女を問わず、そういった孤独感が高まりやすい状況があります。

漠然とした孤独感は、2020年からのコロナ禍によってさらに加速し、表面化したと感じます。特に第1回の緊急事態宣言下（同年4月〜5月）における孤立感は、ご自身の経験として記憶されている方も多いのではないでしょうか。外出の制限によって友人や親戚と集う機会が減ったのもその一因。ただもっと大きい要因は、会社や学校、幼稚園や保育園、飲食店、またコミュニティサロンや習いごとなどの場が閉鎖・制限されたことではないかと思います。

日々通っていたそのような場が閉鎖されると、約束せずとも高頻度で日常的に会うことができた友人・知人は多かれ少なかれ、遠い存在となってしまいます。

親しい人とはオンラインでやりとりできる人も多いでしょう。オンラインツールはうまく活用すればとても有用です。実際に孤独感が薄れたり、励まされたりとその効果を感じている方も多いはず。しかし一方では、「画面越しでは思うように交流できない」「家に閉じこもっているとつらい」など、ひとくちに「オンラインで連絡がとれれば大丈夫」だけでは見過ごせない問題もはらんでいます。

日常生活を送るなかでなんとなく感じている「漠然とした孤独感」は、今回のコロナ禍に見るように、ふとしたきっかけで「社会的な孤立」という深刻な問題につながっていくのです。

私たちは、これらの「漠然とした孤独感」や、その先にある「社会的な孤立」の予防・解決の一助となるのが、近くに暮らす人々とのつながりづくり、すなわちネイバーフッドデザインだと考えています。

コロナ禍に限らず、突然のけがや病気、事故など、通っていた場と離れるときは突然訪れるもの。そんなとき、近所の方と気軽に声をかけ合えるつながりがあることは不安や孤独感をやわらげてくれます。イライラや不安を抱え悩んでいるとき、近所の方と交わした「おはよう」の一言が、心をリセットしてくれる。時には救いとなることもあるのです。

また、必要なときには実際に助け合うこともできます。

たとえコロナ禍のように直接の会話が難しい状況でも、普段からの関係性があれば、メッセージツールや電話でやりとりしながら食料や日用品の買い物を分担したり、物資のおすそ分けをしたりもできるでしょう。休校・休園となった子どもたちを屋外の遊び場へ連れ出すのを親たちが持ち回りで分担するなど、助け合えることはいろいろとあるはずです。

また、近くに暮らす人々とゆるやかなつながりがあることは、他のいろいろな地域課題、社会環境問題の解決にも役立ちます。

地震や水害など、自然災害への対応もそのひとつです。

たとえばあなたが共働き家庭の親で、子どもだけが家にいるときに災害が起きたら、どうしますか？　または遠方で暮らす高齢の親がいて、その地で災害が起きたらどうするでしょうか。非常時には連絡がつきにくく、安否確認すらままならないこともあります。その不安は計り知れません。

　そんなとき、近所につながりがあることは大きな安心・安全につながります。普段から会話をするような間柄で、家族構成やライフスタイルなどがわかっていれば、「この家は共働きだけれど、〇〇ちゃんは大丈夫かしら……」と考え、家の様子を見に行ってくれる方もいるでしょう。反対に自身が在宅のときならば、日頃やりとりしているご近所さんも無事でいるかと顔が浮かび、自然と声をかけてみようと思えるのではないでしょうか。

　けがや病気と同じで、自然災害もいつ起きるかわからないもの。必ずしも家族が近くにいられるとは限らないからこそ、近所に信頼できる人々がいて、助け合える関係性があることは、とても重要なことです。


孤独な子育てという課題に対しても、近所のつながりは役立ちます。

　乳幼児の子育て家庭のうち半数近くは、慣れ親しんだ街から離れ、不慣れな環境で子育てをしています[1]。核家族化が進み、家庭内でも助けを得にくい状況の中、なじみのないまちで新しい関係性を築いていかなければならない状況に置かれているのです。

　特に乳児を育てているときは、公共交通機関の利用を伴う外出がしづらく、徒歩圏で過ごすことが多くなります。通勤や外出などで感じられていた社会との関わりが減り、先述したような社会的孤立感、閉塞感をより感じやすい生活になると言えるでしょう。

　そんな中、たとえばパートナーが外で仕事をしていて、育児の悩みや負担を共有しづらい状況があると、ストレスや孤独感が高まる可能性も。つい子どもを感情的に叱ってしまったり、育児に自信が持てなくなったり、ひいては産後うつや児童虐待などの問題にもつながりかねません。そうした親子の孤立しやすい状況を変えてくれるのが、同じまちに暮らす人々とのつながりです。

毎日を過ごす生活圏の中に、言葉を交わしたり、ときに育児を手助けし合えるような人とのつながりがあることは、親にとっても、子にとっても、心身に非常によい影響をもたらすと言えるでしょう。

家族や自分が近い将来、確実に高齢になっていくことも想像してみてください。元気なうちは自由に行きたいところに行けますが、年を重ねると自転車や自動車の運転も難しくなり、行動範囲が狭まっていくこともあるでしょう。老化とともに行動や能力に制限が生じるのは誰しも避けられない中、生活圏でのコミュニケーションがより重要になるのではないでしょうか。言い換えると、生活圏でのコミュニケーションが充実していれば、無理して遠くへ行かなくとも、毎日の暮らし自体が豊かで楽しいものになるはずです。

いざ災害が起きてから、いざ高齢になってから。その状態になって初めて、まちで暮らす人々とのつながりの大切さを痛感しても、人々との関係性は瞬時につくれるものではありません。だからこそ普段から、そして元気なときから、まちの人々とゆるやかなつながりを育んでいくことがとても大切なのです。

このような考え方のもと、第1章では現代日本の都市が抱える社会環境問題について解説していきます。**いまの都市が置かれている時代背景、災害の状況、子育て、高齢者、環境などのテーマについて、ネイバーフッドデザインとの関わりを切り口に、一緒に考えてみましょう。**さまざまな現状を知ることで、同じまちに暮らす人々のつながり、ひいてはネイバーフッドデザインの必要性について、より理解を深めていただけるはずです。

「共助」の必要性が高まっている時代

「はじめに」でも書いたように、まちで暮らす人々のつながりづくりを行う一番の目的は、助け合いの関係性をつくることです。よく災害時の行動として「自助」「公助」「共助」という言葉が使われますが、※その中の**「共助」の関係性をつくること。**これがネイバーフッドデザイン最大の目的です。

これには、時代的な背景もあります。日本では少子高齢化や人口減少により「小さな政府」を目指さざるを得ない状況があります。行財政に制約があるなか、公的な支援をより有効に活用するためにも地域社会における共助が必要ですし、さまざまな問題への予防的な解決策として共助は非常に重要です。これからの日本社会は共助を前提として成り立つ社会になるでしょう。

しかし、共助を前提とした暮らしが求められつつある一方で、住宅の流動性は年々高まっています。

流動性が高まるということは、近所の人々が頻繁に入れ替わり、顔と名前の一致しない人が多い状況だということ。「つながり」や、その先にある「共助の関係性」がつくりづらい状況だと思います。

ただ住宅の流動性が高いのは、言い換えれば転居がしやすい環境だということです。私は、それ自体はよいことだと考えています。求めるライフスタイルに合わせて住居を変えられることは豊かさであり、日々の快適性や暮らしやすさにもつながるからです。また空き家問題においても、地方移住者が空き家をリノベーションして住む例が近年よく見られるのもよい流れだと思っています。

豊かさや暮らしやすさのために、転居しやすい環境はこのまま広まってほしい。それでも、転居した先々では、そのまちの人々とのつながりを育んでいってほしい。これはある意味、矛盾する価値観かもしれません。しかしこれらを両立するため、ネイバーフッドデザインによって「共助」の関係性と仕組みを育んでゆくことが、いま求められている挑戦でもあると思っています。

※自助・公助・共助……本書内の定義は、
「自助」……自分のことを自分で守ること
「公助」……法律や制度に基づき行政機関などが提供するサービス
「共助（互助含む）」……近所の方々同士で助け合うこと
社会福祉分野においては「自助・互助・共助・公助」と4つに分けるのが一般的で、「共助」は年金、介護保険など制度化された相互扶助のこと、また「互助」は費用の負担が制度的に裏付けられていない自発的なものを指すこともありますが、本書では災害時における助け合いなどの文脈でよく使われる用法として、互助の要素も含め「共助」という言葉で表現しています。

流動性の高い社会で、コミュニティのハブが求められている

住民の頻繁な入れ替わりにより、昨今の都市部では、**自治会はおろか、中間支援団体、NPOといった各種専門機関でさえも、どこに誰が住んでいるのかを把握し続けることが難しい状況**にあります。表札をオープンにするわけでもない、マンションやアパートの増加もその一因です。

たとえば子どもや家庭の問題などについて、児童相談所や市町村などの行政機関だけで早期に発見し、すべての問題を解決するのはとても難しいのが現実です。しかし、そのまちに暮らす人々がひとり親家庭やステップファミリー、里親・養子縁組家庭など、多様な家族のあり方を理解し、その家庭の様子や困りごとに気づける関係性があればどうでしょうか。子どもは親だけに育てられるものではなく、社会全体で育み支えるものという意識が地域にあれば、子育て家庭もより楽しく、前向きな子育てがしやすくなるはずです。

また、より困難な状況にある家庭がまちにあった場合、周りが気づいて支え、必要な場合には市町村や児童相談所、NPOなどの支援機関に適切につなぐことができれば、問題が深刻化する前に相談や支援ができるかもしれません。どんな家庭でも、なんらかの負荷が重なれば、虐待などの不適切な養育につながる可能性はあるのです。ネイバーフッドデザインの取り組みのなかでは、まちで暮らす人々に、こういった問題は他人ごとではなく、身近に起こりうるものだと伝える機会を設けたりもしています。

図 1.1　ネイバーフッド・コミュニティの領域

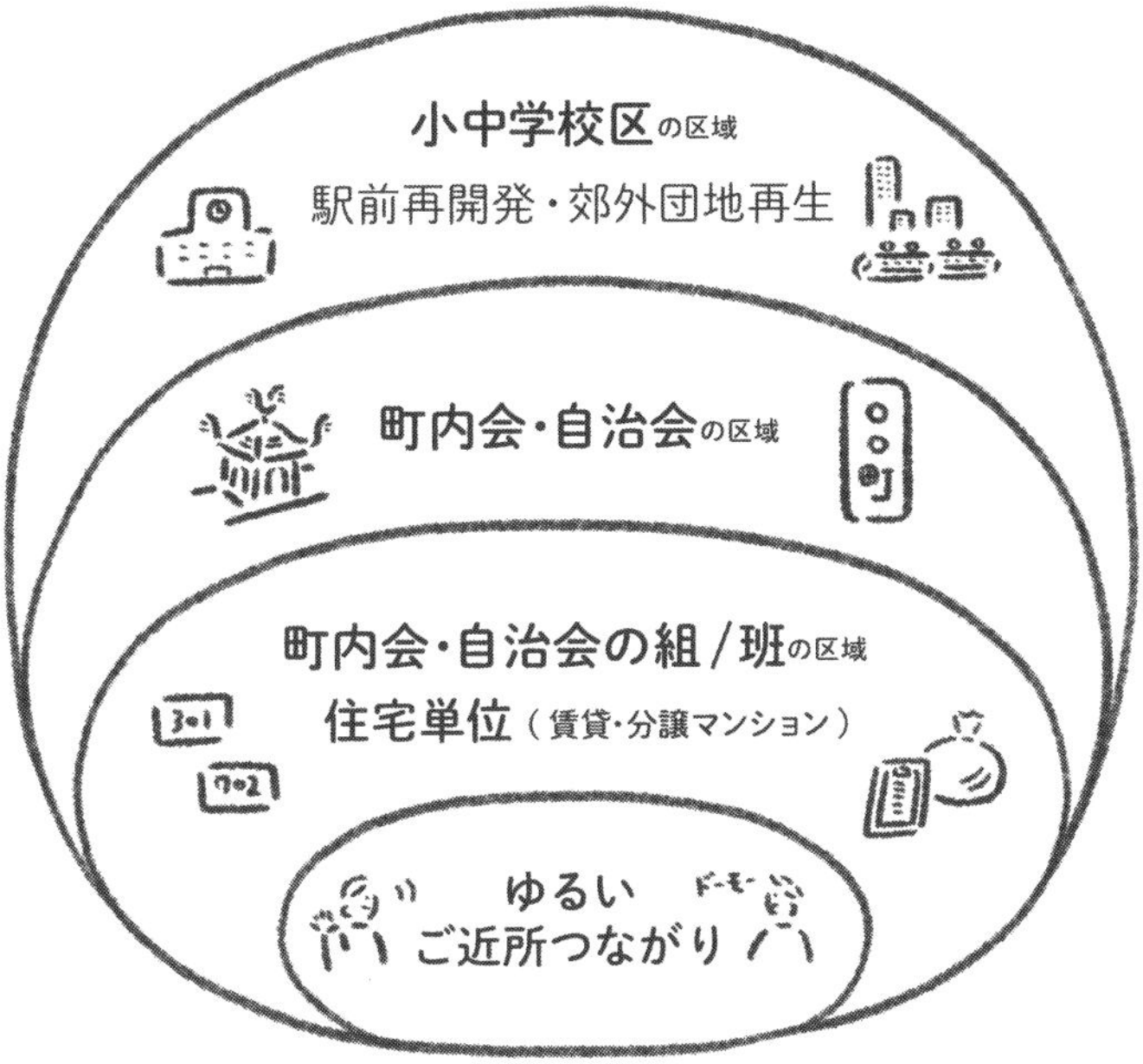

子育て世帯を支援するための拠点は、地域にも点在しています。ただ、自発的に通う必要のある拠点だけではなく、生活により近い場で関わる人たちに課題や対策への見識があれば、子どもを救うことはもちろん、親を救うことにもつながります。

虐待など深刻な問題への対応だけでなく、親が育児について気軽に相談できるつながりが身近にあることも大切です。身近に相談相手がいる状況は、親子ともに安心感につながります。家庭や学校以外の身近な場所で大人とのつながりを持つことは、子どもにとっての居場所や逃げ場をつくることにもなるのです。

他にも、たとえば「認知症の人には言動にどのような傾向があるのか」などについても、近所の人に知識があれば「気づく」ことができます。顔と名前がわかる関係であれば、然るべき専門機関に連絡し、相談や支援の機会へつなぐことができるでしょう。

ネイバーフッドデザインだけで社会環境問題のすべてが解決できるわけではありません。行政やNPOなどの専門機関の役割はとても大事です。一方で住宅の流動性が高まるなか、専門機関にとってまちやマンションの内部に入り込むことは難しくなっています。こうした状況において、**ネイバーフッドデザインを通して育まれる人々のつながりが**、**課題の現場と**、**行政やNPOなどの専門機関をつなぐハブになれる**と私たちは考えています。

問題の起きている家庭に私たちが直接踏み込んでいくことは少ないですが、その家庭や「まち」自体が、ふさわしい支援者や専門機関とつながりやすい状態にすることを、ネイバーフッドデザインは可能にするのです。

増える災害。そのとき、近所に助け合える関係性はあるか？

共助の関係づくりを重要視している背景には、近年における災害の増加傾向もあります。

図1・2は、「ここ10年で起きた主な災害」を一覧にしたものです。近年、特に豪雨災害などの水害が増えていることがわかります。気候変動の影響で水害が増えていると言われます。そのため、今後もその傾向が続く可能性が高いでしょう。

図1.2　ここ10年間に起きた主な災害

2011年 3月11日	東北地方太平洋沖地震（東日本大震災）
4月11日	福島県浜通り地震
9月	2011年台風12号（奈良県南部・和歌山県）
2013年 10月	2013年台風26号（東京都伊豆諸島）
2014年 2月	2014年豪雪（関東甲信）
8月	豪雨による土砂災害（広島市）
9月27日	御嶽山噴火
2016年 4月14日	熊本地震
8月	2016年台風7・9・10・11号
2017年 7月5日	豪雨（九州北部）
2018年 6月18日	大阪府北部地震
7月	豪雨（広島県・岡山県・愛媛県）
9月6日	北海道胆振東部地震
2019年 8月	豪雨（九州北部）
9・10月	2019年台風15・19号
2020年 4月	新型コロナウイルス拡大防止のため「緊急事態宣言」が発出
7月	豪雨（熊本県）
2021年 1月	1都3県に対し、再び「緊急事態宣言」が発出
7月	集中豪雨（静岡県・神奈川県）
8月	集中豪雨（九州地方・長野県・中国地方）

また気象庁によると、概ね100年〜150年間隔で発生している南海トラフ地震は、前回の南海トラフ地震（昭和東南海地震：1944年、及び昭和南海地震：1946年）発生から70年以上が経過し、次の地震発生の切迫性が高い状態にあります。被害想定は過去最大であり、防災・減災の対策がとても重要です。

さらに、首都直下地震の被害想定も出ています。首都直下地震は、2013年12月、政府の中央防災会議の作業部会が「今後30年以内に70パーセントの確率で起きると予測している」と発表した、マグニチュード7程度の大地震です。その被害として、死者が2万3000人、経済被害が約95兆円にのぼると想定されています。首都は住宅の密集エリアなので、家屋の倒壊やそれによる火災をどう防ぐかは大きな問題です。

そしてこれらの**大きな災害を乗り越えるには**、**「自助」「公助」「共助」**を組み合わせて対策をしていくことが必要です。

このうち、「自助」については家具の転倒防止や備蓄品の確認など、なんとなくイメージがある方も多いはず。また「公助」も、消防活動や自衛隊の派遣など、ニュースで見たことのある光景が思い浮かぶのではないでしょうか。

しかし「共助」はというと、パッと答えられる方は少ないのではないかと思います。事実、これまで「共助」は精神論のような形で語られがちで、「具体的に何をするのか」が非常に曖昧でした。私たちは、ネイバーフッドデザインを通して、この状況を変えていきたいと思っています。

ご近所同士のつながりで、救える命がある

「共助」としてあげられるのは、まず「**安否確認・救助**」です。家屋が倒壊した場合はもちろんのこと、近年の建物はセキュリティの向上などにより、ドアが重く、たとえ倒壊しなくとも「閉じ込め」の状況が容易に起こりえます。

図1・3は、1995年に起きた阪神・淡路大震災の際に、77パーセントの方が窒息・圧死で亡くなったことを示したグラフです。家具の下敷きになったり、家屋の倒壊などでがれきに埋もれて身動きがとれずに亡くなった方が多いのです。

一方、阪神・淡路大震災では人命救助の主体の約8割が「近隣住民等」であったという推計もあります（図1・4）。つまり一刻を争う状況の中、がれきに埋もれた命を必死で救い出したのは、他でもなく近所に住まう人だったということです。

図 1.3　震災の死亡原因

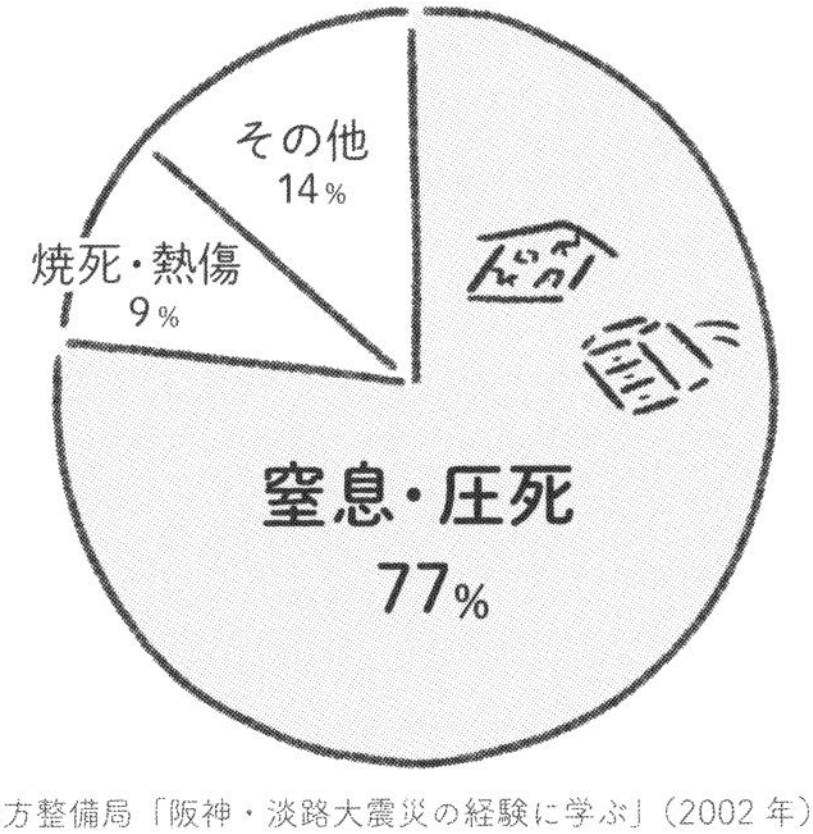

出典：国土交通省　近畿地方整備局「阪神・淡路大震災の経験に学ぶ」（2002年）

また、東日本大震災の被災者の方々については、震災前に自治会・町内会等の地縁活動への参加程度が高かった人たちほど、震災の際に支援者として活動した比率も、支援を受けた比率も高いという調査結果があります[2]。つまり、ご近所付き合いのある人ほど、助けた人も、助けられた人も多かったと言えるでしょう。

大地震などで家屋が倒壊すれば、同じ建物に住む家族は全員、同じように身動きがとれなくなる可能性も高いはず。公的な救助を待つ間にも失われる命があるかもしれません。そんな差し迫った状況で、隣近所に住む方や徒歩圏に住む方が駆けつけて救助することがどれだけ重要か、ご想像いただけるのではないでしょうか。**まちに暮らす人々と助け合える関係性があることで、救える命があるのです**。その思いを根幹に、ネイバーフッドデザインに取り組んでいます。

その他の「共助」としてあげられるのは、たとえば**情報収集**、**情報交換**。メディアでは広範囲の情報

図 1.4　阪神・淡路大震災における救助の主体と救出者数

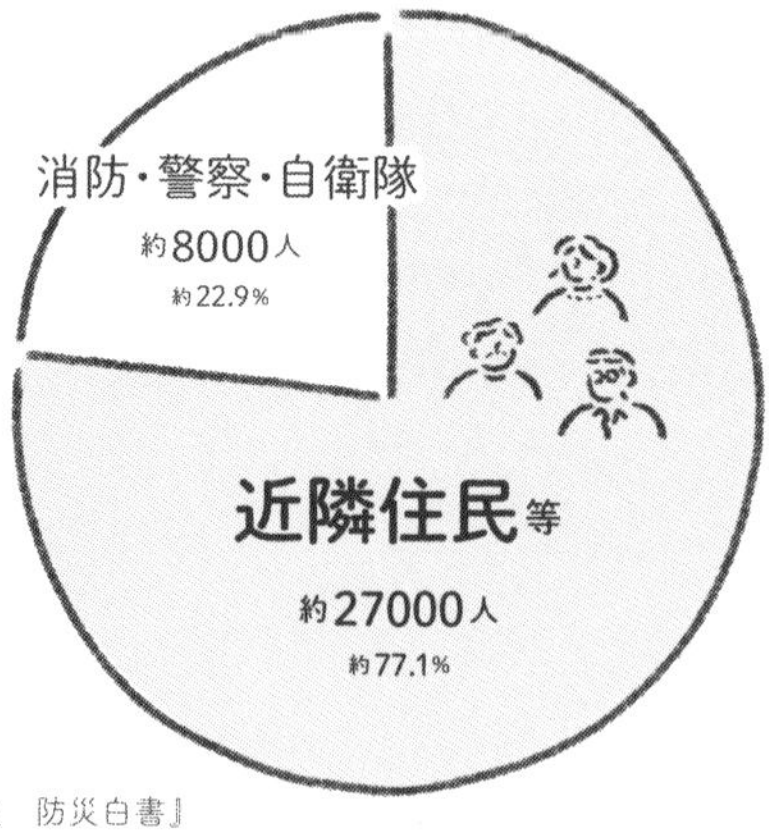

出典：内閣府『平成 26 年版　防災白書』

は手に入りますが、現地ですぐに役立つ地元の情報は、地元でしか得られなかったりするものです。

さらには、**避難生活での助け合い**。非常時に避難所で生活することを余儀なくされる場合もあるでしょう。資源の限られたなかで共同生活を送るには、助け合いの関係は不可欠だと言えます。

また、あまり着目されない点ですが、**不安の解消**も見過ごせない一面です。東日本大震災が発生したとき、わたしは東京の自宅にいました。コーポラティブという手法で入居予定者が主体となって建築したマンションです。入居者同士はマンションを建てる前から顔と名前のわかる関係で、メーリングリストなど連絡方法もあります。そのため地震発生時、自宅にいながらもすぐに皆の安否確認が行われました。また、窓から外の状況を見て、「大丈夫ですか」と声をかけ合い、私自身、非常に安心したのを覚えています。突然の災害でショックを受けたり、パニックになる場合もあるなか、ご近所同士で声をかけ合えるだけでも、大きな安心につながります。

さらに、平時から近所につながりがあることは、**災害発生後**、**復旧フェーズにもよい影響**を及ぼします。

たとえば大地震でマンションの上下水道管に損害があったとすると、その修復には多額の費用がかかります。しかし多くの損害が発生するなか、限られた予算をどうやりくりするか、合理的に意見交換し、意思決定をしなければなりません。東日本大震災の復旧現場でもそういった話を聞きますが、やはり平時から良好な関係性を築けているところのほうがスピーディかつ合理的な判断ができている傾向があります。一方で合意形成がうまくいかない現場では、中には訴訟問題になっているケースもあるようです。

東日本大震災の復興現場でもらった言葉

ここまで「助け合える関係」や「共助」の大切さを繰り返し語ってきた背景には、ひとつのエピソードがあります。

ネイバーフッドデザインに取り組むため私がＨＩＴＯＴＯＷＡを創業したのは、２０１０年12月24日。その3か月後に、東日本大震災が発生しました。

やがて私も復興支援のため東北に通うことに。被災した方々と何度もお会いするようになりました。ときには食事をともにしたり、お酒を酌み交わしたりするなかで、被災地の方々が涙ながらに語ってくださった言葉があります。

「子どもを亡くして、自分が生き残ってしまった。自分たちの身に何が起きたのか、いったいどうしたらよかったのか……。ただただ、後悔の念しかない。話せることは話すから、どうかネイバーフッドデザインに役立ててほしい」

「東京に大災害が起きたら日本中が崩壊するかもしれない。災害が起きてから、助け合える関係の大切さに気づいても遅い……。自分たちのように後悔する人が増えてほしくない」

「荒くんのやってるネイバーフッドデザイン。震災があって初めてわかったけど、本当に大事だからがんばってね。期待しているよ」

絞り出すように紡いでくださったその言葉たちは、私がネイバーフッドデザインに取り組む意義を、自らに問い直すきっかけにもなりました。

真に住まいや地域の課題を解決する関係性、つながりとはどういったものか。それを育んでゆくにはどうすればよいのか。そして、今後も訪れる大災害に立ち向かえる力を持ったコミュニティとは何か。

あのときから、ネイバーフッドデザインの目的はつながりをつくるだけでなく、「いざというときに助け合える関係性と仕組みを育むこと、ひいてはその関係性が地域課題・社会環境問題の解決につながっていくこと」であるという思いを新たにしたのです。以降、その思いを根幹に、数々のまちや集合住宅で、ネイバーフッドデザインの取り組みを続けてきました。

"Stay Home With Your Neighborhood."

「災害」は、地震や水害などだけではありません。ときには予期できない突発的な社会変化が訪れることもあります。2020年の初めから世界の情勢を一変させた、新型コロナウイルスの蔓延もその一例と言えるでしょう。

コロナ禍で繰り返されたキーワードに、外出の自粛をあらわす"Stay Home"がありました。人との接触を避けるという意味でこの"Stay Home"は有効なのでしょう。しかし、一歩踏み込んで表現するなら、"Stay Home With Your Neighborhood." つまり近所の方と適切なつながりを持ちながら、外出を控えるのが理想だと私は考えています。また、コロナ禍では当初"Social distancing"という言葉も普及しましたが、むしろ適切な物理的距離（Physical distancing）をとりながら、心理的・社会的なつながりは大切にしていく、という考え方に重きを置いています。

実際に、中国ではまちぐるみでコロナ禍への対策に取り組んだ事例があります。HITOTOWAでは2020年に、以前からつながりのあった中国のまちづくり有識者と「日中まちぐるみ防災会議－エリアマネジメントと新型コロナ－」と題したチャリティ型のオンラインイベントを開催したのですが、その内容はとても学びの多いものでした。

まず感じたのは、日本の対策とは根本的な考え方が異なることです。たとえば日本で言う「Stay Home」は、ひとり、または同じ家に住む一世帯だけで対策しよう、という姿勢が根本にあったように思います。一方、中国ではまちぐるみ、まさに「Stay Home With Your Neighborhood」という考えをもとに対策がなされていました。

中国では日本でいう「丁目」のような単位として、ひとまとまりの街区を示す「社区」があります。そして社区の中に、集合住宅や世帯があります。それらの中や、まちとまちの間にも明確な対策の決まりがあるのです。たとえば、社区を越えるときや住居棟の出入りの際には検温しなければならない、マンションあたりの外出可能人数を制限し、買い物は近所で助け合って行う、などです。

もちろん文化や歴史など社会的背景の違いもあるため、まったく同じことをいまの日本で導入すると、うまくいかないことも多いかもしれません。それでも、まちぐるみでこのコロナ禍を封じ込めよう、そして乗り越えていこうという考え方はとても素晴らしいものだと思いました。

特に衝撃を受けたのが、**住民・管理会社・行政・自治会（居民委員会）の横断的な組織が早い**

段階で立ち上がり機能していたことです。ロックダウンの開始から1週間後には各組織が集まり会議を開催、話し合いながら役割分担を進めていったという話がありました。これは日頃からのつながりがないと実現できないスピード感だと思います。

ちなみに居民委員会は、社区を単位として設置される住民主体の自治組織でありながら、普段から行政機関の指示に沿って地域社会における生活サービス全般を展開し、行政補助機能を担っています。横断的組織が1週間で立ち上がった驚異的なスピード感も、日頃からまちや各組織とやりとりがあってこそなのでしょう。

また、中国のまちづくり有識者と話していて感じることは、人々のつながりづくりにおいて、**日本よりもはるかにIT化が進んでいる**ことです。たとえば、マンションの棟ごとにWeChat（中国を中心に普及しているメッセージアプリ）でグループをつくり、情報交換をしているといいます。中国では他の国々より早くコロナ禍が深刻化したためもあり、当初はいろいろなデマも飛び交っていたのだとか。そんな状況下、住民たちはデマにおどらされないようにWeChat上で話し合い、「これは信じよう」「これはデマだ」と確認しながら対策を進めてきたそうです。

また外出自粛の状況が長期化するなか、孤立しやすいマンションでは、WeChatを使って太極拳の映像を配信したり、オンラインサロンを開いて応援し合うなどの光景も見られたとか。これまでとは暮らしががらりと変わっても、それを「いかに日常化できるか」という視点で、住民の方々が楽しんで取り組んでいる姿が印象的でした。

一方、日本のまちでは、いまだにペーパー文化が強いのが実態です。回覧板などによる連絡にも住民同士で顔を合わせる機会になるといった良さがありますが、時間がかかりますし、コロナ禍のような状況では対面での受け渡し自体が難しくなります。オンラインで近隣の人と気軽に話し合えるプラットフォームがない地域は、こういった感染症対策の面では非常に脆弱だと言えるでしょう。もちろん大地震など他の災害の際にも、オンラインのプラットフォームは有効です。即時性の高いオンラインでの情報共有の形を早急に整え、回覧板などの方法とうまく使い分けられるようになるといいと思っています。

コロナ禍で見えた「つながりづくり」の新たなかたち

コロナ禍による外出自粛やイベント自粛の中、「人と人とのつながりづくり」に取り組んできた私たちは、つながりづくりの形を改めて捉え直し、変革を迫られることとなりました。

これまでのように「場づくり」ができない、人と人が会う場をつくれない。当初は何をどうすべきか迷いましたが、この状況は私たちにとって試練でもある一方、これまでの事業的な課題を解決する挑戦の機会にもなったと考えています。

というのも、「場」に足を運ばなくても「つながり」を育むことができる環境は、実はとても重要だからです。

「家から出てもらわないとネイバーフッドデザインを促進できない」従来の状態は、ある意味では矛盾していました。**育児中の方やお年寄り、持病の影響などで「家から出づらい」状況にある方々こそ、社会的に孤立しやすく、つながりが必要**だからです。

そこでコロナ禍においても、前項で触れた「Stay Home With Your Neighborhood」の考え方をもとに、私たちがお手伝いしている住まいやまちでは形を変えながら、ネイバーフッドデザインを続けてきました。

たとえば外出自粛や休校・休園が続くと、子どもたちにも、また在宅で仕事をしなければならない家族にもストレスになります。そこであるマンションでは管理組合で話し合い、時間を決めてマンションの共用部を、子どもたちが遊ぶためのスペースとして開けることにしました。検温、消毒、記名などのルールも徹底します。また、近所の人とメール等で連絡をとり合い、順番に買い出しに行って分配するなどの取り組みが生まれました。このように、日頃から近くに暮らす人と話し合う関係性があることで、一世帯だけ、ひとりだけではない対策の形を考えることができるのです。

一方で、私たちが関わっていないマンションでは、管理組合が一方的に共用部を使用禁止にする例もあったようです。「使用禁止」が一概によい・悪いという問題ではなく、その**合意形成の仕方が問題**です。全員と話し合って決めるより、一律禁止にしたほうが管理は楽で、トラブルも少ない。そのような理由で、個人のニーズや、リスク対策について真剣に検討せず、「とりあえず使用禁止にした」ケースも多くあったと感じます。

日頃からつながりがあり、メーリングリストやグループチャットでのやりとりができる状態であれば、住民それぞれのニーズも汲み取りやすくなりますし、集合して話し合うまでもなく、納得がいく合意形成がしやすくなります。

またHITOTOWA社内でも、コロナ禍を機に多くの取り組みをオンライン化しました。社内会議はもちろん、防災ワークショップ、マンション内イベント、エリアマネジメントの会議など、いろいろな形でオンライン活用を進めてきました。

ふたを開けてみると、たとえば子育て関連イベントは「育児中は外出が大変なのでオンラインで参加できて助かる」と予想以上に好評だったり、マンション内イベントでも参加ハードルの低さから参加率が上がったりと、オンラインならではのメリットに気づくことも多くありました。

そのなかで生まれたキーフレーズに「オンラインでも、オフラインでも人と会う価値を信じる」があります。オフライン、オンラインそれぞれにメリット、デメリットがあることが明らかになるなかで、これからはその両者のよいところを掛け合わせながら、ハイブリッド型で適切なネイバーフッドデザインの取り組みを続けていきたいと考えています。

実は身近な「孤育て」

さきほど、災害時における共助の話のなかで「ネイバーフッドデザインで救える命がある」と書きました。

実は、「ネイバーフッドデザインで救える命がある」のは災害のときだけではありません。育児中の孤独や、お年寄りのひとり暮らしなども、場合によっては「命に関わる問題」だからです。

児童相談所が対応した児童虐待の相談件数は30年間増え続けています。2020年度は20万件を超えました。[3] 虐待の解釈が見直されたり、問題が広く認識されるようになってきたという背景もあるため、これだけで実際の虐待件数が増え続けているという証明にはならないかもしれません。それでも、毎年これほどの数の虐待相談対応が必要になること自体、由々しき問題ではないでしょうか。

子育て環境についても見てみましょう。

図1・5（41頁）は、子育て中の世帯が置かれた環境をイメージとして図式化したものです。まず、上の図は、昔の日本における子育て環境です。昭和50年から60年ごろの日本は、全世帯のうち子どものいる世帯が半数程度を占めており、[4] 親戚やご近所、地域の人々が協力し合いながら、ともに子育てをしているような状況があったと思います。私も30年前、子どものころは団地住まいだったのですが、よく近所の人から怒られたりしたものです。一方で、遅くまで遊んでいると「帰らないでいいの？」と心配して声をかけてくれる人もいました。いま考えると地域の人から見守られていたんだな、と感じます。

そして真ん中の図は、現代の子育て環境です。親が子育てにおいて担う役割の比重が増えていると感じます。

この背景にあるのは、社会環境の変化です。少子化や、子どものいる世帯の核家族化が進んだこと。まちに暮らす人々のつながりが希薄化してきたこと。困ったときに気軽に声をかけられるご近所付き合いが減ったこと。そうして子どもと接する経験が少ないまま大人になった世代がまた親となり、慣れないなか、自分たちだけで子育てをがんばろうとすること……。さらには共働き世帯の増加など、ライフスタイルの変化もあるでしょう。

もちろん、そのなかで行政サービスや民間サービスなど、「サービス」は昔よりも整備されてきています。ただ、なかには保育園や託児サービスを利用することに引け目を感じてしまう方がいたり、サービスによっては経済的な負担から利用できない方もいたりします。一言で言うと、私は昨今の子育て世帯がとても「追い込まれやすい」状態にあると感じています。虐待などの不適切な養育にいたらずとも、子育てに悩み、生活に余裕がなくなってしまうケースは少なくないのではないでしょうか。

それらの状況を、近隣の身近な人たちとの関係性を通じて解決できないか。子育てを親だけではなく、まちの友人・知人とともにより楽しむことができないか。これがネイバーフッドデザインの考え方です。

もちろん、私たちは「育児のプロ」ではありません。でも世の中には、まちに根ざした子育てNPOや地域活動に協力的な保育士の方々など、育児にまつわる問題に取り組むプロがたくさんいます。そうした専門職や子育て支援団体とも連携したうえで、私たちは「近隣の身近な人たちとの関係性を育む」という、インフォーマルでゆるやかなつながりづくりに取り組んでいます。

ベネッセ総合教育研究所が妊娠期・0～2歳の第1子を持つ妻・夫、8000世帯に実施した調査では、近所付き合いがあることが、子育てへの自信と関連性が高いと考えられる結果も出て

図 1.5 現代の子育て環境

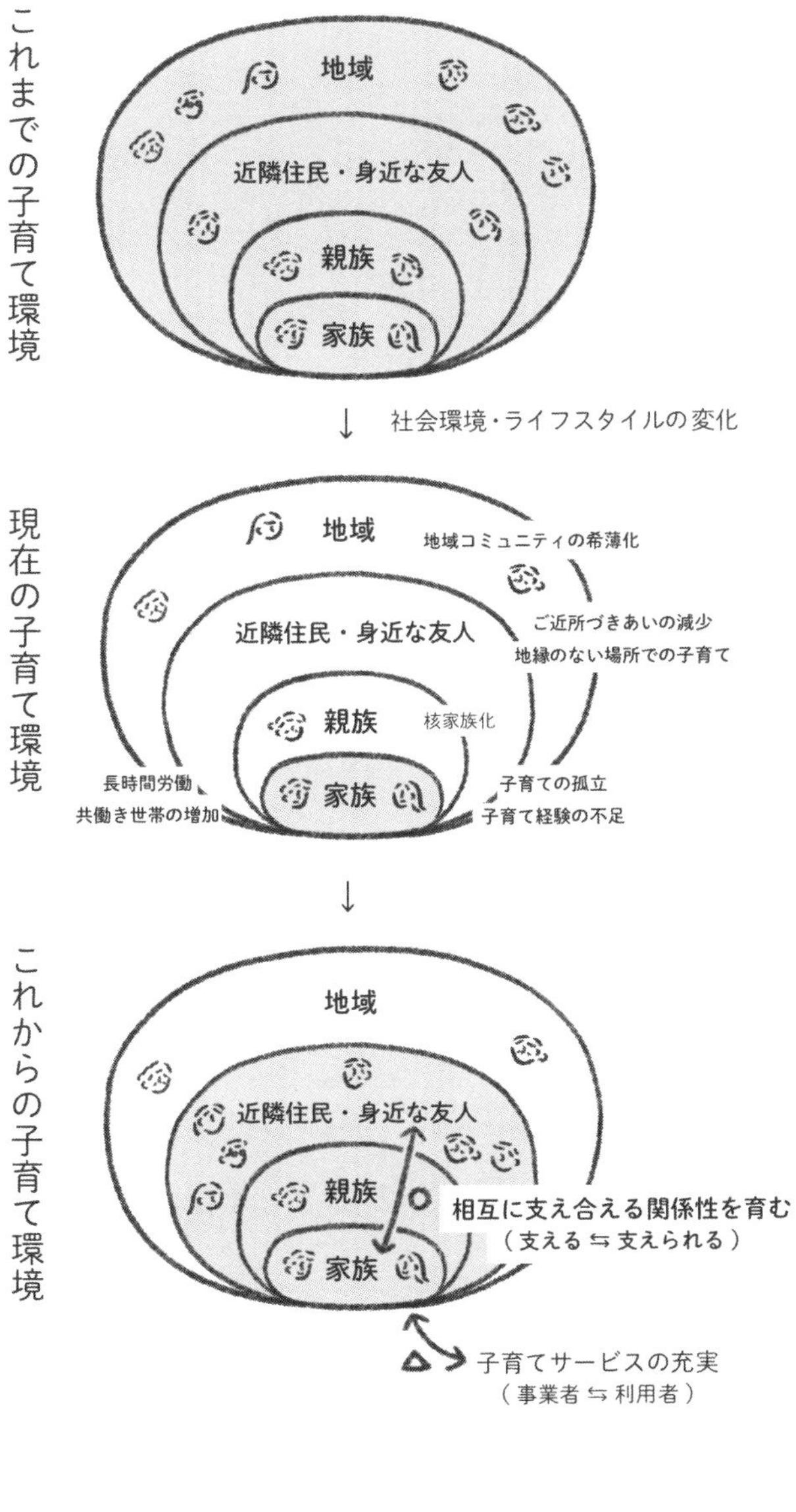
これまでの子育て環境
地域
近隣住民・身近な友人
親族
家族
社会環境・ライフスタイルの変化
現在の子育て環境
地域
地域コミュニティの希薄化
近隣住民・身近な友人
ご近所づきあいの減少
地縁のない場所での子育て
親族
核家族化
家族
長時間労働
共働き世帯の増加
子育ての孤立
子育て経験の不足
これからの子育て環境
地域
近隣住民・身近な友人
親族
家族
相互に支え合える関係性を育む
（支える ⇆ 支えられる）
子育てサービスの充実
（事業者 ⇆ 利用者）

います。(5) 具体的には、「子育てに自信が持てるようになった」という項目に対し、「あてはまる」「ややあてはまる」と答えた人の割合は、近所付き合いがある層は34・8パーセントなのに対し、付き合いのない層は21・7パーセントと、13・1パーセントの差が示されています。

このような背景からも、育児期において近隣に話し相手がいて悩みが共有できることや、子どもも親も一緒に楽しい時間を過ごせるような、居心地のいい関係性があることは重要だと考えます。

単身高齢者の増加とどう向き合うか

続いて、高齢者の社会的な孤立という課題について考えてみましょう。

図1・6は、65歳以上の単身高齢者の数、つまりひとり暮らしの高齢者の数の動向を表しています。これから先も増加傾向にあることがおわかりいただけるでしょう。2025年には、65歳以上の高齢者が3657万人になるとの予測があり、うち37パーセントはひとり暮らしになると言われています。65歳以上の方の約4割が、ひとり暮らし。非常に多くの方々が単身高齢者になると考えられています。また高齢者の場合、ご家族がすでに亡くなっていたり、離縁していたりするケースも多く、本当に社会的な孤立状態にあると言えます。

そして高齢者の孤立は、「災害関連死」や「孤立死」とも深く関係している問題です。

図 1.6 単身高齢者世帯数の推移

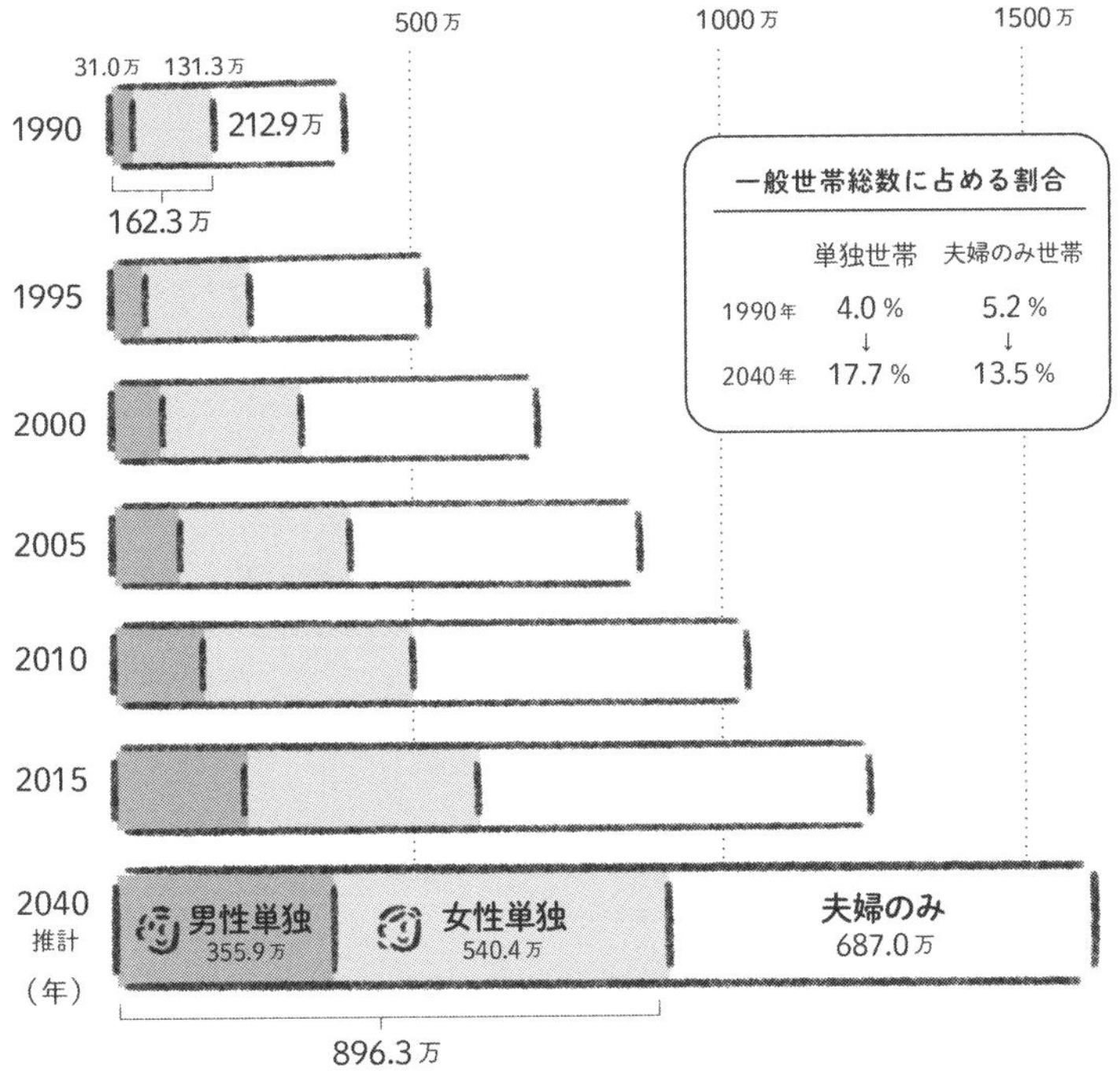

出典：厚生労働省『令和２年版 厚生労働白書』

たとえば東日本大震災では、亡くなった方全体の約6割が65歳以上であり、震災による負傷の悪化等により亡くなられた震災関連死者数で見ると、実に全体の88・6パーセントが65歳以上であると報告されています。
　また孤独死に関しては、内閣府の調査で、ひとり暮らしの人の5割以上が孤独死を身近な問題として感じているという結果が出ています（図1・7）。家族と同居する世帯と比べ、単身世帯では孤独死の可能性について何らかの不安を感じている人が多いようです。

　さらに消費者トラブルなど、孤独な高齢者をねらった詐欺などの犯罪も後を絶ちません。また65歳以上の7人に1人は認知症と言われるなかで、その進行によって勝手に店のものを持ち帰ってしまうなど、軽犯罪を起こす高齢者も増えています。平成30年時点で、高齢者による犯罪の検挙人数は1年間で4・5万

図 1.7　孤独死を身近な問題として感じる人の割合

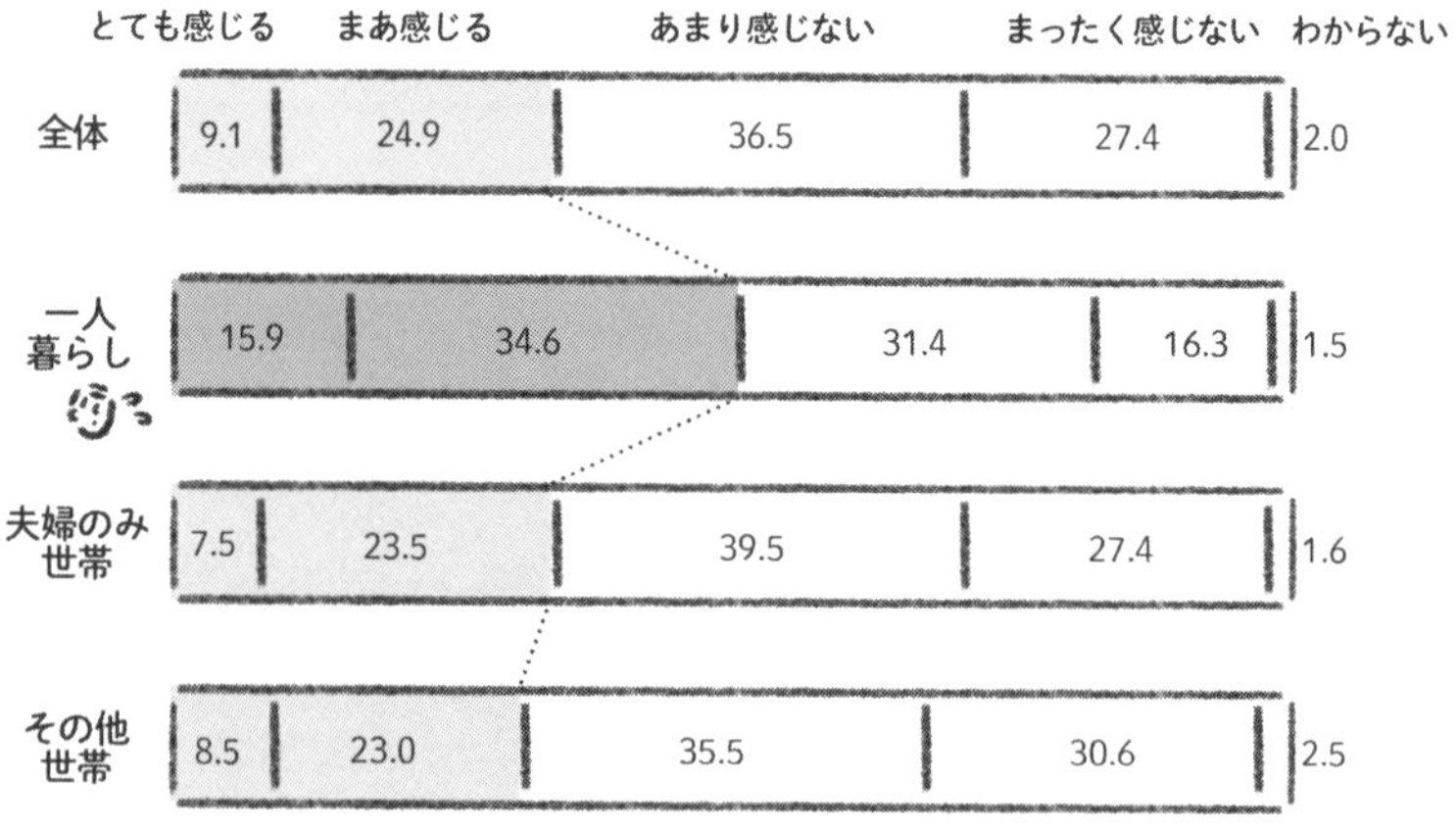

出典：内閣府『令和２年版　高齢社会白書』

人にのぼるそうです。

このような現状や未来の見通しを見ていると、「一人ひとりが人生をよりよく生きる」という意味でも、また「安心・安全な社会をつくる」という意味でも、高齢者の孤立とどのように向き合っていくか、こうした課題を地域でどのように解決していくかはとても重要です。それは数年後や数十年後の自分たちの人生に直結してくることでもあるのです。

一方で、単身高齢者の方は自身でも孤立に対する危機感が比較的強く、ある程度は地域活動に参加している印象もあります。

ただ、留意すべきなのは、それが多くの場合「通いの場」にすぎないということです。

定期的に通う場があり、友達もいるなら一見つながりがあるように見えますし、本人もそう感じているでしょう。しかし本章の冒頭でもお伝えしたように、「通いの場」が閉鎖された瞬間、誰もが孤立する可能性があるのです。実際、コロナ禍では友人と連絡もとれず心配だったという声を聞きました。いつもサロンに通っていたから、連絡先も交換していなかったというのです。

コロナ禍に限らず、何かのきっかけでけがをしたり、急病になったりすることもあるでしょう。繰り返しますが、それらは「いきなり」やってきます。そう考えると、やはり自宅に近いところに「見守ってくれる存在があること」が大事ではないでしょうか。

それは日々の生活で顔を合わせて挨拶するだけの関係でもよいと思いますし、必ずしも名前を知らなくてもいいでしょう。大切なのは、何かの変化に気づくことのできる目が、自宅の周りにあるかどうか。そういった地域ぐるみの関係性を醸成していくことが必要です。できれば互いに名前や連絡先のわかる関係を、ひとりでも多くつくっていけるとよいでしょう（図1・8）。

コロナ禍によるライフスタイル、ワークスタイルの変化で、日中に高齢者や未就学児の子育て世帯だけが家にいるという状況も少しずつ変わりつつあります。これはある意味、地域ぐるみの関係性を築くチャンスと捉えることもできるでしょう。

そして地域ぐるみでの関係性の先にあるのが、行政・社会福祉協議会などが提供するセーフティネットです。変化に気づく目は必要ですが、家族や近所で課題を「抱える」必要はありません。むしろ、気づいた後は適切なサポート先につなぐことのほうが大切です。

たとえば私たちは、地域包括支援センターや、社会福祉協議会などと連携をとりながら、相談できる体制をまちにつくっています。その他にも独居高齢者への見守り訪問や、民生委員による戸別訪問など、相談先は多くあります。ネイバーフッドデザインで「すべて」を解決できるわけではないからこそ、子育ての課題同様、行政機関やＮＰＯ等と連携した活動が重要です。

そうして地域ぐるみのつながりが育まれ、それがひいては高齢の方々の「生きがい」にもつながっていけば、とも思っています。たとえば私たちがまちの活性化や課題解決に関わるなかで、「運営側のボランティアをやってみたい」というご年配の方は想像以上に多くいます。そこで話し相手ができたり、新たに友人ができたりして、楽しい日常、楽しい人生につながっていくのなら、これほど嬉しいことはありません。

一番にあるのは、災害関連死や孤独死を減らすなど「命を守りたい」という思い。ただ、その

図 1.8　コロナの影響により見えてきたこと

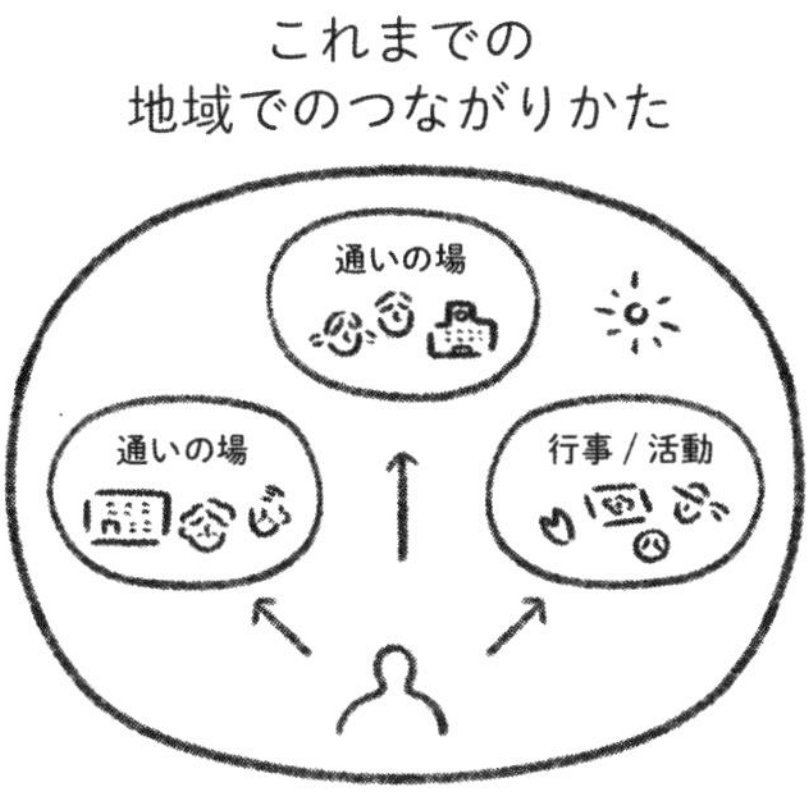

特に日中、地域にいる子ども・子育て世帯・高齢者が中心に語られていた
「場所」があることが前提

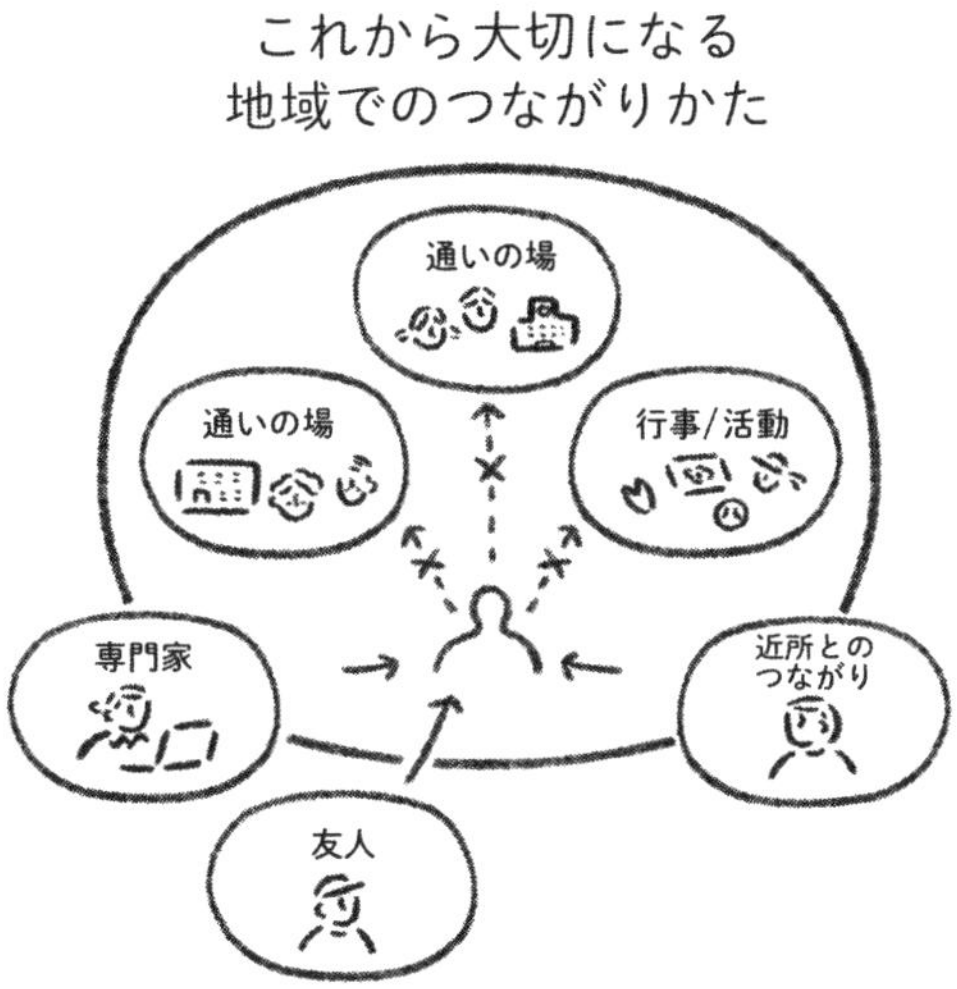

何かのきっかけで「場所」に行けなくなっても
地域でのつながりがゼロにならないための「備え」が重要

関係性が日々の生きがいや楽しさにつながっていけばさらに嬉しい。そんな未来を想像しながら、ネイバーフッドデザインに取り組んでいます。

ネイバーフッドは自然との共生につながる

最後に、地球温暖化や廃棄物問題などの地球環境問題にも触れておきたいと思います。詳しくは第9章で触れますが、私には2005年に環境NPOを立ち上げ、活動していた背景があります。環境問題は、いまでも取り組むべきひとつの大切な要素だと考えています。

2021年8月に発表されたIPCC（気候変動に関する政府間パネル）の報告書では、気候変動の拡大と加速、深刻化が報告されています。

同報告書によると、「1850年〜1900年以降の約1・1℃の上昇は人間活動による温室効果ガスの排出に起因し、今後20年間で、平均すると世界の気温は1・5℃上昇に到達するか、または超える」とのこと。これまでの報告でも気温上昇が人為的なものである可能性が高い旨は指摘されていましたが、今回初めてその因果関係が断言されました。

さらに「地球温暖化が2℃に達すると、猛暑によってより頻繁に農業と健康の耐性の臨界に到達することになる」と指摘されています。

これらは気温だけの問題ではありません。こうした気候変動は降雨やそれに伴う洪水の悪化など水害、それに伴う土砂災害、干ばつの深刻化など、さまざまな変化をもたらすと考えられています。海面上昇により、住む場所を追われる人や動物も出てくるでしょう。もはや気候変動は、人類を含め、地球上のすべての生物にとっての「気候危機」だと確信されているのです。そして気候を安定させるためには、二酸化炭素とその他の温室効果ガスの排出を大幅、かつ持続的に削減することが求められています。

また、現在は世界的な経済成長と人口の増加に伴い、地球規模で廃棄物発生量が増大しています。廃棄物発生量は今後も増加することが見込まれ、2050年の世界全体の発生量は、2010年の2倍以上となる見通しと言われています。ごみの削減もまた、生活を営むすべての人々が取り組んでいくべき課題のひとつだと言えるでしょう。

こうした地球環境問題に対して、ネイバーフッドデザインを通してできることは何でしょうか。まず、一番わかりやすい例は「シェア」によって物の大量生産・大量消費スタイルをなくしていくことです。

正直なところ、新築マンションの企画などで私たち自身も「大量生産」に参加しているというジレンマを抱えているのも事実です。まず重視するのは既存の建物を大事にしていくことですが、それでも新築マンションに関わることはあるので、その際は環境配慮型のデザインを施すことが大切だと考えています。

ところでシェアというと、特定の自動車を会員間で共有する「カーシェアリング」などの取り組みを想像する方も多いかもしれません。これは近年、アプリの活用などにより、より気軽に利用できるようになってきました。このようにシステム化された仕組みも、大量生産・大量消費をなくすにはよいものだと思っています。

さらに、ネイバーフッドデザインによって近くに暮らす人とつながりができると、他人同士だと貸し借りしづらいものもシェアしやすくなります。たとえば一時期しか使わないベビー用品やおもちゃ、書籍などの雑貨や日用品を譲り合って使うことができますし、お互いのライフスタイルや嗜好がわかると、食べ物の「おすそ分け」もしやすくなります。

私の住んでいたマンションでは、住民が田舎から送られてきた農作物やお菓子などを、エレベーターの前に「ご自由にどうぞ」と無人で置いていることがありました。もちろん、直接隣人に差し入れをしたり、反対にいただいたりすることも。こうしたおすそ分け文化は、たとえばコロナ禍当初における「買い占め」などとは逆のベクトルにあるものではないかと思います。普段から助け合える、分かち合えるつながりがあることで、必要以上に大量に物品を購入する心持ちから離れることができるのではないでしょうか。

また、地元につながりができることで、地域に根付いた商品を選択するようになると、農産物などの「地産地消」がしやすくなります。輸送にかかる二酸化炭素を減らすことで脱炭素社会への取り組みにもなりますし、消費者としても新鮮な食料が手に入るのは嬉しいものです。

地産地消のもっとも身近な例が「菜園」ではないでしょうか。家庭菜園というと一世帯だけでやるイメージがありますが、近くに暮らす人とつながりがあると、「シェア菜園」「コミュニティ菜園」を皆で運営できるようになります。もちろん、菜園の規模で収穫できるのは少量なので、これはあくまで地産地消を考える「きっかけ」に過ぎません。ただその延長線上にある「食育」や「環境教育」としての意味合いは大きいと考えています。

私たちもお手伝いしているコミュニティ菜園がありますが、そこではなるべく皆で集まって作業するようにしています。知識がなくても、農家の方を招いて教えていただくので、初心者でも美味しい野菜がつくれると好評です。また菜園にはコンポストを設置し、生ごみを堆肥化。その堆肥を菜園で活用することで、身近なところからごみの削減や循環型の暮らしに取り組んでいます。

さらに、都会に住む子どもたちにとっては自然や土に触れる大事な機会にもなります。植物は育て方によって、時には枯れたり、虫がついたりすることもある。太陽の光や雨の量、土の性質等によって育ち方や味が変わる。そうしたことを知り、生命としての植物に触れることは、スーパーで野菜を見るだけでは得られない食や命、そして地球環境への理解を育むことにつながるでしょう。

なお私たちは、住環境のハード面への取り組みとして、建材やインテリアに国産無垢材を積極的に利用するような働きかけも行っています。

この背景には、日本は国土面積が狭く、人工林がほとんどのため、すでにある森林を再生していくことが大切であるという状況があります。人工林は手入れをしないと死んでしまいますし、森が死んでしまうと二酸化炭素の吸収もしなくなる。当然、森の生態系にも悪い影響を及ぼしていきます。こうした悪循環に陥らないためには、国産材を購入し、積極的に使っていくことが不可欠なのです。国産材を購入することが、人工林の手入れをする原資となるからです。

たとえば、ハード設計の段階からネイバーフッドデザインをお手伝いしている都心のある大規模マンションでは、マンションの共用部に国産の無垢材を利用しました。

これは環境問題への貢献という意味もありますが、同時に、「共用部にふさわしい材」だと考えたからです。国産無垢材はとても肌触りがよく、その空間にいると温かみがあってほっとします。そうした意味でも、つながりを育む場やコミュニティスペースには相性がよい建材だと言えるでしょう。

ただ一方で、反ったり割れたりしやすいなど、一般的なフローリングに比べると管理が大変な一面もあり、特に集合住宅では敬遠されがちです。だからこそ、それをあえて共用部に採用することで、「皆で大事に使っていこう」というメッセージを込めました。皆で使えば使うほど、確かに多少の傷はつきますが、それもまた味わいとして愛着を生む空間になっていきます。

実際、この大規模マンションの入居開始からは数年が経ちましたが、国産無垢材を利用した共用部はその居心地のよさが評判で、小さな子どもたちとその保護者が過ごす憩いの場となったり、コロナ禍ではデスクワークの場としてコワーキングスペース的に利用する方も増えたりと、多くの方にいろいろな用途で活用されています。

環境問題に対して、当社としての取り組みはまだ決して多くはありません。けれど将来世代のニーズや可能性をこれ以上損なわないように、今後も取り組みを増やしていきたいと考えています。

以上、本章では漠然とした孤独感から社会的な孤立、また自然災害や孤独な子育て、単身高齢者の増加、環境問題など、日本の都市が抱えている地域課題や社会環境問題についての現状を見てきました。

こうした背景のなか、一人ひとりの幸せを実現しつつ、かつこれまでご紹介してきたような社会環境問題の解決につながっていく考え方として、まさにネイバーフッドデザインが求められているのです。

本章のポイント

- 現代の日本の都市では、誰もがふとしたきっかけで孤独や社会的孤立に陥りやすい状況にある。
- ネイバーフッドデザインは近くで暮らす人々の間にゆるやかなつながりをつくること。
- 近所の人とのつながりは、孤立の防止や災害時の助け合い、子どもや高齢者の見守りなどに役立ち、安心・安全で心地よい暮らしをもたらす。
- 「自助」「公助」「共助」のうち今後の日本では「共助」がますます重要になる。
- ネイバーフッドデザインは、困っている人と行政やNPOなどをつなぎ、課題を解決しやすくする。
- 今日ではオンラインツールも活用しながら「近所のつながり」をつくることができる。
- 環境問題に対してもネイバーフッドデザインの視点で有意義な取り組みができる。

NOTE

（1）ゼネラルリサーチ「『アウェイ育児』に関する意識調査」（2019年）
（2）内閣府『平成26年版　防災白書』
（3）厚生労働省「令和2年度　児童相談所での児童虐待相談対応件数」
（4）内閣府『平成16年版　少子化社会白書』「第2節　少子化の社会的影響」
（5）ベネッセ総合教育研究所「第2回妊娠出産子育て基本調査（横断調査）報告書」（2011年）

第2章 ネイバーフッドデザインとは何か

まちに与える4つの価値

第1章では、ネイバーフッドデザインが求められる社会的背景として、日本の都市が置かれている現状についてお話ししました。住宅の流動化、増える災害、子育て・高齢化を中心とした人々の社会的孤立。さまざまな課題が渦巻く中、その解決の糸口となるのがネイバーフッドデザインです。

第2章では、ネイバーフッドデザインとは何か、についてより理解を深めていきましょう。

ネイバーフッドデザインが人々にもたらす価値は、大きく分けると4つあります。

それは、**「まちににぎわいが生まれる」「景観・施設の保全」「趣味・学びの充実」「困りごとや課題の解決」**。

まず「まちににぎわいが生まれる」とは人が集まって滞留し、モノを購入したり、コトを楽しんだりしてまちに活気がつくられること。イベント開催などがその一例です。次に「景観・施設の保全」は、そのまちにあった景観を継承していくことや、施設が使い続けられるように維持・管理していくこと。そして「趣味・学びの充実」は、一人ひとりの楽しみや学びを集団で行うことで、より楽しく、より学びのある機会としていくことです。最後に「困りごとや課題の解決」は、誰かの困っていることや悩みを皆で解決すること。そしてゆくゆくはそれが、防災・減災や、防犯、子育ての助け合い、増加する単身暮らしの高齢者のサポートなど、地域の課題解決へとつながっていくことを指します。

私たちは、これら4つの価値のなかでも特に「困りごとや課題の解決」を実現したくて、ネイバーフッドデザインを展開しています。

なぜ課題の解決が大事かというと、命に関わるからです。ご紹介したように東日本大震災発生後、被災された方々との交流を通して「ネイバーフッドデザインによって救える命がある」と考えています。

加えて、「困りごとや課題の解決」がなければ、「まちににぎわいが生まれる」「景観・施設の保全」「趣味・学びの充実」は本質的に実現しえない、とも考えています。

たとえば「まちににぎわいが生まれる」として単発でのイベントを行えば、一時的にそのまちはにぎわいます。でも、イベント終了とともにそのにぎわいも終わってしまうようであれば、そ

図 2.1　ネイバーフッドデザインがもたらす４つの価値

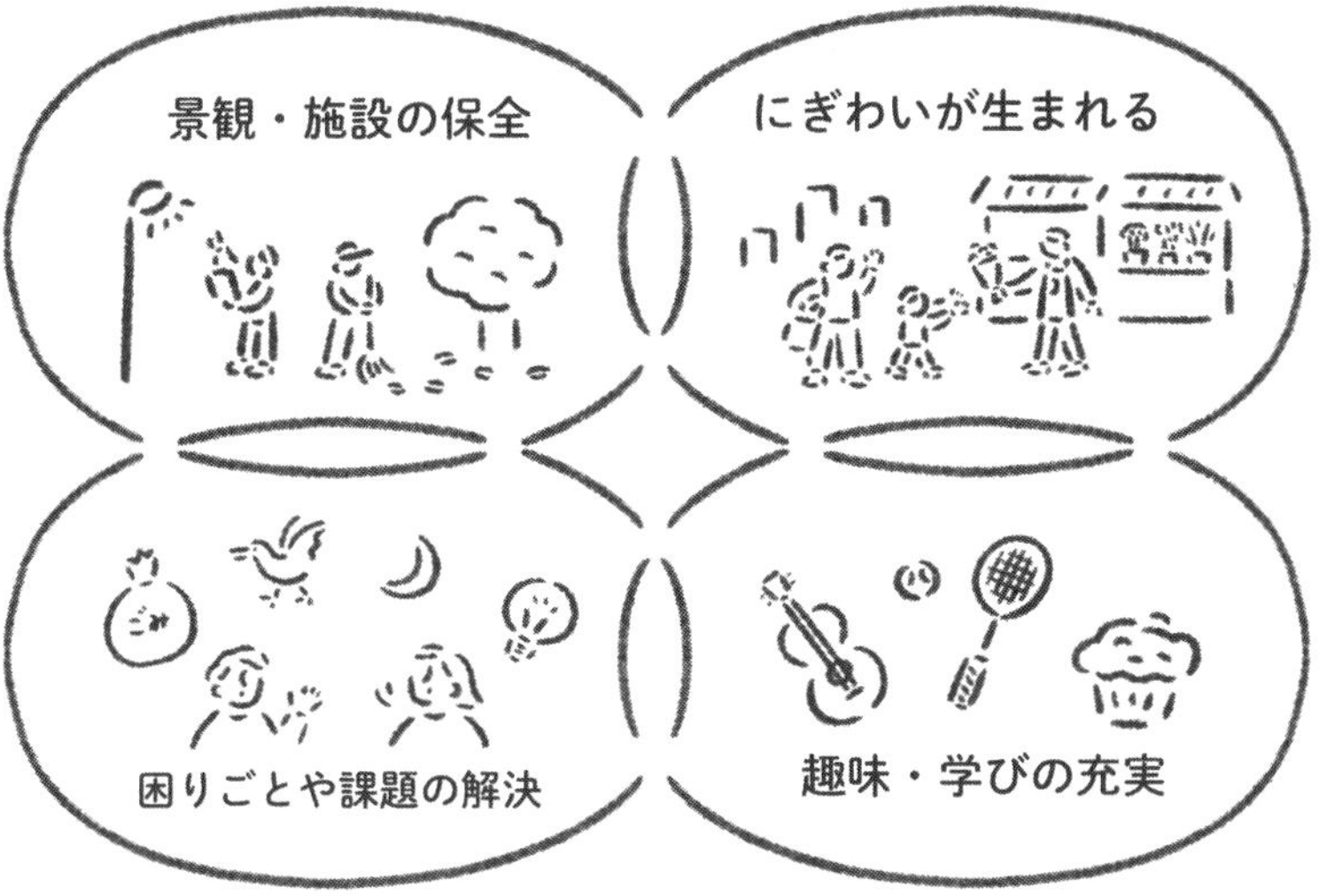

れは本質的なまちの活性化ではありません。

また「景観・施設の保全」として外見が整備され、清潔で快適になっても、そこに住まう人々が日々の暮らしに課題を抱えていたとしたら。それは魅力的なまちだと言えるでしょうか？

「趣味・学びの充実」についても同様です。誰かひとり、または数人だけの趣味が豊かになれば、まち全体が幸せと言えるかというと、そうではないはずです。

つまり、真の意味で「まちににぎわいが生まれる」「景観・施設の保全」「趣味・学びの充実」を実現していくためには、その前提として「困りごとや課題の解決」が不可欠だと言えます。

誤解のないように補足すると、これはもちろん、まちににぎわいが生まれる、景観・施設の保全、趣味・学びの充実が無意味だというわけではありません。

たとえば私たちの活動でも、多くの住民の方々に興味をもってもらう「入り口」としてのイベントなどは行っています。そうしたきっかけから興味をもち、徐々に参加してもらうなかで、自然とまちの人同士のつながりが生まれていくからです。

ただし、根底にあるのはあくまで、「まちに暮らす人々の助け合える関係性をつくりたい」という思いです。重要なのは、イベントの準備や運営によって育まれた人々の関係性によって、まちの課題が解決していくこと。その視点から私たちは、イベントのなかでも、時に地域課題や社会環境課題についてスポーツやゲームなどの要素を取り入れながら、楽しく学べる時間をつくっています。

「景観・施設の保全」「趣味・学びの充実」についても同様です。たとえばまちの環境美化チームに入ったり、趣味の集まりに参加したりすることは、まちとつながる入り口になります。ただあくまで、**それ「だけ」で終わらないこと。大切なのはそれをきっかけに、まちの人々のあいだで関係性が育まれ、ひいてはそれが課題解決につながっていくこと**だと考えます。

4つの価値はどれも大事ですが、ネイバーフッドデザインが「根底」で目指しているのは、まちの困りごとや課題の解決なのです。

しがらみでも孤独でもない

しかしながら、ネイバーフッド・コミュニティ、つまり「まちに暮らす人々のつながり」というのは、本当に求められているのでしょうか？

これまでは「まちに暮らす人々のつながりは素晴らしいもの」として話を進めてきましたが、「人々は本当にそういったつながりを欲しているのか？」という、素朴な疑問の声もあり得ると思います。

というのも、地域のつながりに「しがらみ」といったネガティブなイメージを持つ方もいるからです。

実際、たとえば一見楽しそうに見える地域のお祭りでも運営主体の人たちと参加に消極的な住民との間で軋轢があるとか、その土地で暮らしている人同士で代々仲が悪いといった話を聞くことがあります。あるいは、何か新しいことをやるには「あの人（まちのなかで有力な人）に先に話をしておかないとダメだ」という風潮がある地域も。もちろん適度な礼節は必要だと思いますが、それ以上に染み付いたいわゆる「しがらみ」的な関係性が、あるところにはあるのも事実です。

私は、日本人はコミュニティ活動のための母体をつくるのがあまり得意ではないと思っています。

終身雇用制や年功序列型が文化的な背景にあることもあり、日本人は人の集団というと「ピラミッド型」、言うなれば軍隊式のつくり方をしてしまいがちです。ただその形は、ネイバーフッド・コミュニティにはふさわしくありません。だからこのあり方を変えていきたいとも考えています。

ここは大事なところですが、ネイバーフッドデザインでは、旧来のしがらみのある暮らしを復活させよう、と考えているわけではありません。

むしろ、**しがらみ化しないつながりは何なのか**について考えています。というのもやはり、つながり自体は必要だという思いがあるからです。その理由は第1章で触れたとおり、人々の「漠然とした孤独感」ひいては「社会的な孤立」が都市の抱える大きな問題だと捉えているからです。

ご近所に出ても、会話をするのはスーパーやコンビニ、あるいは病院の受付だけ……という人もたくさんいます。単身の高齢者はもちろん、若くて元気でも孤独を抱えている方は大勢いる。孤独感によると思われる自殺が増えているとも言われています。いまの日本の都市は、老若男女を問わず孤独を抱えやすい構造です。

そんな中だからこそ、**しがらみでも孤独でもない**、**新しいつながりの形**をデザインしていきたい。しがらみに耐えるか、孤独に耐えるかの二択ではなく、もっと多様なグラデーションがあっていい。**それぞれの人がライフスタイルやライフステージに合わせて、その人自身にとって心地よいつながりを選択していけるような社会をつくりたい**。そう思っています。

ネイバーフッドデザインは、まちに暮らす人々に「**いろいろな濃淡のつながり**」をつくること。それを通じて、お互いに助け合える関係性をつくること。その先でゆくゆくは地域や社会の課題を解決していくことを包括的に指している言葉です。

そして、その濃淡さまざまなつながり（ネイバーフッド・コミュニティ）と相互に作用し合いながら育まれていくのが、自主防災組織や、管理組合、趣味のサークルなど、目的を持って構成されるチームやプロジェクト。これらは、コミュニティをよりよくするようなコミュニティ活動を行っていきます。ネイバーフッド・コミュニティは、濃淡さまざまのゆるやかなつながりや、チーム、プロジェクトがまちのなかで複層的に重なり合って助け合う、寛容的で新しいつながりのあり方なのです。

コミュニティは「サービス」じゃない

さてコミュニティという言葉に関連してひとつ、お伝えしておきたいことがあります。それは、コミュニティは「サービス」ではないということです。

昨今、「コミュニティは大切だ」「とりあえずコミュニティをつくればいい」という論をよく耳にするようになりました。ただ私たちは、「コミュニティさえつくればすべて解決する」という風潮には少し危機感を持っています。

いろいろな考え方がありますが、私たちはコミュニティ活動を「手段」だと捉えています。ネイバーフッドデザインの目的は、そのまちで暮らす一人ひとりが幸せになることや、ゆるやかなつながりによって助け合いの関係性が生まれること。そしてネイバーフッド・コミュニティ内には防災組織や趣味サークルなど、個々の目的に沿ってチームやプロジェクトが形成されます。つまりチーム、プロジェクト、ひいてはコミュニティにはそれぞれの目的があり、それを達成するために「コミュニティ活動」を行っていくのです。

そのため、関わる以上は義務も生じます。コミュニティに関わることは、決して楽ではありません。ただ、コミュニティ活動を行うチームでは、その義務を関わる人々全員で少しずつ分け合うことができるのが利点です。便益を得るために、面倒くささや手間はあるけれど、それをシェアしよう、それによって得られる快適さや楽しさも分け合おう、という考え方がコミュニティ活動の根幹にはあります。関わる皆が主体となって、「皆でちょっとずつ支え合っていこう」という意識でいることが大事なのです。

一方で、一般的に管理会社等から提供されるような「サービス」は、お金を払って便益を得る考え方が根本にあります。つまり対価を支払っている分、「自分たちの問題を自分たちで解決しよう」ではなく、「自分たちの問題を誰かに解決してもらおう」という考え方に基づいています。主体性の強さに差があるのを、感じていただけるでしょうか。サービスでは、対価を支払うのが役割となります。

また、「コミュニティ」という言葉は人によって、いろいろと定義やイメージの違いが混在しているの

図 2.2　コミュニティはサービスではない

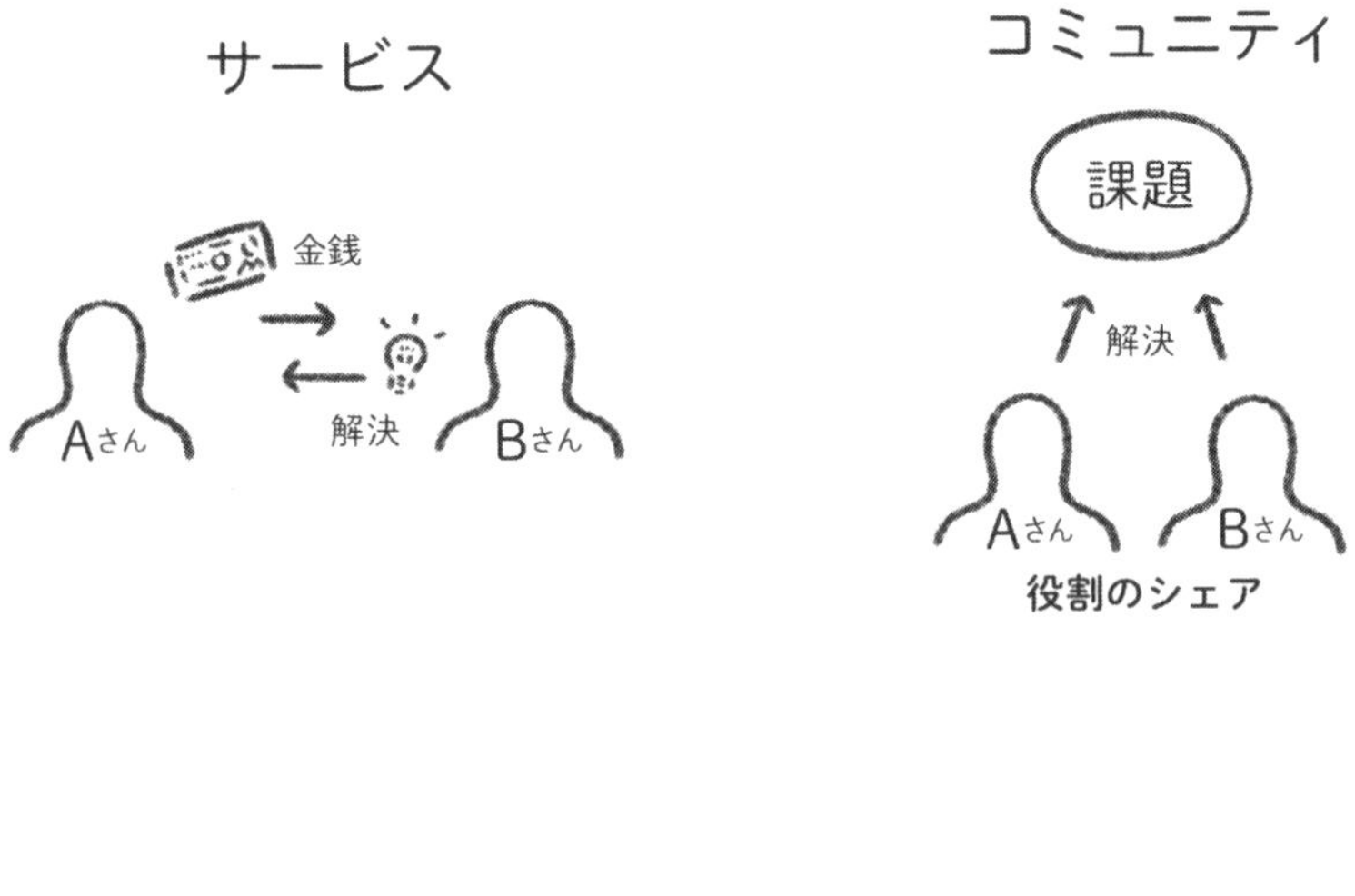

が現状です。そのため、「コミュニティ」の言葉ありきで話をすると、双方のイメージのずれがどんどん大きくなってしまいます。私たちができる限り、「ネイバーフッドデザイン」＝「まちで暮らす人々のつながりづくり」と呼んでいるのには、そういった背景があります。

ネイバーフッド・コミュニティと「自治会」

「地域のコミュニティ」と聞いてパッと「自治会」や「町内会」を思い浮かべる方も多いでしょう。自治会や町内会は、いわばコミュニティ活動を行う伝統的な存在で、まさにゆるやかなつながりを育んできた経緯があります。

ただ一方で、近年は住宅の流動性が高まったことや、都市開発の促進などにより、加入率の減少に悩まされているところが多いのも事実です。また、多くの自治会や町内会では時代に応じた活動内容や仕組みのアップデートができず、「手間がかかる」「面倒くさい」といったイメージから、さらに敬遠されてしまう状況が起きています。

もちろん、私たちは自治会・町内会で活動している方々を批判したいわけではありません。現在の自治会・町内会で活動している方々は、さまざまなことに熱心に取り組んでおり、本当に頭が下がります。熱意とエネルギーあふれるたくさんのボランティアの方々の存在は、日本の地域の持つ大きな資源であり、暮らしを支える基盤です。なかには、すでに時代に即した素晴らしい運営をされ、住民とよい関係を築かれている「スーパーな自治会や町内会」も存在しています。

しかし、多くの自治会が住民から敬遠されてしまう状況があるのもまた事実です。こうした状況のなか、私たちはネイバーフッドデザインの取り組みにおいて自治会・町内会でがんばっている方々と協働したり、支援し合ったりしています。

現状では、従来の自治会・町内会の多くで、「もともとやっていることの継続」や、「行政からの補助金をもらうためにしなければならないこと」が目的になっています。本来は「地域をよりよくしていくこと」が目的のはずですが、継続や補助金獲得が目的化している状況も見受けられるのです。すると住民も、「自分にとってはいったい何の意味があるのだろう」ともやもやした気持ちを抱えてしまう。また、そのように目的を見失っている業務を手伝う人を見つけることが「担い手探し」と呼ばれているようなケースもあります。

さらには慢性的な人手不足のなか、新しく役員になった人に仕事の負荷が集中し、「もう関わりたくない」との思いを強めてしまうことも。そういった状況を見れば、加入者もさらに減っていくでしょう。「自治会離れ」の負のスパイラルに陥っていきます。

ちなみに個人的な考えを述べると、従来の一般的な自治会は、「任意加入」をうたいながら、取り組みとしては居住地域の清掃や防災・減災など、「本当は地域住民全員でやったほうがいいこと」をやっている状態に矛盾を感じています。それならばいっそ一律加入にして、たとえば防災・減災はプロに委託しながら共助を促進するなど、専門家の知見を活かしてより質の高い取り組みを推進していけばいいのではないかと思うのです。

図 2.3　自治会・町内会とは何か

「公・共・私」の権利と義務をどのように整理すべきか。一足飛びに自治会への加入を国民の義務にすることは難しいと理解していますが、中途半端な位置づけでありながら重要な使命を持たされている状態には違和感があります。地域によっては、自治体が選挙のときの投票所運営や災害時の避難所運営などの人集めを担うなど、行政からの依頼事項が重い負担になっているという声も聞きます。より活発な議論のもと、根本的に仕組みを見直していく必要性を感じています。

　自治会が「公」の下部組織のように扱われるのではなく、「公」「共」「私」が互いに補い合うようなあり方をつくることが大事です。そうした視点からも、自治会や町内会をそこに住んでいる人たちだけで形成するのではなく、外部のサービスや専門家などを柔軟に取り入れ、新しい形で組織を形成していく必要があるのではないでしょうか。

目指すのは「自然と関わりたくなる」状態

ネイバーフッドデザインによる人々のつながりの特徴として、活動を続けるうちに**そのまちに暮らす人々の主体性や自律性が自然と引き出されていく**点があげられます。

ここで、実際にあったひとつのエピソードをご紹介させてください。

Oさんご夫婦がそのまちに引越してきたのは、ある冬のこと。Oさんは、私たちがエリアマネジメントに関わっている街区で、新規開発されたマンションに入居しました。

その街区では、マンション住民のなかでエリアマネジメント組織と一緒にコミュニティづくりを行う、マンション管理組合の担当役員を募集していました。そこへ、2期目の役員としてたまたまOさんが手をあげてくれたのです。後になって聞けば、**当初は「地域の活動にはほとんど興味がなかった**」のだとか。でもこれを機に、少しずつOさんとまちとの関わりが増えていきました。

たびたびコミュニティスペースに足を運ぶようになったOさん。次第に、もともとの団地住民か新規マンションの住民かを問わず、ご近所のお父さんたちとの交流の輪が広がっていきました。わかりやすく言えば、近隣住民のいわゆる「パパコミュニティ」が誕生。ときには飲み会をしたり、地域のマラソン大会に街区住民でチームをつくって参加したり、入居後1周年をお祝いするティーパーティーを企画したり……。そのつながりは、Oさんが役員として1年の任期が終わったあとも続いていました。

あるとき、雑談のなかで、Oさんご夫婦が結婚式をあげていないことがわかりました。その話を聞いたパパコミュニティの友人が、HITOTOWAスタッフのもとに、「Oさんのお祝いをしましょう！」と相談に来てくれたのです。そこで、エリアマネジメント組織と地域の皆さんが協力して、Oさんのサプライズ結婚式を用意することになりました。

Oさんご夫婦には、「打ち上げを用意している」ことだけ伝え、会場へ来ていただくことに。その裏では、パパコミュニティセンターの庭を会場に、サプライズ結婚式の準備が着々と進められていました。パパコミュニティの方々が中心となってつくったサプライズムービー、コミュニティセンターに入っているまちのお花屋さんがつくったブーケや装花、まちのカフェが提供するドリンク……。

当日、会場を訪れ、予想だにしない光景を目の当たりにしたOさんご夫婦はびっくり。サプライズムービーの際には、ご夫婦で涙する姿も見られました。

「こんなにまちのことを好きになるとは思わなかった」

Oさんがそんなふうにおっしゃったのは、そのサプライズ結婚式の最後に、感想のスピーチをいただいたときです。

「生活を営むまちに、友人がいることがこんなに幸せなことだとは思わなかった」

「暮らしが、日常が、こんなにも楽しくなるとは思わなかった」

普段は会社員として勤務されているOさんが語ってくださったそれらの言葉は、そのまちのエリアマネジメントを数年間にわたって続けてきた私たちにとっても、宝物のような言葉でした。

これを書いている現在は、それから3年後。そのエリアマネジメント組織の運営は、当初からの計画どおり、今では地域住民の手に引き継がれています。そして**Oさんは**、そのまちに暮らす人々のつながりづくりに、ますます精力的に関わっています。**エリアマネジメント組織の理事に就任。**

Oさんのようにエリアマネジメント組織の理事にまでなるケースは稀ですが、住民の方が自ら企画を提案するようになるなど、主体的に動き出すことはめずらしくありません。

特に拠点を構えて私たちが常駐しているまちのエリアマネジメントでは、そういった方々が多いように感じています。

なぜ、ネイバーフッドデザインはそのまちに暮らす方々の主体的な取り組みにつながっていくのか。

ひとつ言えることとして、私たちが**まちで行っている取り組みが「地域のニーズにマッチしている」**ことがあると思います。新たなまちに関わるとき、大切にしているのはまず「そのまちを知る」こと。そのために、まちの歴史や現状、抱えている課題や、暮らす人々のニーズについてもリサーチすることから始めます。そしてそれらの前提をもとに、「そのまちの未来像と、プロジェクトのゴールは何か」を明確にする。「私たちがつくりたいまち」をつくるのではなく、徹底的に「そのまち」の状況を踏まえたうえで、それを整理し、各プロジェクトに落としこんでいくのです（その方法であり考え方でもあるネイバーフッドデザインの「6つのメソッド」については、次の章から詳しく解説します）。

そういったやり方をしていれば、「そのまち」に暮らす人々も自然と興味をもちますし、関わってみたくなるものです。そのまちの困りごとや課題を解決したり、ニーズに応えようとしている動きなのですから、当然とも言えるでしょう。

そうして関わるうちに、まちの人々とつながりのある暮らしの良さに気づき、自ら動き出す方も自然と増えてきます。身近な方が主体的に動き出すと、そのまわりの方も興味をもつようになり、さらに好循環が生まれます。最近では各拠点で老若男女を問わず「自分も何か力になれないか」といった声をよくいただくようになってきました。とても嬉しいことです。

ハードありきの開発から、人々の暮らしありきの開発へ

さて、ここまでは主に、まちに暮らす人々の視点を中心にお話ししてきました。

一方で私は、住まいや商業施設の企画・開発を行うデベロッパー側も課題を抱えていると考えています。

むしろ開発側にこそ、ネイバーフッドデザインを行う「責任」があり、同時にその責任を負うことが、事業としてさらに発展する大きな「可能性」を秘めていると思うのです。ネイバーフッドデザインによって、都市開発自体のあり方がよりよい形になっていく。そんな未来を思い描いています。

そこでここからは少し、デベロッパー側の課題について触れておきたいと思います。

結論から言うと、私は住まいや商業施設の開発における順番が「逆」だと感じています。

従来型の開発では、ハード面から作っていくことが一般的です。土地があって、そこにどれくらいの建物が建つか、そして販売のターゲットは誰か、周辺相場はどのくらいか。そういった空間的な話や、経済的な話ありきで、基本構想が固まります。そして、それらの要素が確定したあとに、「後付け」のような形で人々のつながりやライフスタイルの話をする、という流れです。

私たちは、**開発においてもまずまちの風土や、そこに根付くライフスタイルありきではないか、**と考えています。少なくともハード面と同時進行で、人々のつながりやライフスタイルについても構想を固めていくスタイルが望ましいと思うのです。

よく「マンションの共用スペース／地域のコミュニティセンター等が活用されていない」という声を聞きますが、それは器ありきで開発を進めているからです。そのまちへ住まう方の利用ニーズを考え、そのニーズにふさわしい共用スペースをデザインすれば、使われないことはないのですから。

「ハードありき」の仕事は多くあります。「もう設計は決まっているんですが……」とご相談が来るのです。もちろんそうした状況下でもベストを尽くしますが、本来の開発はそうではない、との思いはずっと持ち続けています。

一方で、ハード面と同時並行のタイミングでつながりやライフスタイルのデザインに関わらせていただくお仕事も、少しずつ増えてきています。そういった案件のほうが、よりよい結果が出せています。

ネイバーフッドデザインでは先に「まちの未来像」と「プロジェクトのゴール」を考え、それに基づいて「場」や「仕組み」をデザインする、という順序になっているのも、いま説明した考え方があるからです。一方で、従来型の開発は「場」ありきで進み、後付けで「ゴール」や「仕組み」が来ていると言えます。そのため、結果としてせっかくの共用スペースが活用されなかったり、人々のつながりが育まれなかったり……という状況になってしまうのです。

人々のつながりが育まれないと、たとえば「同じマンションに住む人でも、完全に他人同士で挨拶すらない」ような状況がありえます。そして大規模修繕のときに「はじめまして」と顔を合わせる。初対面同士が集まり、信頼関係が構築されていない状態では、深い議論が行われにくいのはご想像の通りです。一方で、住民同士にゆるやかなつながりのあるマンションでは、スムーズに進行でき、活発な議論もできます。これはマンションに限らず、街区における自治活動にも同様のことが言えるでしょう。

「自分たちで生活をつくる」楽しみを取り戻す

また私は、従来型の開発によって、先に話題にした「人々の社会的な孤立」がさらに促進されてきた一面もあると考えています。

民間の集合住宅が増え始めたのは1970年頃からのこと。そのころからの開発は、現在の分譲マンションに至るまで、基本的には「個」としての生活環境を第一につくられてきました。それは、なるべく人と関わり合う必要なく、「個」の生活を守るためのデザイン。言い換えれば、徹底的にプライバシー優先の暮らしです。

たとえば騒音によるクレームにつながらないよう、窓や壁、床には防音シートや遮音フローリングなどといった防音対策を施します。そういった対策を徹底することで、まちの真ん中に位置していても静かに暮らせるよう、隣人や上階からの生活音が気にならないような「個」としての生活環境をつくりあげます。セキュリティも、たとえばトリプルセキュリティといって、エントランス、エレベーター、自宅の扉の三段階でのロック解除が必要な分譲マンションも多くあります。

防犯を目的にアメリカでみられるようになった塀に囲まれた住宅地を「gated community(ゲーテッドコミュニティ、要塞型住宅地)」と呼びますが、**近年の開発はまさに、まちと住宅とを切り離す思想が土台になっている**のです。日本国内においても、たとえばマンションの公開空地など本来は誰もが通れるはずの場所なのに、植栽の配置などで排他的な設計になっていたり、敷地内「公園」と言いながら監視カメラがたくさんあって居心地のよくない場所となっていたりと、まちと住宅が分離された光景をよく見かけます。

それはたしかに、快適さのひとつの形ではあるでしょう。もちろん、防犯が不必要だと言っているわけでもありません。ただ、これまでの都市開発ではそれを何よりも誇るべき価値として、住宅を販売してきました。たとえば「都会のなかの静寂」などのキャッチコピーがおどるチラシやポスターに、その価値観が表れていると言えます。
そのように、暮らしから徹底的に「他人」を排除した延長線上に、たとえばほんの少しでも騒音があると激しいクレームになるなど、他者への寛容性が著しく低くなってしまった今の社会があります。これまでの開発は、他者への寛容性の低下を促進してきてしまったのではないかと思うのです。

本来、都市は、まちは、うるさいものです。

人々が集まり、多くの経済社会活動が活発に行われているのですから、それが自然です。人々が関わり合えば、トラブルや問題もありますが、それが人間本来の暮らしではないでしょうか。
しかし、分譲マンションをはじめ、すべてが高度にサービス化された住まいを通して、人々の生活実感はどんどん薄くなっています。自分が暮らすまちに対する関心、もっと言えば自分自身の暮らしに対する関心が、希薄になっているのです。

もともと、人々には自分たちで生活をつくる、創造的な楽しみがありました。
たとえば自分たちで野菜を育てたり、料理をしたりすること。それをご近所におすそ分けすること。そんな日常のなかで育まれていくつながりをもとに、地域の人たちとお祭りを一緒にやったり、子どもたちを地域全体で見守ったりすること。また購買活動にしても、地域の応援になるから、と考えて地産のものを選択して買ったり、地元のなじみの商店で買い物をして、ちょっとおまけをしてもらったりすること……。そういったすべてが、そのまちでの生活を豊かにしていたはずです。

しかし、それらの**創造的な行動は、他者への寛容性がないと成り立たない**ものです。徹底的に「他人」を排除し、寛容性が著しく低くなってしまった現代の都市社会では、創造的な行動は極めて生まれにくい状況だと言えますし、私はそれに危機感をもっています。

そして、自然とそういった考え方の人を増やしてしまってきたこれまでの開発・サービスのあり方を、私たちはネイバーフッドデザインを通して変えていきたいと思っているのです。

住宅管理にも嬉しいネイバーフッドデザイン

開発側こそ、ネイバーフッドデザインを積極的に取り入れていくべきだと考えているのには、他にも理由があります。

ネイバーフッドデザインは、住宅開発や住宅管理の視点でも価値やメリットがあるのです。

たとえばマンション管理組合の理事会ひとつとっても、その場に集まってから「はじめまして」で始まる関係性では活発な議論がしづらいのも当然です。一方、すでに顔見知りで、集まっている人がどんな人なのか、その特性や得意分野がわかったうえで話し合いをスタートできるなら、それは**建設的な議論が生まれやすい環境**だと言えます。

大規模修繕などは数千万円単位の費用が動くプロジェクトですが、その意思決定をするときも、活発に建設的な議論をしているところのほうが、透明性や納得性が高くなります。もちろん揉めることもありますが、思っていることを出し合ったうえで話し合いを進めることができるので、最終的な納得性は高まるのです。

またネイバーフッドデザインを取り入れていれば、共用空間の使い方においても自然と利用側の声が入ってきて、**住民のニーズを把握しやすい環境**になります。

たとえば、より使いやすくするために「利用規則を変更しよう」という動きが住民側から生まれたり、当初は子育て世代が多くキッズスペースにしていたところを、十数年後には、「年齢層も変化したからトランクルームに変えようか」と議論できるなど、その時々のニーズを適切に運営に反映することができるのです（最初から利用用途が変更できるような仕様にしておくのもよいと思います）。このことは、**マンションの資産価値向上にもつながります。**

さらに、顔と名前が一致する関係が日常空間に増えると、悪いことがしづらくなる一面もあるでしょう。ベランダでタバコを吸わない、ゴミのポイ捨てをしないなど、**モラルやマナーの向上**が期待できます。

また、**住民間のトラブルの減少**にもつながります。集合住宅で一番多いのは、騒音によるトラブルです。しかしこれも、住民同士が顔見知りの関係だと、まったくの他人同士よりも騒音が気にならなくなるという傾向があるのです。

たとえば他人の子が駆け回っていると「うるさい」と感じても、親戚や友達の子など、顔と名前の思い浮かぶ関係であれば「元気だなあ」と許容する気持ちが大きくなる、そんな体感をお持ちの方も多いのではないでしょうか。騒音で迷惑をかけてしまっている側としても、その相手と気軽に話せる関係性があれば、「いつもすみません」などと声をかけやすくなるでしょう。そして日常的にそんなやりとりがあれば、音を聞いている側にも事情がわかり、ストレスとは感じにくくなるはずです。

日頃から双方のやりとりが生まれやすいこと。これによって、騒音問題、ペット問題、ごみ問題など、住民間で起こりがちな多くのトラブルが減少する可能性が大いにあると言えるでしょう。そして、**仮にトラブルが発生しても、その解決がスムーズになる**ことが期待できます。トラブルを「ルール」だけで解決しようとすると、起こりうる問題すべてに対してひとつひとつ対策を打たなくてはならず、かえって管理コストがかかる場合もあるでしょう。そういった意味でも、管理員や管理会社がネイバーフッドデザインを前提とした管理を行うことが重要、と言えます。

エリアマネジメントとネイバーフッドデザイン

最近はエリアマネジメントという概念が注目されています。これは開発後にただそれを管理するだけではなく、「そのまちらしさ」をつくり、それを維持・向上させていくための取り組みで、地権者や開発事業者、商業・商店主、住まい手、行政といった多様なステークホルダーが協力して行っていくものです。

私たちが取り組んでいるネイバーフッドデザインの一部も、エリアマネジメントと表現されることが増えてきました。たとえば商業と住宅の複合開発の際に、エリアマネジメント組織や活動目的とプラン、コミュニティ拠点を立ち上げ、持続的に「そのまちらしさ」をつくっていく企画・運営をお手伝いすることなどがそれにあたります。

しかし、エリアマネジメントという言葉をよく耳にするようになった一方、その本質を正しく理解している人は少ない、と感じます。

国土交通省によると、エリアマネジメントとは「地域における良好な環境や地域の価値を維持・向上させるための、住民・事業主・地権者等による主体的な取り組み」（平成20年）と定義されています。なお、この定義では民間主体の取り組みと表現されていますが、私たちはエリアマネジメントを本来的には公民連携の取り組みと考えています。当然、民間も主体的に取り組みますが、それと連携して行政も積極的に取り組む。適材適所で相乗効果を発揮していくことが大事です。

こうした取り組みはともすると当然のことのように思われますが、残念ながらこれまでの開発は、開発後の管理運営、地域の持続的な発展については仕組みが整えられていませんでした。また、開発される街区のこと「だけ」を考えた開発が行われてきたように思います。その状態を脱し、**開発される街区の周辺エリアを一体的に、かつ持続的に活性化していくことが、エリアマネジメント**だと言えるでしょう。

この定義に基づき、**商業地におけるエリアマネジメント**の本質は、「にぎわいづくり」と表現されます。その背景には、地方都市では過疎化や少子高齢化の影響が大きいこと、またインターネットによる通信販売と大型ショッピングセンターのみで生活できる環境がつくられてきたことから、古くからある商店街など、そのまちならではの伝統的な営みが衰退しているという現状があります。だから、そこへ「にぎわい」を戻すことが大切である。それ自体は、私も賛成です。

しかし、にぎわいが生まれればそれでよいかというと、そうではありません。

一時的に人が集まっても、再びその地を訪れないのでは、意味がないに等しいからです。大事なのは、そのまちを知り、そのまちを感じ、そのまちを好きになる人々が、まちに愛着をもってまちに関わりたいと思うこと。そのための工夫が必要ですし、そこにこそエリアマネジメントの成否が表れます。

近年、エリアマネジメントという言葉が普及するにつれ、一部では「イベント活動」=「エリアマネジメント」と捉えられている方がいます。しかし本来は、イベント開催やにぎわいづくり自体が目的ではないのです。本来の目的は、**にぎわいを通じて、まちへの愛着や、店や人々のつながりを生み出していくこと**。イベントはあくまで、その手段のひとつです。むしろ、それらの取り組みによって醸成される人と人のつながりの「質」が大事なのです。

一方で、**住宅地のエリアマネジメント**の本質は、にぎわいではなく「助け合い」にあります。もちろん、マルシェやお祭りなど、にぎわいも住宅地に非日常的な価値をもたらします。しかし、そのなかでも大切なことは、その非日常的な空間・時間を通して、日常的な人々の関係性がいかによりよいものになるかです。

そして、それが表れるのが災害時の助け合いや、また日常においてお年寄りや子育てに対する助け合いがどの程度なされているかでしょう。第1章でも触れてきたように、これらの課題は同じまちに暮らす人々の共助によって解決されていくものだからです。

こういった本質を捉えたうえで、エリアマネジメントを推進していくことが大切です。たとえば、兵庫県西宮市の浜甲子園団地で推進しているエリアマネジメントにおいて、大型台風の影響で半日以上にわたり停電が続いたことがありました。ある住民の方はそのとき、パートナーが仕事で帰宅できず、まったく情報も得られないなか、ひとり自宅で孤独を感じながら長時間過ごした……と、後で聞かせてくれました。それ以降、その方はエリアマネジメントの取り組みに積極的に参加・協力して、楽しみながら知り合いの輪を広げています。「**近所に知り合いがいるかどうかで安心感が全然違う**」との発言は、まさにエリアマネジメントの価値を表しています。

また、エリアマネジメントは住民のまちへの愛着を高めることにつながります。あるエリアマネジメント街区で、住民の方がこんなことを話してくれました。「私は子どももいないし、働いているので活動には参加できない。でも自分が暮らすまちがどんどんよくなっていることを感じて嬉しい。毎月会費を払うことしかできないけれど、応援している」。この方はいずれ、お仕事が落ち着いたら、地域の活動に関わってくださるように思います。エリアマネジメントの取り組みが、まちに暮らす方々のまちへの愛着を育み、その想いが未来の新たな取り組みにつながってゆく。こうしたところにもエリアマネジメントの価値があると言えるでしょう。

ところで近年、エリアマネジメントという概念が普及するなかで、先行事例を参考にするあまり、海外のスタイルをそのまま日本に持ってくるケースをしばしば目にします。

たとえばエリアマネジメントの運営組織が実施することが多い「パークレット」もそのひとつ。パークレットは、車道の一部を転用して人のための空間を生み出す手法で、海外では多くの事例が見られます。しかし、海外の街並みになじむようにデザインされた空間をそのまま日本にもってきても、それがそのまちの景観に合うとは限りません。実際に日本におけるパークレットの試みでは、周囲の街並みになじまず、その空間だけがぽっかりと浮いてしまっているような光景を見かけたことがあります。

海外の事例を参考にするのはよいことだと思いますが、やはり「**そのまちらしさ**」**を軸に組み替えたり、応用したりする姿勢を忘れずにいたい**ものです。これは私たちも他人のことは言えません。実際、マルシェの実施など、ＨＩＴＯＴＯＷＡでも海外事例を参考にしたプロジェクトは多くあります。ただ、そのなかでも日本らしさ、そしてそのまちらしさを大事にしていけるよう、常に心がけていきたいと考えています。

最後に、忘れてはいけないエリアマネジメントの大きな課題として、**財源の問題**があります。持続的に活動を続けるためには、エリアマネジメント団体としても収益をあげながらどう運用していくか、という視点は必要不可欠です。この点については第8章でも触れます。

商店街の再生にも有効なつながりづくり

「都市開発」というと新しい建物を建てることを思い浮かべる方も多いかもしれませんが、必ずしもそうとは限りません。たとえば築50年の団地再生プロジェクトの一環で、その地域一帯のエリアマネジメントをお手伝いすることなどもあります。さらに、そういったエリアマネジメントのなかで、すでにある商店街の再生に携わることもあります。

商店街のもっとも大きな魅力は、常にそこに知っている「あの人がいる」ような安心感と、まちの暮らしの情報が蓄積されていることだと感じています。

商店街は生活の真ん中に立地していることが多く（実質的に住民の生活の中心になっているかは別として）、店の中からも外からも互いに見ることができます。実際に話を聞いてみると、商店街の皆さんは本当にまちをよく見ていると実感させられます。それは、単に商売を行ううえでのマーケティングという意味ではなく、もっと顔の見える関係性のなかでの「人」をよく把握しているという意味です。

たとえば、お客さんの家族構成や職業、趣味などまで把握していて、「この魚、煮付けて食べたらお父さんも気にいると思うよ」とか「このメニューならパパっとできて小さいお子さんも好きなはずよ」なんてカスタマイズされた情報をくれたりもする。はたまた、地域の美味しいお店や病院情報などにも詳しく、困ったときに相談したらいろんな耳寄り情報を教えてくれたりもします。

商店街は、当初はもちろん「生活を支えるための場」として開発されたものです。しかしそこで生活が育まれるなかで、実際的には「**身近な暮らしに関する情報交換の場**」となっています。言い換えれば「ちょっとした相談や愚痴を言える場」であり、「野菜ひとつ買うことを口実に、誰かと世間話できる場」であることが、ひとつの大きな魅力であるように感じます。

これは、「**人々の社会的な孤立をやわらげ、ゆるやかなつながりの輪を育んでゆける場**」そのものではないでしょうか。つまり、商店街には「消費する」だけではない魅力があるのです。こうした意味で、ネイバーフッドデザインの視点からも商店街の活性化は重要です。今後、少子高齢化が進んでいくなかで、商店街はよりいっそう、まちのなかで必要とされる存在になっていくはずです。

一方で、もちろん経済を回さないと存続できないのも事実。そのため、ネイバーフッドデザインを通したお手伝いとして、各店舗の魅力をまちの人に伝えることで、小さい経済圏を持続させられるだけのファンづくりを行えるよう心がけています。

そもそも、私たちはテナントを呼んできたり仲介したりするような商店街の再生をメインに行っている会社ではありません。つまり、あくまで「ネイバーフッドデザインの手法を活用することで商店街の再生につながる取り組みを行っている」立ち位置。ここではその視点から行っている商店街活性化にまつわる取り組みについて、少しご紹介しておきたいと思います。

まず前提として、商店街にとって大切なことは、当然ながらお客さんが来てくれることです。お客さんが来て、お金を使って商品を買い、一度きりではなくまた買いに来てくれるサイクルをつくること。これは人体で言うと血液の循環のようなもので、このサイクルがないとその店や商店街が衰退していってしまいます。そのサイクルを生み出し維持し続けていくためには、まずマーケティングの基本が大事です。誰のために、何を提供するお店なのか。かつその「誰か」は市場が成り立つのか、それは徒歩圏なのか自転車圏内なのか、そして適切な価格帯や粗利率とは……。そういった基本は当然大事にします。

ただそのうえで、マーケティングの基本とは少し異なる考え方をしているのは、「競合」に関してです。

一般的なビジネスでは、競合に打ち勝つためにはどうするか、を考えます。価格を下げるのか、付加価値をつけるのかなどと戦略を立て、競合に勝ち、ある種排除していくのがその関係性ではないでしょうか。

一方、**ネイバーフッドデザインの考え方に基づいて商店街の再生に携わるときは、競合に勝つというよりも、いたずらに競合を生まないように意識しています。**

大規模団地の周りにある商店街は、中央商店街、北商店街、南商店街、などと点在していたりするものです。さらに、その商店街の外にぽつんと、むかしながらのパン屋があったりもします。ただこのとき、たとえ新しく入ってきた店が集客して儲かったとしても、結果として商店街やその界隈の店がつぶれてしまうという関係性では、結局、まちの価値が上がったとは言えません。

それよりも目指すべきは共存共栄で、お互いに助け合っていくことです。私たちが既存の商店街内やその周辺に新しくお店を企画するようなときも、極力、そのエリアに既存の商店と同じ業態は選ばないようにしています。また、業態が重なるときは、互いにどんどん**紹介し合うような関係性づくり**を大事にしています。

たとえば、ある団地周辺では、まちの中心部にコミュニティカフェを設置した際、少し離れた商店街にある飲食店の手作りお菓子を少しだけ安く仕入れ、そのカフェで販売したりもしていました。すると商店街の飲食店側としては売上が増えますし、お客さん側にとっては、わざわざ商店街まで歩いて行かなくてもそこの商品が買える、というメリットがあります。

このような提携販売も一例ですが、私たちがネイバーフッドデザインの考え方をもとに取り組んでいるのは、**商店同士のつながりのデザインや、消費者とサービス提供者の関係性を超えたデザイン**です。

これは、たとえば店のお客さんがその店のイベントを手伝ってくれたり、あるいはその店の一角にお客さんの作品も出展できる仕組みをつくったりすることです。単に物を買う—売るという関係性にとどまらず、お客さんがお店に参加できるような関係性をつくること。その店、その商店街、そのまちに愛着をもってもらうためには、どんなつながりをデザインすればよいのかを考えています。

こういった関係性を持つ場がいくつかできてくると、結果として商店街全体に「にぎわい」が生まれ、市場性が高まり、空き店舗も埋まっていく……という好循環がまわりはじめます。

私たちがハブとなってネイバーフッドデザインを展開することで、地道ではありながら着実に、店やお客さん、そしてまちに質のよいつながりが生まれ、にぎわいが戻っていく。そして、自然と笑顔が行き交うようなつながりが育まれた先で、人々の「まちへの愛着」はさらに高まっていくと言えるでしょう。

ネイバーフッドデザイン6つのメソッド

では、ネイバーフッドデザインとは具体的にどのように行っていくのでしょうか。第2章の締めくくりとして、その6つのメソッドについて簡単にご紹介します。

HITOTOWAのネイバーフッドデザイン事業では、マンション単体のつながりづくりから、複数の街区をまたいで行うエリアマネジメントまでの領域を扱っています。一般に「マンションコミュニティ」や「エリアマネジメント」と聞くと、イベント開催などにぎわいをつくる活動が思い浮かぶ方も多いと思うのですが、より大事にしているところは別にあります。

それがこれから解説する「未来とゴール」「機会」「主体性」「場所」「見識」「仕組み」という6つの要素のデザイン。これがネイバーフッドデザインにおける「6つのメソッド」です。

なお「機会」「主体性」「場所」「見識」という4つのデザインは相互に深く関係し合っており、実際にはそれらの要素は行ったり来たりしながら設計していきます。考えを進める順序として、現時点では「①未来とゴール」→「②機会・主体性・場所・見識（順不同）」→「③仕組み」、という大まかなイメージをもとに読み進めていただければと思います。

未来とゴールのデザイン

まず取り組むのが、「未来とゴールのデザイン」です。最終的にそのまちがどのようになるべきなのか（まちの未来像）、そのために、プロジェクト全体で達成すべきことは何か（プロジェクト全体のゴール）。さらに、そのゴールを達成するために、誰の、何のためのつながりをつくっていくのか（コンセプト）。これらの点を押さえて、「そのまち」が目指すべきつながりのあり方を丁寧に議論します。

というのも、目指すべき未来像は一律ではなく、「まち」によって異なるからです。だから新しくまちに関わるときは、「そのまちについて知る」ことをもっとも大切にしています。まちのニーズ把握を目的とした対話型のワークショップやイベントなども行いますが、あまりワークショップやイベントに「酔わない」ように気をつけています。それよりも、少人数のヒアリングで深い話を聞く。これが大事です。

また、ゴール設定といっても、細かすぎるゴール設定はあえてしないように意識しています。ビジネスの世界でゴール設定というとＫＰＩのように数値化できるものが重視されますが、ネイバーフッドデザインにおけるゴールは数値化を重要視していません。また、ゴール設定の具体性は、プロジェクトに応じて使い分けたほうがよいと考えています。

たとえば、小学校の跡地に立つ、東中野区民活動センターに隣接するマンションでのコミュニティづくりでは、「新しい入居者と、もともとの住民とが同級生・卒業生のような関係性になる」など、あえて抽象度が高く、ふんわりとしたイメージを持たせたゴール設定をしました。ゴール達成が「義務」になると、関わる人々にとってつまらないからです。そのまちに暮らす人々が望んでいる、そして目指したくなる未来像。憧れを抱く一方で「夢物語」でもなく、きっと実現できる、と思える未来像。そのあたりも意識してゴールを設定しています。

なおこの**「未来とゴールのデザイン」は、この後に続く、機会、主体性、場所、見識、仕組みのデザインのすべての前提となる大切な部分**です。目指すべき未来像が定まって初めて、そのためにはどのような機会や場所が必要か、と考えを進めることができるからです。

機会のデザイン

目指すべき「未来とゴール」に向けて行われる営みのことを「機会」と呼んでいます。人々のつながりづくりの機会というと一般的には「イベント実施」のイメージが強いようですが、機会は決してそれだけではありません。

たとえば各種イベントに加え、サークル活動、また広報誌などのメディア企画や作成、まちの商品の販売促進支援、また地域拠点における日常的なやりとりなどもそれに含まれると言えるでしょう。

またイベントにしても、イベント実施や集客数そのものより、その前後でどのような人々の関わり合いがあったか、のほうが重要です。たとえイベントが集客的に失敗に終わったとしても、そのプロセスで人々の助け合いの関係性が築けたり、一人ひとりの人生に楽しみや幸せがもたらされたりしたとすれば、それはネイバーフッドデザインとしては成功だと捉えることもあります。

主体性のデザイン

第三者である私たちがつくりたいまちをつくるのではなく、「そのまちで暮らす人々」のニーズを考え、課題を解決することを大切にする。あくまで主役は、まちに暮らしている人々。

こういった考えを大切にネイバーフッドデザインの取り組みを続けていくと、自然とそのまちに暮らす人々が動き出すことがたくさんあります。

たとえば先に触れたとおり、地域活動にはほとんど興味がないと言っていた住民の方がその後エリアマネジメント団体の理事になったり、かたや趣味で手芸をしていた方が作品を地域で展示・販売するクリエイターとして活動し始めたり……。

正直なところ、「主体性をデザインしている」というのはおこがましい気持ちもあります。むしろ、そのまちの困りごとや課題を解決したり、場所や機会を通じてまちの困りごとや困っている人に出会うことで結果的に、自然と能動的な方が増えていく。その性質は、きっとその方自身が本来、持っていたものです。まちに暮らす方々が潜在的に持っている思いやパワーを引き出していけるよう、ネイバーフッドデザインでは場づくりや関係性づくり、機会のマッチング、そして対話などを行っています。

場所のデザイン

「場の力」は強い。そのため、未来とゴールに対して、よくデザインされた場所を用意することはとても重要です。具体的には、コミュニティ拠点、エリアマネジメントセンター、マンションの共用部や周辺施設、商店街のリノベーション施設などがそれにあたります。

私たちがお手伝いしているなかでは、人の往来がそれほど多くない場所でのコミュニティカフェや、一般的にはあまり使われないコミュニティスペースも活況を呈しており、それを可能にするのが「場所のデザイン」です。

また、人々の暮らしやライフスタイルありきで場所をデザインすることが理想ですが、現状ではマンションの共用部など、すでにハードが決定しているなかでネイバーフッドデザインに取り組むことになるケースも多いです。ただそういった制限があるなかでも、会場のレイアウトやそこに置く物、またイベント時の座席配置など、検討できる要素はいろいろとあります。

見識のデザイン

ネイバーフッドデザインの目的は、「まちに暮らす人々が助け合える関係をつくることで、まちの困りごとや地域課題、ひいては社会環境問題を解決する」ことです。そのためにはただ「つながり」があればいいわけではありません。そこから助け合える関係性をつくること、そして社会環境課題の解決へとつなげるためには、前述の主体性に加え、「知識＋体験」が不可欠です。これを私たちは「見識」と呼んでいます。

たとえば、育児中の方や高齢の方、障がいを持っている方などが具体的にどんな困りごとを抱えやすく、サポートをするうえでどんなことに気をつければよいか。何か聞いたことはあっても、すぐに実践できるよ、と自信を持って答えられる方は少ないのではないかと思います。

単に人と人とが「つながって終わり」ではなく、そこからもう一歩踏み込んで「助け合える関係性づくり」を実現するために、見識のデザインは大切です。

仕組みのデザイン

「機会」「主体性」「場所」「見識」のデザインそれぞれを継続できるようにするのが「仕組みのデザイン」です。特定の活動を継続するという意味もありますが、仮にある活動が終わっても「助け合える関係性」が続いていく、発展していくようにすることが本質的な目的です。

仕組みには「場所の運営」や「広報コミュニケーション」「助け合いの風土醸成」など、網羅しようとするとたくさんの種類がありますが、本書ではまちづくり業界で主に課題となっている、「協働」「財源」「組織」の仕組みの3点を取り上げます。

仕組みは、運営継続の基盤であると同時に活動の制限にもなり得ます。本来の活動に集中し、ネイバーフッド・コミュニティを質的に経年良化させていくためにも、仕組みのデザインは非常に重要です。

さて、「未来とゴール」「機会」「主体性」「場所」「見識」「仕組み」と6つのメソッドについて簡単にご紹介してきました。

これら6つの要素はどれも重要なものではありますが、実際はこの6つのすべてが「最高水準」でネイバーフッドデザインをスタートできることはほぼありません。現実的にはどのプロジェクトにも、時間、予算、空間・設備、また地域のルールや市場環境など何らかの制約があるからです。そのため、スタート段階ではこの6つのうち、どこか1点や2点を特に重視して、偏りのある形でそのまちに入っていくことが多いと言えます。ただ継続してネイバーフッド・デザインを行うなかで、少しずつでも、6つの要素すべてを揃えられるように努力し続けます。

では具体的に、どのようなプロジェクトが動いてきたのか、その中にこの6つのメソッドはどのように活かされてきたのか。数々の事例を交えながら、次章からじっくりとお話ししていきましょう。

本章のポイント

▼ネイバーフッドデザインは「まちににぎわいが生まれる」「景観・施設の保全」「趣味・学びの充実」「困りごとや課題の解決」の4つの価値をまちにもたらす。
▼ネイバーフッドデザインは、「しがらみ」ではない、個々人に合わせた心地よい「つながり」をつくる。
▼ネイバーフッドデザインは、まちに住む人たち自身がコミュニティを担い、課題解決に取り組むことを促す。

▼従来型の都市開発はハードありきで、プライバシーを優先し、孤立を助長してきた。ネイバーフッドデザインでは、より寛容性の高い社会づくりを目指す。

▼ネイバーフッドデザインは、住宅管理、エリアマネジメント、商店街再生などにもよい効果をもたらす。

▼ネイバーフッドデザインの具体的取り組みは、「未来とゴール」「機会」「主体性」「場所」「見識」「仕組み」の6つのデザインで構成される。

第3章 未来とゴールのデザイン

ここからはそれぞれのメソッドについて、事例を交えながらより具体的にお話ししていきます。

最初にご紹介するのは、未来とゴールのデザインです。ネイバーフッドデザインの領域は広く、駅前の住宅・商業エリア一帯から郊外の団地、またマンションや戸建てを含む複数の街区をまたいだ地域、さらにはマンション内コミュニティまで、多岐にわたります。しかしどの領域でも、まずはそのまちや住まい、暮らしの未来像を描くことからスタートします。

そして先述したとおり、未来とゴールのデザインは、この後に続く機会・主体性・場所・見識・仕組みのデザインを考えるうえで根幹となる、大切な部分です。目指したいまちの未来像があって初めて、「そのためにどのような活動・事業を行っていくべきか」を具体的に議論できるからです。

どのような暮らしがいいのか、そのために、どのようなつながりが必要なのか。

ネイバーフッドデザイン、始まりのメソッドです。

①「まちの未来像」の重要性

まず前提として大切なことをお伝えしたいと思います。

それは、「**ネイバーフッドデザインにおいて、人々のつながりは、目的ではなく手段である**」ということ。つまり、つながりを生むこと自体はプロジェクトの真の目的ではありません。

では真の目的は何なのか。まさにそれについて議論し、言語化していくことを、私たちは「未来とゴールのデザイン」と呼んでいます。


未来とゴールのデザインには、大きく分けて2つの段階があります。ひとつめが、**まちの未来像をイメージすること**、ふたつめは、まちの未来像に基づいて**プロジェクト全体のゴールを設定すること**です。そして、まちの未来像とプロジェクト全体のゴールが決まることで初めて、「場所」や「機会」など他のメソッドで考える「各取り組みにおける目的・目標」を設定することができます（図3・1）。

さらに、プロジェクト全体のゴールから各取り組みにおける目的・目標までの全体を通貫する

図 3.1　ネイバーフッドデザインメソッド

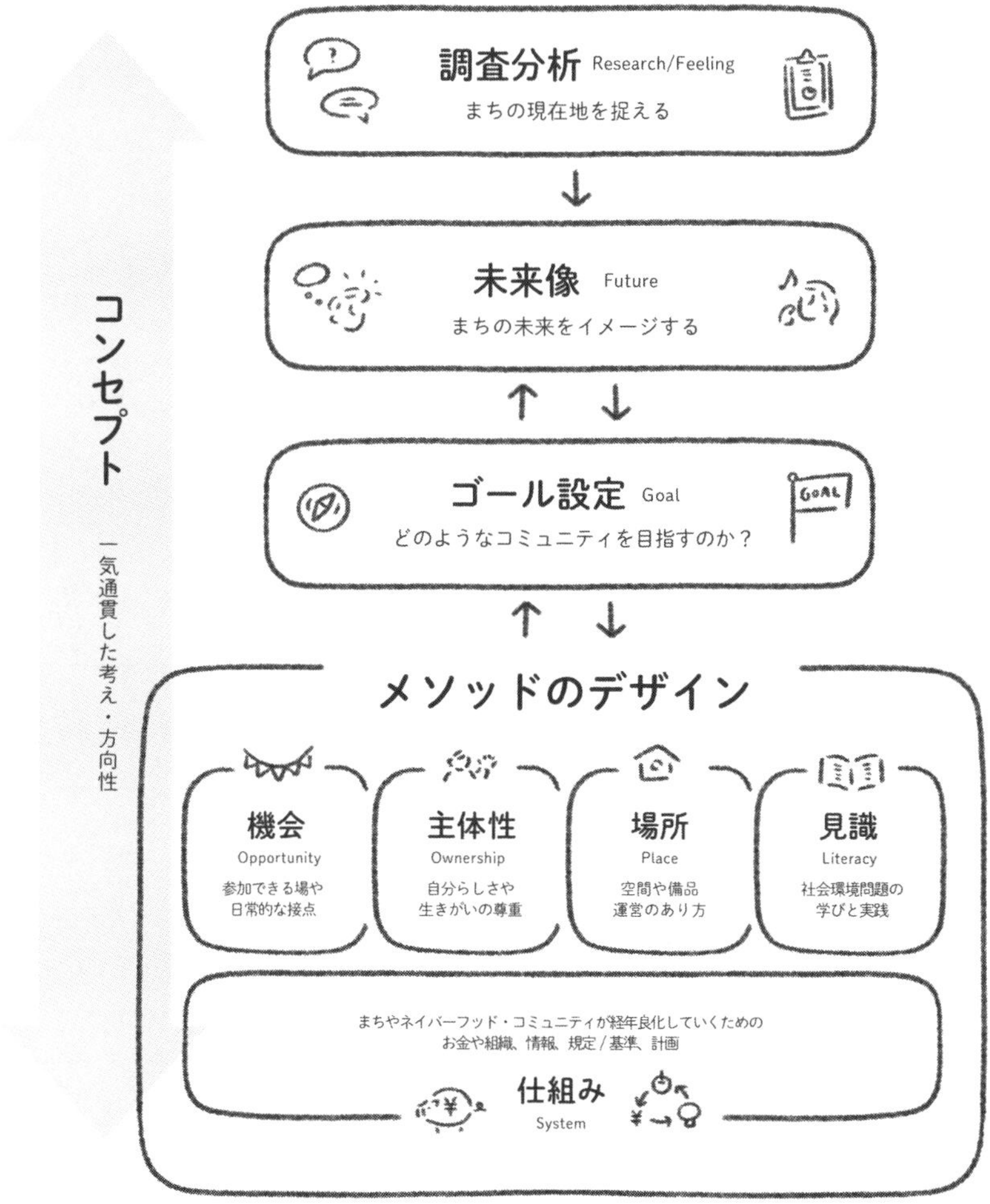

コンセプトが必要です。コンセプトは、まちの未来像やプロジェクトのゴールに基づいて導き出される、活動や事業のテーマのようなもの。「誰のために、誰とどのようなつながりを育んでいくのか」をまちの住民にもわかりやすく共有するために設けられます。

ただ、始まりはいつも、まちの未来像から。あるべきまちの未来像がイメージできてこそ、プロジェクトのゴールやコンセプトが設定できます。この順序は、途中で各メソッドや取り組みの方向性がぶれないようにするためにも、極めて重要です。


ところで、まちの未来像やプロジェクト全体のゴールを設定していないと、どうなるのでしょうか。

ある団地活性化のプロジェクトで、途中からネイバーフッドデザインのお手伝いをしたことがあります。その団地では当初、デベロッパーや行政の主導により、未来とゴールのデザインが曖昧なまま、人々のつながりづくりがスタートした背景がありました。

行われていたのは、コミュニティスペースを設けて、まちの人々に貸す「場づくり」の取り組み。現場の様子を見ると、人々の笑顔もあり、関係性が育まれているように思われていました。

しかし、未来とゴールが明確でなかったため、時間が経つにつれて歪みが生まれました。運営に携わる人々は、自分たちの取り組みがまちにどう貢献しているか、また今後どこに向かっていくのかわからないまま、場づくりの取り組み「だけ」が残り、細々とスペースの運営が続けられていたのです。いつしか現場は空中分解に近い状態になっていました。

その状況を変えてほしいと要望を受け、私たちが関わることに。改めて、解決すべきまちの困りごとや、それを抱えている人々を洗い出し、対話を行いました。対話を通して、「若い世代や子どもたちがよりよく暮らせるまち」という未来像と、その実現のために「次世代のまちをつくる人々を育てる」というプロジェクトのゴールを設定することができました。それを必要に応じて伝わりやすい言葉に言い換えながら、現場のスタッフとも対話を重ねていったのです。その結果、スタッフの方々は活動への目的意識が明確になり、積極的にアイデアを出してくれるようになりました。数年が経過した後も、やりがいをもって継続的にその役割を果たしてくれています。

冒頭で、つながりを生むこと自体がプロジェクト全体のゴールではない、と言いました。今お話ししたケースは、まさに「とりあえずつながりを生み出そう」と、つながり自体をゴールとして走り出した一例です。真のゴールを見定めていなかったために、混乱を招いたと言えるでしょう。

「本来は手段であることが目的化してしまう」状況はよく見られます。私たちが過去に関わったある自治会では、歴史あるお祭りを続けていくこと自体が目的化していました。祭りの継続のために効率化やマニュアル化が進み、「役割をまっとうすること」が重要視されていたのです。結果として、若い世代が「役割」を埋めるべく手伝いに駆り出されて疲弊したり、自分が暮らすまちでの活動を避けたりするような状況が見られていました。

伝統的なお祭りを守ろうとすることは大切ですが、本来、お祭りの目的はまちを豊かにすることだったはず。そこには、関わる人々のやりがいや楽しみがあったはずです。やりがいや楽しみよりも祭りの継続といった本来の目的でないものが優先されると、新しく関わる人々にとっての魅力がなくなり、むしろまちから人が離れていくこともありうるのです。その取り組みにおける、本来の目的は何なのか。各取り組みの目的・目標を見失わないためにも、目指すべきまちの未来像を明確にしておくことが必要です。

②まちの「現在地」を捉える

まちの未来像やゴールは、具体的にどのような段階を経て描いていけばよいのでしょうか？最初のステップは「**まちの『現在地』を捉える**」です。

目指すべきまちの未来像を考えるためには、そのまちの現状をよく知ることが大切です。そのまちにはどのような歴史があり、いま、どのような状況にあるのか。多面的に情報収集を行い、まずはそのまちの現在地を読み解いていきます。

その手法として、**特に斬新なものはない**というのが私たちの考え方です。言ってみればこのフェーズは、地道で実直な作業の積み重ねが肝要です。時間も労力もかかりますが、このステップを省くと、後になって「何のためにやっているのだっけ？」と目的を見失うことになってしまいます。手を抜かず、一つひとつしっかりと進めていくことが大切です。

まずは、プロジェクトの概要やビジョン、ターゲット、予算、スケジュールなどの諸条件を確認します。デベロッパーなど委託者がいる場合は、主に土地や建物などハード面におけるまちの未来像やコンセプトについてもヒアリングします。また、委託者がその事業を通じて必ず導入したいと考えていることや、そのプロジェクトに参加する意義や期待についても、合わせて把握します。民間企業が主導する場合は特に、「地域貢献のため」との理由だけでは合意形成が難しく、また一過性の取り組みになりやすいもの。持続可能な取り組みにするためには、利害関係の理解も重要です。

次に、行政の指針について調査します。具体的には、そのまちの人口構成・人口動態や歴史、各種政策やまちづくり計画、過去の取り組みと効果などの定量・定性情報を収集します。行政が何に課題を感じ、何に力を入れているかを知っておくことは、官民連携の方策のきっかけとなる場合もあります。与件と定量・定性情報を把握したら、「こんな現状ではないか」と推測します。そしてその推測をもとに、さらに必要な情報を収集していきます。

定量分析ではまず、そのまちに暮らす人々の年齢層や家族形態を把握します。一般的な社会環境問題や地域課題の知識から、年齢層と家族形態がわかると、その人たちが「抱えていそうな困りごと」についてある程度イメージできるからです。そのうえで、その課題に対して各種行政やNPOの取り組みがないかを調べていきます。行政でもすでに課題意識を持ち関連情報を公開していることもあります。まちで活躍しているNPOがあるなら、その活動を必要とする人たちが一定数存在することがわかります。そういった情報収集のなかで、まちのイメージが少しずつ、補強されていきます。

なお、これらの情報収集や課題の推測・検証のプロセスは、必ずしもきれいに一直線で進むわけではありません。諸条件と情報をかけ算してまちの現状を推測し、その推測をもとにさらに情報を収集していく。そのなかで、ときには当初の推測を見直し、情報収集をやり直すことも多くあります。必要に応じて行ったり来たりを繰り返しながら、その精度を少しずつ高めてゆくのです。

データ分析をもとにある程度イメージが膨らんできたら、次は「**まちの空気に触れる**」ことです。まちの行事に参加したり、実際にその地域に暮らす人の目線を知るため、まちを歩き回ります。大通りでなく、裏路地も含め、毎回ルートや時間帯を変えて歩いてみる。それを繰り返すことで、実際にそのまちで生活している人と近い感覚を得ていくことができます。

たとえば戸建て住宅の玄関先の植栽ひとつとっても、そのまちへの意識や愛着度を感じとることができます。家の前を歩く人に見えるように外向きに花が植えられ、よく手入れされ、ウェルカムボードのような飾りがあったりする植栽の家が多いエリアは、近所の人々のつながりが築かれ、よい雰囲気のことが多いのです。植栽の手入れついでに玄関前の道まで掃き掃除することで、まちの景観が保たれ、自然とご近所さんと顔を合わせて挨拶するような関係性も育まれるからです。一方で、玄関先が殺風景だったり、庭が荒れていたりするところは、近所の人々とのつながりも希薄な傾向があります。

マンションでも、共用廊下に置かれているものの様子や、表札・ネームプレートの様子などを観察していると、住民の意識がどのくらい外に向いているかを感じとることができます。

もちろんこういった観察から読みとれるのはあくまで傾向であり、確実に何らかの性質を証明するわけではありません。ただ、このようにひとつひとつは小さなヒントの積み重ねによって、

図3.2　まちの現在地を捉える

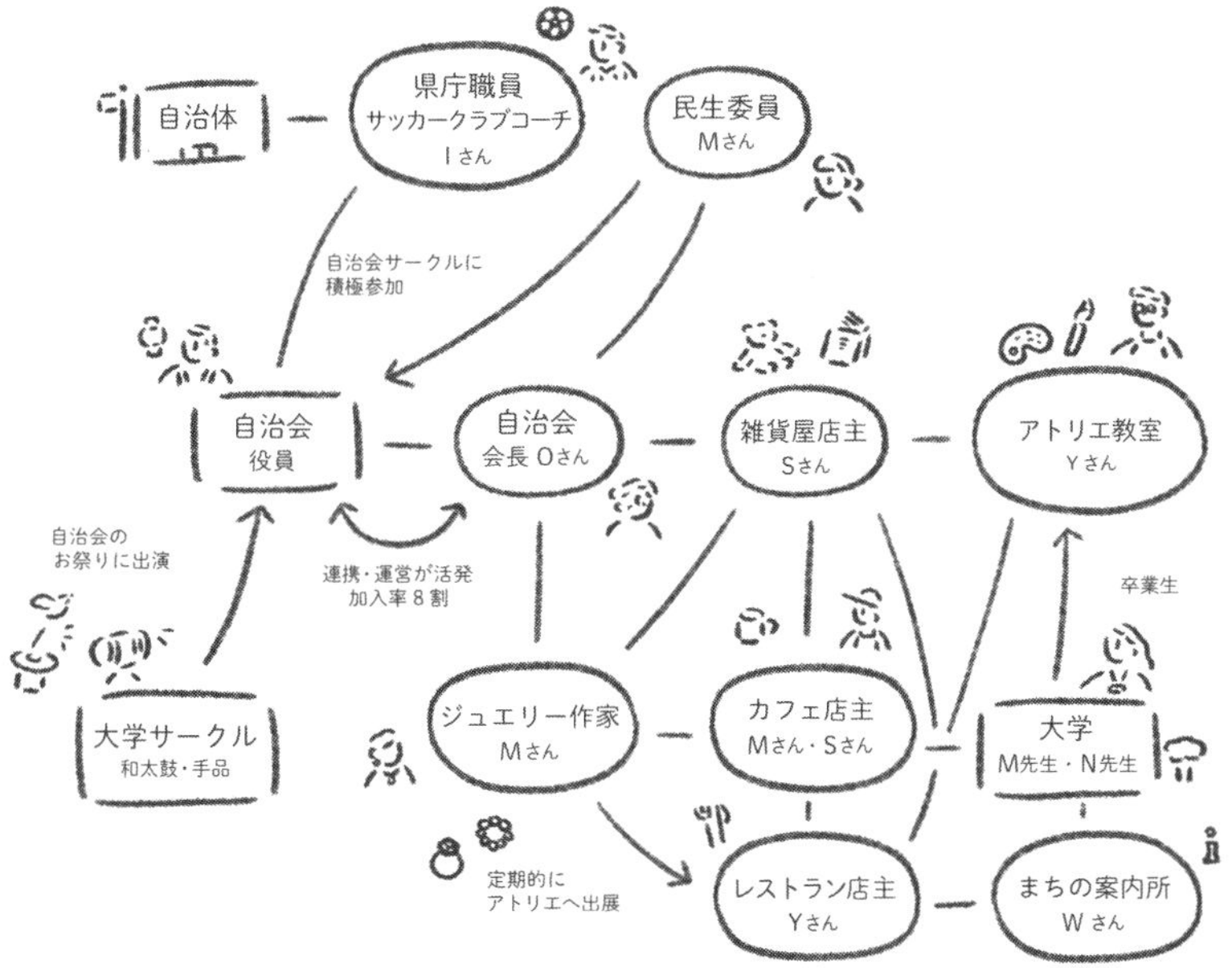

徐々にまちの輪郭がクリアに見えてきます。

また、まちを歩くときに大切にしているのは、事前に推測したまちの課題や人々のライフスタイルをもとに歩くプロフェッショナルな視点と、まっさらな状態でまちの姿を見るフラットな視点、その両方を常に持っておくことです。

推測した課題に基づきチェックしたい場所にはもちろん足を運びます。しかし一方では、常に事前の推測を疑うことが必要です。定量情報から導いたまちの現在地は、時として歪んでいることもある。それにとらわれすぎると、その推測を立証するのに有利な情報収集・まち歩きをしてしまう危険性があるのです。事前にデータを集め、まちの現状を想像しておくのは重要ですが、「本当にこれであっているのか？」と問い続けることも忘れてはいけません。ときどきは意識的にその想定から抜け出し、ひとりの人間として純粋に、目の前にあるまちの空気を感じるようにするのです。

まちの現在地を捉えるうえでもうひとつ大切にしていることは「**少人数の対話**」です。

地域調査の手法としては参加型ワークショップの重要性が語られることも多いですが、私たちは多数の方が参加するワークショップに頼りすぎず、少人数、または個別での対話を重視しています。参加型ワークショップを否定するわけではありませんが、ワークショップは合意形成には有用なものの、現在地を捉えるためには不向きな面があるからです。たとえば子育てに関する悩みには「ママ友とうまくいかない」「ほかのグループを探したい」のような、その人固有の思いもあるでしょう。そういった主観的な話は、近くに住む人には話しづらい傾向もあります。参加者同士の温度感の違いにより、遠慮や気後れを生んでしまうこともあるでしょう。そのため私たちは少人数または個別での対話をより重視しています。

ここで、埼玉県越谷市で私たちが関わってきた、自治会館と公園・川辺を活用したまちづくりプロジェクト「南荻島プロジェクト」の事例をご紹介しましょう。このプロジェクトは2017年10月に発足しました。きっかけは、約680世帯のまちに64戸ほどの戸建て住宅ができることになり、越谷市の条例にしたがって新たに自治会館（集会所）を建てる必要があったこと。その管理・運営を住民自身で行ってほしいというデベロッパーの意向を受けて、私たちがお手伝いすることになったのです。

まちの現在地を捉えるため定量・定性データを調査するなかで見えてきたのは、「70代、80代のまとまった年齢が多く、中間層が比較的少ない。そこへ近年、若い世代が少しずつ入ってきている」状況でした。また、まちの周囲をぐるりと川がめぐっている。40年ほど前、このまちの開発が始まった当初は橋もなく、舟で川を渡っていたという歴史もわかりました。昔は水害も多く、そのたびに皆で助け合ってきたのだとか。調査を進めるなかで、「水辺が身近な存在としてあり、生活を営むうえで必然的な共助があった地域」という特徴も浮かび上がってきました。

また、まちを歩き、まちの空気に触れるなかでの気づきもありました。新しい戸建て住宅に入居する子育て世帯をイメージし、公園や児童館などを平日の昼間に訪ねたり、どのような時間に、どこで、どのような人の流れがある（ない）のかを知るために、周辺の商店や大学など、日頃からまちを見ている人に話を聞いたりしました。スーパーのレジ打ちの方とのお話ひとつでも、「お昼になると大学生がお弁当を買いにくる」など、まちの人々の動きを知る手がかりを得ることができます。

その後は少人数の対話です。仮説とまち歩きをもとに、新しい自治会館のユーザーとなりそうな架空の人物像を6つ設定しました。子育て世帯層やシニアという大枠だけでなく、性格や行動まで細かく分けて人物像を設定。近隣大学の大学生もそのひとつとしました（人物像は必ずしもまちに住んでいる人に限りません。別の地域では、住む人だけでなくまちで働く人を設定したこともあります）。

その後、それぞれの人物像に近い方をクライアントや自治会長に紹介してもらい、お話を聞きました。そのなかで、「新たに住まう人ともともと住んでいる人の交流の機会がなく、顔がわかる関係性がなくなりつつある」ことや、「自治会役員の高齢化」また「子育て世帯が入りつつあり、入れ替わりもある地域」といった状況が、よりリアルに浮かび上がってきました。

さらに、まちの現状を聞くヒアリングと並行して、こちらの推測を検証するためのヒアリングも行いました。設定した人物像に向けたサービスや事業を行っている団体へ話を聞き、対象者が実際にこちらの想定した課題を抱えているか検証するのです。未就学児の集まるカフェや、子育てサロンの運営者、子ども向けの教室などへ足を運び、子育て世帯が抱える課題などについての実状を確かめていきました。

このように、課題の想定と情報収集、ヒアリングを繰り返すなかで、まちの現在地の精度は高まっていきます。またその過程で自然と、まちの未来像についても想像が膨らんでいきます。

また、以上のようなプロセスを通じて、**まちの人々と私たちの信頼関係を育んでいる**ことも重要なポイントです。以後の取り組みを実施する際に、未来とゴールのデザインを行うときに出会った人たちと協働することは少なくありません。私たちは、そんなめぐり合わせを楽しみにしていたりもします。

まずはそのまちのリアルな現在地を、しっかりとつかむこと。当然のことのように思えるかもしれませんが、ここで地に足をつけて取り組めるかどうかが、「まちの未来像」を描くうえではとても重要です。

なお、過去の経験から「このまちでもこの施策が使えるかもしれない」と直感がはたらくことがありますが、安易にそれに頼らないように意識しています。まちの現在地を捉えるフェーズではできる限り、そのまちの人と会い、そのまちの風景を見て、同じ空気を吸いながら情報を集めていくこと。なぜなら、**ひとつとして同じまちはない**からです。

③「まちの未来像」と「プロジェクトのゴール」をイメージする

まちの現在地を捉えることができたら、次は「まちの未来像」についてイメージを膨らませていきます。それができたら、そのイメージに基づき、今回のプロジェクトでは何をどこまで解決するのか、「プロジェクトのゴール」を描きます。

この段階では必ずしも、まちの未来像やプロジェクトのゴールが明確に言語化されていなくても構いません。まちの現在地から思い描いたまちの未来像、そこから抽出したプロジェクトのゴールについて想像を膨らませ、「きっと、こうではないか？」と仮説を立てる。そして少人数との対話を積み重ねながら、仮説への共感、あるいは違和感を集めていく。それがこのステップです。

なお、ステップとしては分けて書いていますが、実際のプロジェクトでは、まちの未来像は、まちの現在地を捉える過程のなかで自然と浮かび上がってくることが多いものです。

まちの未来像は、あくまでそのまちに暮らしている人たちの潜在的なニーズや、まちへの愛着の延長線上にあるもの。たとえば、単身の高齢者が多く、今後若い世代が大きく流入するほどの開発も見込まれていないという現在地を捉えたならば、「ひとり暮らしのお年寄りが生きがいを持てるまち」がひとつの未来像として浮かび上がってきます。あるいは、子育てを機に入ってくる世帯が多いものの、横のつながりがつくりづらく、遊び場や学びの場が足りていない現在地があるなら、未来像としては「充実した子育て環境があるまち」を自然と思い描くのではないでしょうか。

このように**まちの未来像は、そのまちに住む人々の「もっとこうなったらいいなあ」を組み上げていった先に、自然と見えてくる**ものです。

あるべきまちの未来像がなんとなくイメージできたら、まちの**未来の住民像を想像**します。まちの現在地を捉えたうえで、そこへ入ってくる新しい住民がどのような人々か、既存の住民はどのように変わりえるかを想像し、新たに住む人々と元から住む人々が入り交じるなかでの未来像を描いていくのです。

たとえば、マンションを新築したり建て替えたりするエリアなら、価格や間取り、周辺の同価格帯の家族層などを調べ、新しい住民の方々がどのようなライフスタイルになるのかを想像します。高齢化が進んでいる地域に子育て世帯が新しく入っていく状況ならば、それぞれのライフスタイルを想像し、どういった課題が生じるのかを考えます。さらに、その課題はどのように解決していけるのかを、まちですでに活動している人・ＮＰＯ等にヒアリングを行いながら考えていきます。

この過程では、「**新しくまちに住む人が抱えるであろう課題を、既存の住民と一緒にどう解決できるか**」あるいは、「**既存のまちの課題を、新しく住む人がどう解決できるか**」、その双方の視点を持ち続けることが大切です。

しかし、新しい住民層の概要がわかっても、そのライフスタイルや心情がわからないこともあるでしょう。そういうときは、その属性に近い人を紹介してもらい、実際に話を聞きます。新たな住民像をしっかりとイメージすることは、その後プロジェクトのゴールやコンセプトを設計するうえでとても重要なので、ここでの確認作業を怠らないことは大切です。

南荻島プロジェクトの場合は、当時から2年以内に同地域に引越してきた子育て世帯の方々にヒアリングを行いました。引越したばかりの頃にどんなことに困ったか聞いたところ、「子どもの遊び場がない」「子どもが同じ年齢の友達をつくりにくい」といった声が複数ありました。「近所の人と交流するきっかけがなく、子どもの泣き声などひとつひとつが迷惑ではないかと気になっていた。隣人が平日昼間ほとんど家にいないことや子どもが大好きな方だと知ってから気が楽になった」との声も。新たに引越してくる住民の気持ちやまちとの関わりについて、よりリアルな感覚を得ることができました。

またヒアリングを重ねるなかで、「こんなイベントやプログラムがあると、まちの人たちはこんなふうに関わって楽しんでくれるのではないか」と具体的な活動イメージが浮かび始めるのもこの頃です。ただ同時に、想定している人物像が「本当に参加してくれるのか」との疑問も生じます。

たとえば、子育て世帯に対して「地域に子どもを見守る仕組みがあったらよさそうだ」という感覚はなんとなくあるものの、実際に利用してくれるのかはわからない状況があるとします。その場合は、すでにそのまちで子育て世帯を対象に活動している人を訪ね、対象者がどういうことを求めているのか、どういうことに楽しみを感じているかなどをヒアリングします。このように、検証的な視点を持ってヒアリングを積み重ねながら、自分たちが立てた仮説に裏付けをとっていくのがこのプロセスです。

繰り返しとなりますが、この段階でのまちの未来像は必ずしも明確に言語化されていなくても構いません。自然とキーワードが浮かび上がってくることもありますが、それはプロジェクトごとに異なるところです。大切なのは、洗い出してきたまちの現在地の課題をもとに、10年後、20年後に「まちがこうなるといいな」という未来像を思い浮かべること。そして思い描いたその絵のなかで、多様な住民の暮らしはどうなるか、を想像していくことです。

南荻島プロジェクトでは、高齢者、多世代、子ども・若者・子育て世代のライフスタイルや課題から、「ふらりと立ち寄れる、地域の人がいる空間がある」「地域で協力して高齢者や育児を見守る仕組みがある」など、大まかに約10項目の未来像が浮かんできました。それから可能性のありそうな活動を検討するため、地域の方が集まるカフェのオーナーなどにヒアリングし、地域課題の解決やプロジェクトに共感してくれる方を探していきました。また、新たな自治会館の利用者となり得る方々にもヒアリング。既存の集会所をよく使う高齢者の方や、まちとはあまり関わりがないものの自分でものづくりをしている作家やクリエイターの方にも話を聞きました。

図 3.3　南荻島プロジェクト　まちの未来予想図（提供：中央グリーン開発株式会社）

そうしたなかで、「地域でやってみたいことはあるが、きっかけがない」「一緒に企画する相手がいたら何かやってみたい」という人が多いことがわかりました。ヒアリングを通して、「一緒に企画する人」や「自分のやりたいことを地域でやる人」が、新たな自治会館の担い手になるという未来像が見えてきたのです。

まちの未来像のイメージが浮かんできたら、それに基づいてプロジェクトのゴールを抽出します。予算や規模感、期間などそのプロジェクトが持つ諸条件のなかで、今回のプロジェクトではまちの未来像に向けて何を実現できるのか。どの課題を、どこまで解決することができるのか。それを取捨選択していきます。

④解決策のパズルが組み合わさる

まちの人へのヒアリングが進むと、まちにどのような課題があり、どのような資源があるのか、さまざまな情報や気づきがストックされていきます。

まちに住む人はどのような課題を抱えているのか、新たに住む人はどのような困りごとを抱えそうか。現在すでにどのようなプレーヤーがいて、どのような活動をしているのか。どのような場があり、どのような場が求められているのか。それらの要素が、無理なく心地よい場所におさまる解決策を探っていくことを、私たちはパズルが組み合わさるようなものと考えています。

これまで見てきたように、まちの未来像とプロジェクトのゴールのイメージをもとに検証を繰り返していくと、徐々に各要素の輪郭がはっきりしてくるはず。それらの**輪郭がはっきりとしてきた要素が**、**自然と組み合わさるような形で**、**プロジェクトのゴールやコンセプトを設定する**のがこの段階です。ゴールとコンセプトは、コンセプトとなる言葉が先に出てくることもあれば、まずゴールが見えて、それに基づいてコンセプトとなる言葉を考えることもあります。その順序はケース・バイ・ケースです。

南荻島プロジェクトの場合は、地域資源である川や河川敷の存在、古くから生活の中に共助があったまちであること、高齢者が多くなる一方で入れ替わりも進んでいること、大学生がいること、子育て世帯から聞いた「つながる場所がない」という課題、「仲間がいれば何かやってみたい」という作家の声など、ヒアリング等で集めた情報や人々の声がパズルのように組み合わさっていきました。

そして生まれたのが、川沿いに新設される自治会館と公園、それに河川敷を含めた一帯を「まちのリビングのような場所」にするというコンセプトです。新たな自治会館は、訪れた人がつながり、そこから新たなものが生まれていく場になればという思いをこめて、「みずべのアトリエ」と名付けられました。同時に、プロジェクトのゴールを「水辺・公園を一体として活用し、誰もがふらりと立ち寄れる自治会館の実現」に設定。これらのコンセプトやゴールが、ひいては「新たに住まう人ともともと住んでいる人がゆるやかにつながり助け合えるまち」という未来像につながっていくと考えたのです。

また、まちづくりの実行委員会のような「サポーターチーム」を立ち上げ、みずべのアトリエの管理・維持を住民の方が担う仕組みをつくっていきました。数々のヒアリングを通して「このまちには支え手となる方々がいる」と確信できていたからです。コンセプトに共感し、かつ自身の抱えている課題をまちに関わることで解決したい人や、やってみたいことを実現したい人に声をかけ、サポーターになってもらいました。サポーターはシフト制でみずべのアトリエにいて、誰もがふらりと訪れられる状態をつくる役割です。その時間はサポーターも本を読んだり友達を呼んでおしゃべりしたりと、自身も楽しく過ごします。サポーターとなった方々は世代も属性もばらばらですが、非常によいチームとなり、月に一度の定例会議を行いながら活動を続けられています。

このように、さまざまな要素がうまく組み合わさることで活動が具体化されるのですが、ここで重要なのは、**パズルは無理に組み合わせるものではない**こと、そして、**人を手段化してはいけない**ことです。人や団体に無理をさせて何かをやってもらおうとするのではなく、それぞれの人や団体がやりたいこと、実現したいことを大切に、それらがまちの課題解決とうまく呼応する位置関係を探る。ひとつひとつ個性をもった大事なまちの要素は、「組み合わせる」よりも、自然と「組み合わさる」まで検討を繰り返します。そのためにも、それまでの過程でひとりずつ丁寧に話を聞き、それぞれのライフスタイルや、やりたいことを把握するのはとても大切です。

順序としては、まず現在まちにある資源の組み合わせで課題を解決できるのかを検討します。すでにそのまちでがんばっている人や団体を大事にすることは、そのまちで良好な関係性を築いていくうえでの大前提です。ただ一方で、すべての必要な資源が最初からまちに揃っていることはほぼありません。不足する要素があれば、**その資源を新たにつくり**、**育てる**ことも視野に入れておきましょう。また、絶対にそのまちの中だけで要素を集めなければいけない、ということもありません。たとえば隣町であっても、課題に強く共感してくれ、信頼できる方が見つかれば、その方に参加してもらえばよいのです。

「無理に組み合わせない」が前提なので、既存の資源のなかでやりたい人が見つからない場合は、私たちＨＩＴＯＴＯＷＡスタッフが新しい要素となる場合もあります。

たとえば浜甲子園団地再開発エリア（兵庫県西宮市）のプロジェクトでは、まちの現在地を捉えるなかで、「ひとり暮らしのお年寄りが多く、食事をスーパーのお弁当・お惣菜に頼っていて

図3.4　解決策のパズルが組み合わさる

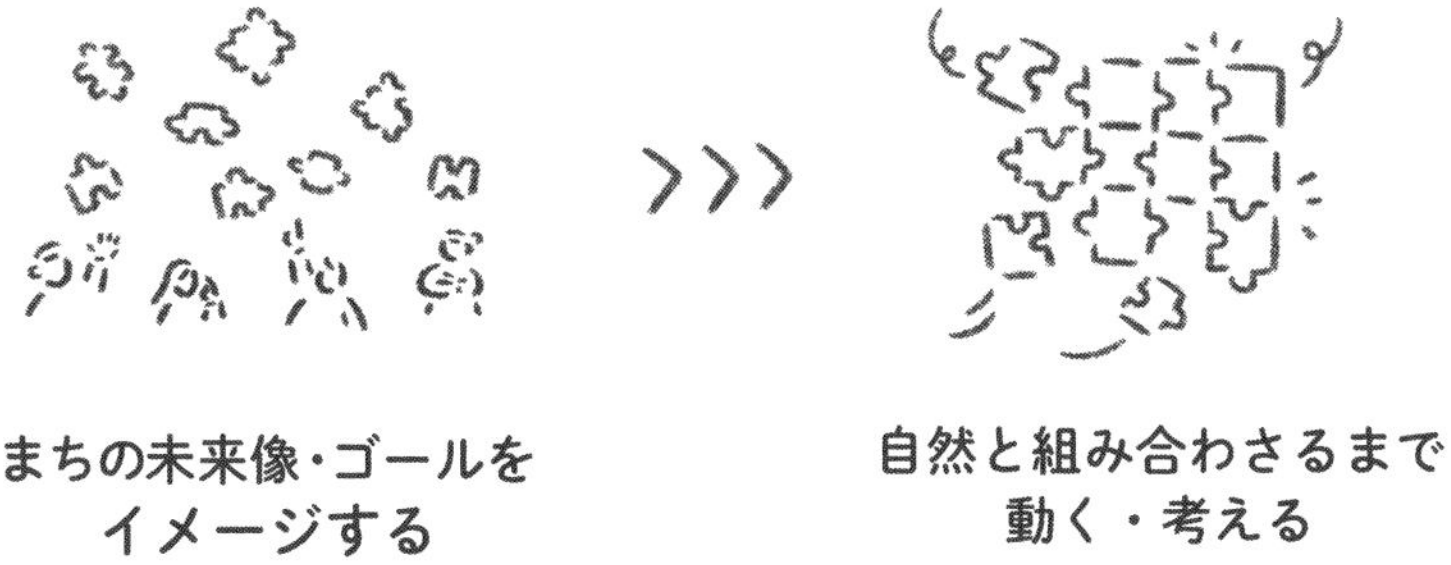
まちの未来像・ゴールをイメージする
自然と組み合わさるまで動く・考える

健康面が不安」との課題があることがわかってきました。その課題感に応えるべく、健康的な食事をメインとした飲食事業者を探したものの、当時は適切な事業者がなかなか見つからない状況がありました。メニューやコンセプトにこだわらず、チェーン店に打診すれば出店者は見つかったかもしれませんが、それでは意味がありません。ならば不足する要素は自分たちでつくろうと、コミュニティカフェ「OSAMPO BASE」の企画・運営にチャレンジしたのです。メニューも、現地の高齢者が抱える課題やライフスタイルに合わせ、新鮮な野菜をたっぷりと楽しんでもらえるものにこだわりました。今ではまちの人々がそのスタッフとなり、意見を出し合いながら運営を続けています。

その他にも、たとえばイベントやワークショップで適切な講師がいなければ、自分たちで勉強して講師を担うなど、不足する要素があれば柔軟にチャレンジをしています。

なお、先のコミュニティカフェ「OSAMPO BASE」を企画する際は、すでにそのまちにあった別のカフェと競合関係にならないよう、十分に配慮しました。たとえば少し価格帯を変えて違う層に来てもらうなど「競合ではなく、応援し合える形」を考えることが大切です。

すでにそのまちでがんばっている人を尊重する意味では、「新しいプロジェクトのなかでその方の能力を活かしてもらう」方法もあれば、「プロジェクトには関わらないが、うまく連携し合っていく」方法もあります。対話をしながら、適切な方法を検討していくことが重要です。

⑤未来のデザインは多様な人々をつなぐ

未来とゴールのデザインを行うことの効果。それは端的に言うと、**そのプロジェクトに関係するすべての人々が**、**利害関係や対立を乗り越え**、**同じ方向を向く**ことです。すでにそのまちへ住んでいる人々、新たにまちに住む人々はもちろん、行政やデベロッパーなどの委託者がいる場合はそういった関係者も含めて皆が同じ方向を向く。これは、長期的にプロジェクトを進めていくうえで非常に重要なことです。

そのように立場の違う人々が同じ方向を向くことができるのも、前提として、その未来像やゴールがどこかから借りてきたものではなく、そのまちならではのニーズに応えるものだからです。

地道な調査やヒアリングを積み重ね、まちで生活を営む人々の声に基づいて導き出された未来像やゴール、コンセプトだからこそ、既存の利害関係や対立構造を超える説得力・納得感があります。立場の違う人々が一丸となってプロジェクトを推進していくためにも、これまでの地道なプロセスは欠かせないものなのです。

同じ方向を向く、とは具体的にどういうことか。

まずはまちの人々との関係性についてです。

未来とゴールのデザインを進めていくと、その過程で、そのまちの自治会やいろいろな団体が見えてきます。ただ多くの場合、それぞれの組織がそれぞれの事業や活動の目標を持ち、ばらばらに動いていることが多いもの。そんな中、未来とゴールのデザインによって言語化された、そのまち全体にとってふさわしい未来像やコンセプトを共有することで、ばらばらの方向を向いていた全員が、協力し合って同じ方向に進もうという空気を醸成することができるのです。

たとえば、エリアマネジメントの活動では、ある商店会と別の商店会の仲があまりよくなかったり、団地の自治会と商店会がうまくいっていなかったり……といった状況も起こりえます。そこで大切なのは、新たなプロジェクトを行う際に、それらの対立構造に飲み込まれないようにすることです。言い方を変えれば、そのまちの住民や、そのまちで商売を営む人の声に基づいたまちの未来像やプロジェクトのゴールが導かれていれば、自然と、そういった対立構造とは切り離した展開がしやすくなるのです。

そもそも自分が住んでいるまちで新たな開発が始まることに対して、既存住民の方々は意外と無関心、またはネガティブな感情を抱いている傾向があります。たとえば「自分が住んでいる地域から徒歩10分の場所に数十戸の戸建てが開発される」と聞いても、特に通り道でもない人にとっては「へえ、そうなんだ」ぐらいの思いしかわかないことが多いものです。ただそこで、

「このまち全体でこんな未来像を描いているんですよ」とまちの未来像を明確に打ち出していると、興味を持ち始める人もいます。隣町などまちの周辺から関心を持つ人が訪れることもあるでしょう。

これは、新たな開発に限った話ではありません。たとえば商店街の空き物件が増えていて、空き商店をリノベーションするプロジェクトが立ち上がったときなども同様です。多くの住民は「商店街に空き店舗が増えてしまったなあ」とは思っても、それを自分たちでどうにかできるとは思っていないもの。そこでリノベーションの該当物件だけでなく、まちとしての未来像を打ち出していれば、「こんな未来も描けるんだ」「こんなまちが実現したらいいな」と興味を抱き、「自分ごと化」して関わってきてくれる方も出てくるのです。

このように、未来とゴールのデザインがあることで、人々が興味の度合いを高め、人が人を呼ぶように、どんどんつながっていきます。

また、行政やデベロッパーなど委託者がいる場合、その委託者とどのような関係性をつくっていくかも非常に重要です。

というのも、未来とゴールについて十分な検討がなされない場合、たとえば行政やデベロッパーの希望がそのままプロジェクトのゴールに設定され、実際のまちの現状と合わないままに取り組みが進んでいくこともあるからです。これは特にデベロッパーの業界では起こりがちなことでもあります。ただそういったプロジェクトが長期的に見てうまくいかないことは、ここまで読まれた皆さんならご理解いただけるでしょう。

そこで私たちは、委託者の意向も汲みつつ、加えてまちの住民や、まちで商売を営む人々が納得・共感する未来像やゴールを設定したい、と考えています。そのために必要なのが、まさにこれまでご説明してきた未来とゴールのデザインです。単なる業務委託として言われたことを請け負う関係ではなく、**まちにとって本当に望ましい未来像を描き、その未来をつくる協働パートナーとしての関係性を築いていく。**そのためにも、裏付けとなる調査やヒアリングなど、地道なプロセスが必要不可欠です。

よく、まちづくりに携わる方が「行政がわかってくれない……」とこぼしているのを見聞きすることがあります。率直に、そういった方の気持ちもわかります。ただ行政は立場上、いち民間事業者への支援は難しいもの。その事業がいかに公共性の高いものであるかを説得力のある形で伝えられなければ、必要な協力を得づらいのは仕方のないことです。またデベロッパーの方も、普段はそのまちにいるわけではありません。かつプロジェクトが終わればまちを離れることが前提のことが多いため、開発後のまちについて考えるのはデベロッパーの役割ではないと思っている面があるのも、残念ながら実状です。

このように異なる立場から、それぞれの立場で見渡せる範囲の情報だけでそのまちを捉えていれば、そこにギャップが生まれるのはある意味当然だとも言えるでしょう。

だからこそ、未来とゴールのデザインが重要です。調査やヒアリングの内容、そこから捉えたまちの現在地を共有することで、委託者も少しずつ、そのまちの手触りが増し、自分ごととして捉えられるようになります。そうなると、「うちの会社ではこんな資源を使って、こういう協力ができるのではないか？」と、具体的なアイデアも浮かびやすくなる傾向があります。

行政としても、管轄地域で設定している行政のテーマに、住民の意見やまちの課題がひもづいていることがわかれば、興味をもって協力してくれるはずです。ここで意識しておきたいのは、お願いする側とされる側という利害関係にならないこと。相手の目指しているものや制限を理解しておき、あくまでそれをともに実現する協働パートナーであると理解いただくことです。こういった点からも、未来とゴールのデザインを通して関係者全員が同じ方向に目線を合わせるのは大切です。

このようにまちの未来像を見据えて話をしていくと、当然、**長期的なまちの時間軸**について思いを馳せることにもなります。そして私たちは、まちの住民だけでなく開発主体であるデベロッパーも含めて、長期的な時間軸での議論をしていきたいと考えているのです。

さらに、まちの専門家として第三者的に関わる私たちＨＩＴＯＴＯＷＡも、そのまちへの関わり方をそのまちの時間軸と照らし合わせて考えていく必要があります。

第三者的に携わるまちの専門家がどのように、どこまで関わっていくのか。その答えはまちによって異なります。たとえば、もともと行政・市民間をつなぐ中間支援組織が活発に動いているまちならば、当初からその組織と連携し、数年後には私たちの役割を引き継いでゆくこともあります。一方で、住民の流動性が高く住民への引き継ぎが難しいと考えられる場合や、数十年に及ぶ再開発の予定がある場合などは、私たちが長期的に関わり続けたほうがよいと判断することもあります。そうした関与の度合いもまた、未来とゴールのデザインを通して積み重ねた調査やヒアリングがあってこそ、決められるものです。

時折、デベロッパーから、「〇〇のエリアマネジメントと同じモデルでこちらもお願いします」などと相談されることがあります。ただ、あるまちでうまくいったやり方が、別のまちでもうまくいくとは限りません。そのまちにとって適切な関与の仕方は、これまでご紹介してきた地道なプロセスがあって初めて、判断できることなのです。

また、私たちのように第三者としてまちへ関わる際に大切なのは、将来的な関与の仕方を、早い段階からまちの人々にもしっかりと伝えておくことです。

どのようなまちの未来像に向けて、どのようなコンセプトがあるのか。そして第三者である自分たちはどのように、どこまで動いていくのか。最終的にはまちの人々だけで運営していく未来像があるのであれば、そのイメージも最初から共有し、理解をいただくようにしています。

もちろん実際に現場から離れたあとも、そのまちにおのずとコンセプトが受け継がれ、まちの人々によって展開されていくことを想定して、それまでに準備を進めていきます。

プロジェクトのゴールを達成することは大事ですが、そのゴールが達成できれば解決、とは捉えていません。まちの人々の声や現状から導き出したコンセプトや思い、考え方、仕組みがそのまちに残り、まちの人々の手によって走っていける状態にしてバトンをつなぐのが、私たちの使命だと考えています。

本章のポイント

▼人々のつながりをつくること自体はネイバーフッドデザインの目的ではない。真の目的は、人々のつながりによって生み出されるもの。そのために、まちの未来像を描き、プロジェクトのゴールを設定する。

▼未来とゴールを設定しないと、無目的な取り組みが行われたり、活動が形骸化したりし、一過性のものとなる。

▼まちに関する情報を集め、まちを歩き、関わる人にヒアリングすることで「まちの現在地」を捉える。未来像がおのずと見えてくるまで行う。

▼ひとつとして同じまちはない。まちの現在地を捉えるうえでは、他のまちでの事例に安易に頼らないこと。事例は参考材料、引き出しとしてたくさん持っておくことは大事。

▼まちの未来像やプロジェクトのゴールを考える際は、それぞれの人や団体がやりたいこと、実現したいことを尊重する。人を手段化してはいけない。

▼未来とゴールをそれぞれにとって「自分ごと」になるよう考え、話していくことによって、それぞれが組み合わさり、さまざまな立場の人がつながり、活動への参加や協働が自然と果たされる。

第4章

機会のデザイン

未来とゴールのデザインができたら、それに基づき次は、機会・主体性・場所・見識のデザインに取り組んでいきます。

機会・主体性・場所・見識という4つのデザインは、相互に深く関係し合うものです。実際のプロジェクトを遂行する現場では、厳密にその4つを切り分けてデザインするわけではありません。

たとえば「機会」のデザインを考えているときには当然、それを行う「場所」について考えます。また、住民の方々に「主体性」を発揮してもらうためには、どんな「機会」を設計すればよいかという視点も必要です。**4つのデザインのどれを行うにあたっても、他のデザインの視点を必要に応じて持ち出し**、**適宜切り替えながら進んでいきます**。

ですから、今からお話しする4つのデザインは、必ずしも順序立てて進むものではありません。説明するうえでは一つひとつ、切り分けてお話ししていきますが、実際は視点を随時スイッチしながら設計していくものだと認識しておいていただければと思います。

機会のデザインは、その名の通り、人々がつながる機会を設計していくことです。未来とゴールのデザインで見えてきたまちの未来像や、プロジェクトのゴール、コンセプトに基づき、それらを実現するためにはどのような機会をつくってゆけばよいのか。ここをしっかりと考えていきます。

初めは他人同士である人々はいかにして知り合い、趣味や活動の仲間、友人といった信頼関係を育んでいくのか。それをサポートするために、第三者ができることは何か。ぜひ一緒に考えてみてください。

①ゴール達成までの道のりを設計する

人々がつながる機会というと、何らかのイベントの実施を思い浮かべる方も多いと思います。もちろん、イベントも機会のひとつです。まちにおける活動では、しばしばイベント開催が「機会」として重要な役割を持ちます。

ただ、私たちＨＩＴＯＴＯＷＡが、単発のイベント開催だけをお手伝いすることはごくわずかです。なぜなら、一度きりのイベント開催で「いざというときに助け合えるような人々のつながり」が育まれることは滅多にないからです。

イベントはあくまで、機会のデザインを構成するひとつの要素。それよりも大切なのは、プロジェクトのゴール達成のために、さまざまな機会をどのように配置していくか、一連の道のりを考える視点です。

イベント、ワークショップ、座談会、オンラインを活用した情報発信や情報共有の取り組み、そして日常における工夫……。**多様な「機会」を適切に組み合わせて、段階的にプロジェクトのゴールが達成できるようにしていくこと。**これが機会のデザインの根幹です。

なお「日常における工夫」とは、たとえばスタッフが常駐できる拠点を持つプロジェクトなら、日々の何気ない会話や挨拶、声かけなどです。常駐拠点を持たないプロジェクトでも、普段から情報発信の方法や内容を工夫したり、積極的にまちのお店に顔を出すなど、心がけ次第でできることはいろいろとあります。イベントだけでなく、そういった**日常での接し方も同じくらい重要な「機会」**だということを、心に留めていただければと思います。

また近年は、2020年のコロナ禍発生を機に、まちにおける活動でもオンラインの機会が増えてきています。対面（オフライン）の機会と、オンラインの機会を相互補完的に組み合わせて活用することもまた、今後より求められると言えるでしょう。

さてゴール達成までの道のりを設計することについて、もう少し具体的にお話ししていきます。たとえばあるまちで立ち上がったプロジェクトで、「まちの人々で持続可能な防災委員会やサークル活動をつくり、共助を促進する」というゴールが設定されているとしましょう。

そのとき、まちの人々を集めていきなり「防災委員会をつくりましょう」と呼びかけて、持続可能な防災委員会はできるでしょうか？　形式的な委員会はできるかもしれませんが、まちの人々が主体となり、その後も運営していけるような組織をつくるのはまず難しいでしょう。サークル活動にいたっては、そもそもよく知らない人々と何かの活動をしたいという気持ちがわかず、形式的な立ち上げすら難しいかもしれません。

そこで必要不可欠なのが、**プロジェクトの全体像を俯瞰して、段階的につながりを育んでいく視点**です。

最初は他人同士の状態ならば、まずは顔見知りになる機会をつくる。そこから徐々に、趣味的なつながりを育むイベントを開催する。さらに、課題意識を顕在化したり、取り組みを持続的にしたりするようなワークショップを行っていく。必要に応じて、オンラインでの取り組みや連絡も取り入れる……。

こういったさまざまなアプローチを段階的に組み合わせることで、ゴールとして設定した「まちの人々で持続可能な防災委員会やサークル活動」が生まれる可能性を育んでいくことができるのです。

手っ取り早くゴールを達成しようと現状にそぐわない機会を用意するのではなく、現在地を正確に捉え、どのタイミングでどんな機会を提供していくか、段階的な設計を考えることが重要です。

理解を深めていただくために、あるマンションのネイバーフッドデザインに取り組んだ際の事例をご紹介しましょう。

この事例では「助け合えるつながりのあるマンション」という未来像に向け、プロジェクトの

図4.1　コミュニティ形成に伴う企画マネジメント

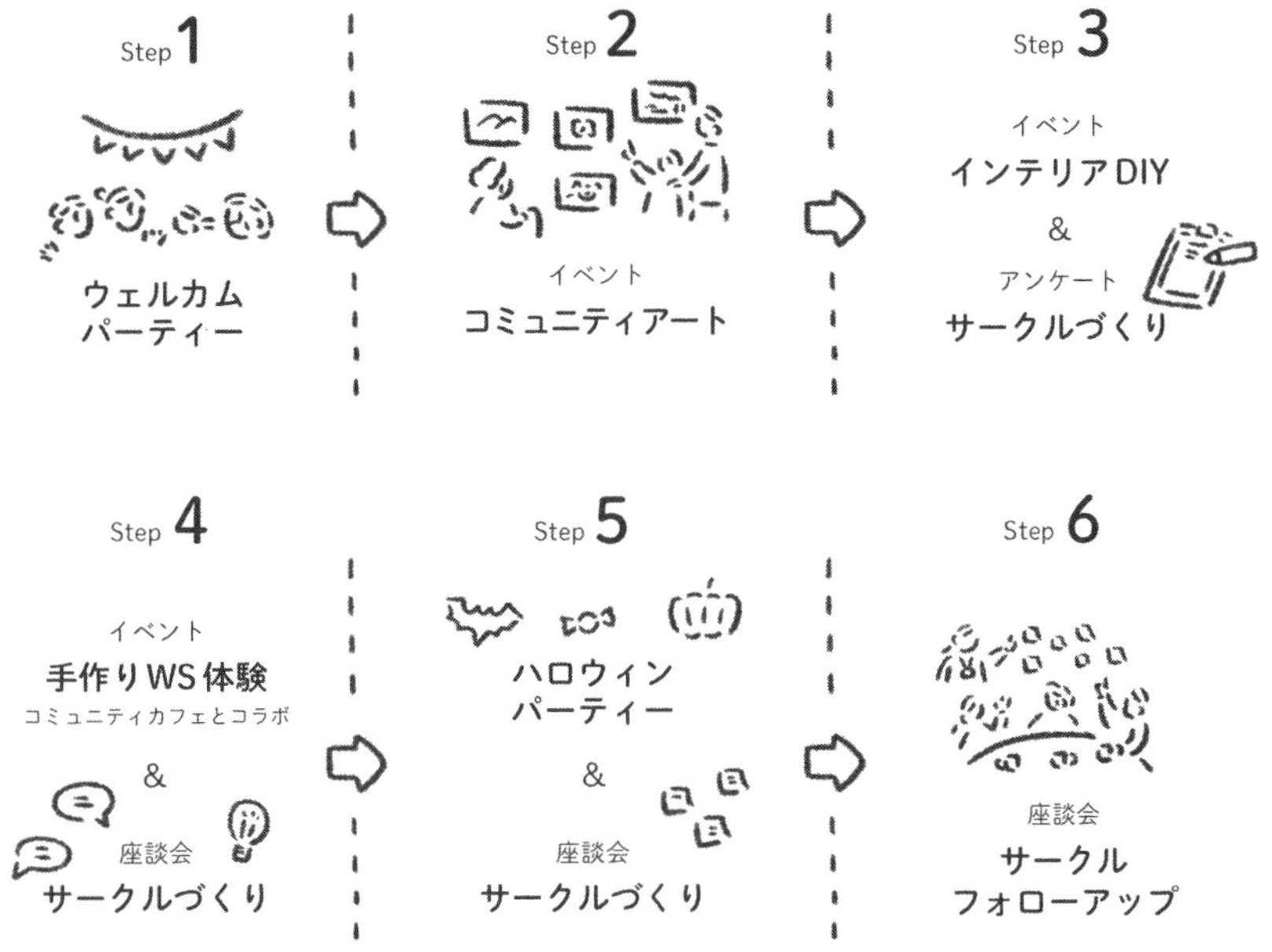

ゴールとして「サークル活動など、その後も住民主体で続いていくゆるやかな組織体をつくる」ことが設定されていました。また、イベントやワークショップなどの機会を6回ほど設計できる予算がありました。

それらの前提のもと、6回の機会をどのように設計すれば、サークルの立ち上げまでを実現できるかを考えていきました（図4・1）。

まずは全世帯向けに、入居者のウェルカムパーティーを実施。その後は対象となる方々を絞り、たとえば「子育て」や「DIY×防災」など、テーマ別のイベントを行う計画としました。テーマ別のイベントは最大で20〜30世帯向けに設計。お互いの顔が見えて、つながりをつくりやすい規模を意識しました。もちろんイベント内でも、運営スタッフは住民の間に立って互いを紹介するなど、個別のフォローを積極的に行っていくことが求められます。

このようなテーマ別イベントを何回か行うと、住民の方々にも少しずつ「まちの人々とのつながりは大切」といった意識が醸成されていきます。その想定のもと、3回目のイベントではサークル活動に関するアンケートの実施を予定。さらに4回目以降は、イベントと併せてサークルづくりの座談会を行い、住民の方に「どんなことがやってみたいか?」と意見を出し合ってもらう機会をつくることにしました。

ここまでが、実際に動き始める前の「機会のデザイン」です。

以上のようにゴール達成までの道のりが描けたら、その後は実際に機会を実施するなかで、**それぞれの機会における参加者の反応を見ながら、必要に応じて柔軟に修正・変更を行っていきます。**

たとえば、イベントを行うなかで住民の方々と顔を合わせ、予想していたよりも積極的な方が多いようなら、少し前倒しでサークルづくりを進める選択肢もあると思います。逆の状況なら、前半のプログラムにさらなる工夫をするなど対策が求められることもあるでしょう。状況によっては、ゴールである「ゆるやかな組織体」の形をサークルに限らず、もっと柔軟に模索していく必要があるかもしれません。これらのプロセスは、後述する「主体性のデザイン」と密接に関わります。都度、実際に参加した住民の反応を見ながら、「主体性」の現在地をはかり、それを次の「機会」の設計に反映していくのです。

ちなみにこのマンションの事例では、全6回の機会を経て、実際に子育てサークルと防災サークルが発足しました。

なおその活動内容やスタイルは、住民の方同士で話し合ってもらい、私たちはサポートに徹しました。たとえば「メッセージアプリのグループ機能を使って連絡を取り合おう」「月に一度、マンションのエントランスに集まって活動しよう」など具体的なアイデアも、住民の方々から発案されたものです。

運営側が勝手に決めるのではなく、参加する方々自身によって決められた活動方針は、その後も無理なく運用されやすいもの。そのマンションの子育てサークルと防災サークルは、私たちの伴走期間が終了した後も、住民の方々によって運営が続けられています。

②まちの人々に「チャンス」だと理解してもらう

ここまでは、プロジェクト全体を俯瞰し、段階的につながりを育むことについてお話ししました。一方で、ゴールまでの道のりを設計した後は、「**一つひとつの機会に魂を込めて設計する**」こともまた、同じくらい大切です。

そもそも、私たちがイベントやワークショップ、また日常における工夫など人々のつながる取り組みを「手段」や「場づくり」と呼ばず、「機会」という表現を選んでいるのには理由があります。それは文字通り、それらの手段はまちに暮らす人々にとって大事な「チャンス」だと考えているから。そしてまちに暮らす人々にも、それらの機会をチャンスだと捉え、最大限に活用してほしいと思うからです。

どんなチャンスかというと、つながりをつくるチャンスであり、つながりの先に、いざというときに助け合える共助の関係性を育むチャンスでもあります。また、つながりのなかで生まれる創造的な取り組みを通じて、生きがいを見出し、人生が幸せになるチャンスでもあります。

都心のある大規模マンションでネイバーフッドデザインを行っている事例から、印象的だったエピソードをひとつご紹介しましょう。

近年、都心の大規模マンションでは3割から5割、ときにはそれ以上を外国籍の方が占めることがあります。そして地域のイベントやワークショップなどに際して、外国籍の方々は「自分たちも参加していいのかな?」と躊躇して、なかなか参加に至らないケースが多いものです。

私たちとしてはもちろん、多様な方々に参加してほしいと考えていたので、プログラムの内容も子育てイベントから高齢の方向けのイベント、健康関連や自然関連のイベント、防災イベントなど、バリエーションに富んだものになるよう当初から意識していました。また、そのマンションでは管理組合の理事にも複数人、外国籍の方がいたため、ネイバーフッドデザインのプログラムの内容についても理事の方々と協議し、いろいろな立場の方の参加のしやすさをできる限り考慮しました。

そうした工夫のかいもあり、あるときそのマンションの田植え体験ツアーに、勇気を出して中国籍の方が参加してくれました。参加動機を聞くと、やはり母国ではないことで日頃から疎外感を感じ、地域になじんでいけるか不安を抱えていたとのこと。しかしそのツアー・イベントが終わるころには他の住民との距離もぐっと縮まり、仲良くなった方とは「家に招いて母国の料理をふるまいたい」という話も出るほどに打ち解けていました。イベントが大きな「チャンス」となり、日々の暮らしを豊かにするつながりの芽が生まれた例だと思います。

他にも、チャンスであることをまだあまり認識していない方々への働きかけとして、意識していることはあります。たとえば、ひとつひとつの機会の終わりには、**なるべく多くの住民の方にお話ししてもらう**ようにしているのもそうです。話を聞いてみると、「どんな人が住んでいるか知りたかったので参加してみました」という方もいれば、「普段から防災に興味があって、マンションでの取り組みを知りたくて来ました」とか、「子育てをしていて、不安があって来ました」など、明確な課題意識を持って参加する方もいます。運営側と参加側という関係性ではなく、同じ住民という立場で参加している方の言葉によって、他の参加者の方が課題意識を持ったり、新しい視点に気づいたりすることも多々あると感じています。

また「機会」をチャンスと捉えてもらうための入り口として、新築マンションの場合は物件のウェルカムパーティーなど、新しい入居者の方が一堂に会する機会がとっかかりとなることは多いです。その先に続くイベントへの期待を持ってもらえるかという意味で、この初対面の機会はとても重要です。

一方、まちのエリアマネジメントを手がける場合には、もともと住まわれている方と、新しく住み始める方々が入り交じる場合が多いもの。そこで何を入り口に機会へつなげていくかは、まちの現在地によってさまざまです。たとえば私たちがエリアマネジメントをお手伝いした中には、いきなり新規の機会に注力するのではなく、既存の機会への協力を大事に行っていった事例もあります。

まずは地元で毎年開催されている夏祭りのお手伝いをさせてもらうところからスタートし、翌年には夏祭りにブースを出展させてもらい……と、数年をかけてじわじわとまちに染み込んでいったのです。そうして信頼関係を築いていくとともに、私たちが企画する新規イベントやワークショップは、「そのまちの既存イベントと重ならないもの」、または「そのまちに過去にあったが何らかの事情で継続できなくなってしまったもの」などを考慮して設計していきました。

運営側がやりたいことを実施するのではなく、**そのまちに暮らす方々が潜在的にやってほしいと思っていることを**、**「機会」として提案していく**。その機会を利用してもらうことで、住民の方々自身の暮らしが豊かになり、まちの課題解決にもつながっていく――。そのことを、日々の言動や、イベントやワークショップの設計なども含め、まちの人々にも理解してもらうようにしていきました。

このように、機会は丁寧に設計すれば、まちの人々にチャンスとして理解してもらえる可能性があります。一方で、機会の質が低いと、むしろ「つながりなんていらないや……」などとネガティブに捉えられてしまうリスクもあります。

ワークショップの様子

たとえば、自分に発言する機会がなくて誰とも話さずに帰った、など「楽しめなかった」体験もその一因となるでしょう。また仮に「楽しめた」としても、つながりを保つ意味が伝わらなければ、その場限りになってしまうケースも多いです。

だからこそ、私たちはひとつひとつの機会の設計に工夫を凝らし、魂を込めているのです。

未来とゴールのデザインのなかで、プロジェクトの遂行に関して一般的に、手段が目的化しがちであるという話をしました。大切なのは目的を確認し、本質を見失わないことです。そこで私たちは、**一つひとつの機会のなかでも、明確に目的・目標の設定を行う**ようにしています。

たとえばイベントひとつとっても、そのゴールが「まちの人の雰囲気や情報を知ってもらう」ことなのか、「連絡先を交換できる相手と出会う」ことなのかで、司会者の振る舞いやイベント内容の設計、告知チラシに記載する言葉など、すべてが変わります。

目的・目標の設定が明確になり、その実現のために細部まで工夫を凝らせば、参加者の満足度も上がる。すると参加者同士の話が弾んで交流が生まれたり、次の機会にも参加してみようという気持ちになるでしょう。


また、もうひとつ意識して行っている工夫があります。それは第2章でお話しした**4つの価値（まちににぎわいが生まれる、景観・施設の保全、趣味・学びの充実、困りごとや課題の解決）について、繰り返し伝える**ことです。

なかでも、ネイバーフッドデザインの根幹である「困りごとや課題の解決」に含まれる**防災・減災**については震災などのエピソードやデータも引用しながら、しっかりとプレゼンテーションを行うようにしています。イベントなど楽しい機会のなかで突然まじめな話が入ることにはなりますが、話を聞いていただければ、なぜその話をここでするのか、参加者の方にも理解いただけるような構成を心がけています。

つながりづくりの本質をまちの方々に理解していただくためにも、ここは省略せず、大切に、そして繰り返し地道に伝えるようにしています。

③消費的・瞬間的でなく、創造的・持続的な機会を

機会のデザインを行ううえで意識していることのひとつに「**つながりから、自然に生きがいを育む**」があります。

ネイバーフッドデザインの根幹として、「いざというときに助け合えるつながりを育む」ことは第一の目的として揺らがないもの。しかしそうして育まれたつながりは、いざというときの助け合いばかりでなく、日常生活においても一人ひとりの生きがいになっていくこともある。それは、その人の人生にとって非常によいことではないかと考えているのです。

つながりから、自然に生きがいを育む。その観点から大切にしているのが、「**消費的・瞬間的でなく、創造的・持続的な機会を**」という考え方です。

何らかの機会に参加したとき、「その場が楽しかった」だけで終わらない。ある機会から、何か新しいことが生まれ、その人自身がよい方向に変化していく。日常が楽しくなる。笑顔が増える。そういう未来に向けて自ら歩み始めていることを、私たちは生きがいが育まれていると捉えています。

たとえば、あるまちでマルシェを行うとなれば、なるべくそのまちの食材を使ったり、まちの飲食店に出店してもらったりしています。お客さんが商品を購入して終わりではなく、お店の人

と会話し、お店の人自身やその食材提供者である生産者とつながることで、新しい展開が生まれることもあるからです。

もちろん、全国で知られるような有名な飲食店を呼ぶのもひとつの方法です。そうした機会がなかなかない地域では、高い集客効果が見込めることもあるでしょう。ただ、それ「だけ」では、お客さんがその場で買い物を楽しみ、帰っていくだけです。**瞬間的に人を集めるだけではなく、その後につながりや新たな展開を残していく。**それを創造的・持続的な機会と呼んでいます。

創造的・持続的な機会づくりは、イベントやワークショップに限った話ではありません。

ひばりが丘（西東京市／東久留米市）のエリアマネジメント団体「まちにわ ひばりが丘」では、コミュニティセンターである「ひばりテラス118」のエントランスホールに、まちの作家の方々と運営するレンタルボックス「手しごとのお店 HACO NIWA」を設置しています。

これは、ひばりが丘やその周辺地域で暮らすハンドメイド作家さんが、ボックス単位で出店できる雑貨ショップ。約35㎝四方のボックス棚を、場所によって一か所2000円〜3000円でレンタルしています。当初は9名程度で始まったこの取り組みは、5年間で40名以上が利用するまでに成長しました。さらに30名程度が出典の機会を待っています。布小物やアクセサリー、帽子に洋服など、さまざまな作家の方々が老若男女を問わず出店しています。

さらにこのHACO NIWAで生まれたつながりをきっかけに、「拠点にボックスを置いて待つだけじゃなくて、もっと作家さんとまちに住む人とが交流したり、つながったりする機会があるといいね」と話が進み、生まれたのが「にわマルシェ」です。

手しごとのお店 HACO NIWA

にわマルシェは、ひばりテラス118の庭を舞台に、ハンドメイド作家の方々が出店し、販売や手作りワークショップなどを開催するマルシェイベント。周年イベントとして行っていた「にわジャム」のスピンオフイベントという形で生まれ、ほぼ隔月で開催されることになりました。

その出店ブースは当初、机とテントだけのシンプルなものでした。しかし、回を重ねるうちに、地域の工務店とのつながりが生まれ、工務店の方と一緒に新たなテントをつくることに。他にも、まちの飲食店のキッチンカーを呼んだり、コンサートのような催しを企画したりと、新たな展開がどんどん生まれていきました。

初期段階ではエリアマネジメント団体の運営スタッフがメインで準備を行って

いた「にわマルシェ」ですが、回を重ねるうちに作家同士の横のつながりも生まれ、今ではスタッフと作家の方々が一緒に企画するようになっています。

「趣味でちょっと雑貨をつくっているだけだし……」という方が、HACO NIWAを機に「作家」かつ「店主」となり、「にわマルシェ」にブース出店したり、ワークショップを開催するようになったり。そして「にわマルシェ」を機に他のまちの人々ともつながりが生まれたり。さらには実店舗を構えることになった方もいます。

これら一連の展開はまさに、創造的・持続的な機会がまちで暮らす人々の日常をよりよく変化させ、生きがいへとつながっていった一例ではないでしょうか。

④一人ひとりのパーソナリティに着目する

ネイバーフッドデザイン全体の考え方でもあり、特に機会のデザインでは重要だと考えているのが、**人を「束で見ない」「肩書きで見ない」**ことです。「住民」や「管理組合」という束で見るのではなく、また「自治会長」や「防災委員」などの肩書きで見るのでもなく、あくまで「〇〇さん」という個人として捉えること。その人がどんな性格で、どんなことが好きで、得意なのかというパーソナリティを知ること。これは持続的なつながりを育んでいくうえで基盤となる考え方です。**それぞれの「機会」においても**、**一人ひとりのパーソナリティに着目し**、**それを活かすような設計をする**ことは重要だと言えるでしょう。

たとえば、スタッフが常駐できる拠点を持つ、あるエリアマネジメント・プロジェクトの場合。何気ない雑談のなかで、ある住民さんから「駅前のあの花壇、すごくきれいですよね」という話が出たとき、スタッフが「あの花壇は毎朝、〇〇さんという方が手入れされてるんですよ」と話をつなげられるかどうか。些細なことに思われるかもしれませんが、これはとても大きな意味のあることです。

そもそも、「〇〇さんが手入れされてるんですよ」という一言を返すためには、日々、その人のような存在を把握できるよう、まちで暮らす一人ひとりの存在に着目して過ごしていることが必要です。その対象はキーパーソンや役職のある人だけでなく、名は知られていなくともまちで地道に活動している人、または目立った活動をしていない人も含まれます。このように、まちの一人ひとりの存在に目を向けていること自体に価値があります。そうした前提があってこそ、「〇〇さんが手入れされてるんですよ」といった一言を添えることができるのです。

そして、このような返答ができると、それを聞いた人がいざ〇〇さんに会ったとき、「いつも花壇の手入れをありがとうございます」と声をかける可能性が生まれます。つまりそれは、新しい「機会」にもつながっていくのです。

以上はほんの一例です。大切なのは、こういった小さな機会のなかで、まだ知られていないまちの登場人物をどんどん可視化していくこと。それをまちの他の人々にも伝えていくこと。その積み重ねが、一人ひとりの存在を互いに認識し合い、尊重し合える状況をつくっていくと考えています。

今お話ししたのはスタッフが常駐できる拠点を持つプロジェクトの例でしたが、拠点を持たないプロジェクトでも、工夫次第で同様の取り組みはできます。日々の挨拶や雑談が限られているのであれば、イベントやワークショップでの会話に、より集中して意識を向けるようにするのです。

たとえばイベントのフリータイムに「あのパン屋さんが好き」というエピソードを聞いたとき。もし運営スタッフがすでにその店主と話していれば「あの店主はこういう方で、こんなことを言っていましたよ」とエピソードを加えて紹介することができます。するとその人が次にパン屋へ行ったとき、「この前〇〇さんから聞いたんですが……」と店主に話しかけてみるきっかけになるかもしれません。

イベントは、イベントの中だけで完結するものではありません。

運営側は機会をつくり、参加してもらう側ではありますが、同時に運営スタッフ自身もその機会を使って、参加者一人ひとりのエピソードを集め、それを次の機会につなげていく。「住民」という束や肩書きで見ないのと同様に、イベントやワークショップでも「参加者」という束や肩書きで見るのではなく、一人ひとりの行動や発言に着目することが大切です。

まちの中にあるいろいろな場所や取り組みに、知っている人の顔が浮かぶようになる。すると「自分たちのまち」という愛着はより育まれていきます。そのためにも、まちを構成している一人ひとりのパーソナリティを知り、それを活かせる機会をつくっていきたいと考えています。

⑤小さな心配りを徹底的にちりばめる

機会のデザインは、見方を変えると「入り口」のデザインでもあると思います。

ここでいう入り口とは、自分が暮らしているまち、ネイバーフッド・コミュニティへの入り口のこと。

たとえば「イベントやワークショップに参加する」のもそうですし、何かを見て「問い合わせてみる」のもそう。「拠点に行ってみる」「スタッフに声をかけてみる」というのも、入り口の一例でしょう。もっと言うなら、広報物である冊子をただ読んだり、ホームページを読んだりするという接点もまた、広義では入り口と呼べるかもしれません。

そうした「入り口」にいるとき、一歩踏み出してそこに入ってくる側の気持ちというのはどのようなものでしょうか？　なんとなく「おもしろそう」と興味を惹かれてその入り口にはいるものの、やはり心のもう一方では「いったいどんな集まりなんだろう？」または「自分が参加しても大丈夫なのだろうか？」など、不安や緊張に近い感情も抱えているのではないかと思います。これは、今まで多くの機会を運営し、参加者の方々と接するなかでたびたび実感してきたことでもあります。

そうした不安や緊張の気持ちを和らげ、安心してもらい、笑顔になってもらったり、発言しやすくなったりしてもらうにはどうすればよいか。その先で、つながりを育んでもらうにはどうすればよいか。私たちはそのために、「機会」の中に細かな工夫をいろいろとちりばめるようにしています。

その一つひとつの工夫は、文字にしてみると取るに足らないようなことに思えるかもしれません。ただどんな細かなことでも、その振る舞いひとつ、言葉づかいひとつに、運営主体の本質的な姿勢は表れるもの。細かなことだからといっておろそかにせず、細かなことこそ工夫を重ねていくことが、「入り口」では特に重要なのではないでしょうか。

たとえば、イベントを開催する場合。まず告知チラシの文言はどうでしょう。2回目以降の開催だからといって、内容や構成は、初めての方が見てわからないものになっていないでしょうか。また、事情があって参加できない方へも配慮されたものになっているでしょうか。そのチラシを掲示する場所は本当にそこがベストでしょうか。そもそもイベント名は、対象者にとって魅力的なものになっているでしょうか……?

イベント名について例をあげると、私たちは別の場で「よき避難者ワークショップ」の名で開催していた防災ワークショップを、あるマンションでは「マンション防災のいろは」というイベント名に変更して開催することもあります。もちろん対象とする方々の属性によっては、前者のイベント名がふさわしい場合もある。ただ、一般的なマンションの入居者を対象に、多くの方に参加してほしいと思えば、後者のように対象の方が、より「自分ごと」として捉えやすい言葉にして届ける必要があるでしょう。

またイベントやワークショップは回数が重なるほど、途中から参加する方の気持ちのハードルは高くなるものです。複数回以降のチラシには過去のイベントの内容や写真を入れるなど、途中からでも参加したくなるような雰囲気づくりを意識しています。さらにチラシの掲示場所ひとつとっても、既存の掲示板がベストとは限りません。既存の掲示箇所があまり見られていないのであれば、管理会社と相談し、他の掲示場所を考えることもできるでしょう。たとえば「駐輪場を利用する人が多いから、その動線に掲示する」など、そこに暮らす人々を観察するなかで、工夫できることはいくつもあるはずです。

イベント当日は、まず受付での対応を大事にしています。といっても、心構えはいたってシンプル。笑顔で温かく迎え、こちらから気さくに話しかけるというものです。ただこの心構えを、スタッフ全員が徹底する。これが大事です。また、一度何かの機会に参加した方を記憶しておくことはもちろん、リストでもその情報を管理しておき、他の機会に足を運んでくださったときは、たとえ別のスタッフであっても「お久しぶりですね」とお声がけできる環境をつくっています。

ここで併せてお伝えしておきたいのは、**ネイバーフッドデザインにおける心配りは、ホテルなどでのいわゆる「おもてなし」とは性質が異なる**ということです。

ネイバーフッドデザインにおける心配りはあくまで、参加している人（これから参加するかもしれない人）に安心感を持ってもらったり、あるいは参加している人同士が話しやすく、つながりやすくなったりするためのもの。**「もてなす側」と「もてなされる側」で線引きをし、距離をとる考え方ではありません。**

イベントに参加した人は提供されるものを受けとるだけの「受け手」ではなく、安心できる空気感のなかでその人らしさを発揮し、周りとのコミュニケーションをはかっていってほしい。そのためにスタッフは、困ったときにすぐ声をかけられるような親しみやすい雰囲気を醸したり、時には自ら参加者同士の会話に飛び込んだりもしながら、そこにいる人々の心をほぐしていくのです。

受付に限らず、イベント内での工夫もいろいろとあります。たとえばスタッフや参加者は必ず名札をつけ、ニックネームや名前で呼び合うようにしているのもそのひとつ。講師を招く機会もありますが、その場合も事前に講師へ目的をお伝えし、講師も含めた全員がニックネームで呼び合える環境をつくったりもします。

席の配置やグループ決めも重要です。イベントの内容にもよりますが、事前の申し込みで家族構成がわかり、年齢の近い子どもがいる家族が二組来る予定であれば、話しかけやすいよう同じグループや近い座席配置にすることもあります。

何より重要なのは、イベントの最中も**常に、一人ひとりの状況に気を配る**ことです。たとえば大人向けの講演中、小さな子どもがぐずってその親御さんが話を聞けずにいるならば、スタッフが近寄ってしばらくの間子どもをあやしてみる。これも自然なことです。またフリートークの時間は特に、一部だけでなく会場全体に目を向けるようにしています。誰とも話せずにいる人がいればまずスタッフが話しかけ、共通の話題がありそうな他の人につなげることも。逆に既存の友達と内輪で盛り上がりすぎているグループがあるなら、いったんその輪を解散し、新しい出会いにつなげてもらう、ということも時には必要です。

また「主役は参加しているまちの人々」だということを肝に銘じ、司会やファシリテーターは必要以上に目立たないことを心がけます。ただこの「必要以上に」のバランス感もポイントのひとつ。なぜなら運営スタッフへの好感や期待感は、次の機会への参加にもつながるからです。目立つこと自体が悪いわけではありません。大切なのは、参加者の方に「たくさんの人と話せた」「仲のいい人ができた」といった満足感を持ち帰ってもらうために、気配り、目配りをしながらバランスを見て立ち回ることです。

こういったイベントやワークショップ時の細かな心配りは、書き出せば本当に数え切れないほどあります。ただ、それらすべてを羅列するよりも大切なのは、その心配りの根幹を理解しておくこと。**参加している一人ひとりの状況を観察し、相手の気持ちを想像し、その不安をとりのぞき、緊張をほぐしていく。**より安心で、居心地のよい機会だと捉えてもらう。そしてそこには、よくも悪くもスタッフの細かな言動ひとつひとつが影響を与えているのだと、いま一度理解しておくことです。

最後に、こうした細部への心配りは、日常における「機会」のなかでも常にちりばめられています。

たとえば掲示板やメールなどの情報発信では、自分たちの開催するイベント情報だけでなく、福祉系の情報や防災関連情報、PTAの情報など、まちのいろいろな情報を載せるようにしています。プロジェクトの初期は特に、「外からよくわからない人たちが来て活動を始めた……」と捉えている方々も多いからです。自分たちの活動だけでなく、本当にまち全体のことを考えているのだという姿勢を示すことは、日々の細かな取り組みでも意識しています。

また、特にスタッフが常駐している拠点のあるプロジェクトでは、まちにいるときはたとえ拠点の外であっても、常にまちの人に見られている意識を忘れないようにしています。すれ違う人には積極的に挨拶をする。ひとりで外を歩いていてもイヤホンをしない。ひとつひとつは小さなことですが、それらの行動をその日の気分で変えるのではなく、徹底して続けていくことが大切です。

そういった心配りは、まちの人々に必ず伝わります。そして、その積み重ねが少しずつ運営主体への信頼を育み、ひいてはまちの人々が新たな「機会」に一歩を踏み出すことへとつながっていくのです。

本章のポイント

▼「機会のデザイン」の根幹は、イベントから日常の取り組みまで、多様な機会を適切に組み合わせて、段階的につながりが育まれるようにすること。

▼イベント、ワークショップ、オンラインの情報発信、日常の声がけ等、機会の設計は人々の反応を見ながら柔軟に修正していくことが大事。

▼まちに関わる機会を人々に「チャンス」と理解してもらえるよう、ハードルを下げる、まちの人の潜在的なニーズを探る、4つの価値を繰り返し伝える。

▼その場限りのイベントのように消費的・瞬間的なものではなく、その後につながりや新たな展開が残るような創造的・持続的な機会をつくる。

▼人を肩書きで捉えずに一個人として捉え、パーソナリティを活かすように機会を設計する。

▼機会のデザインはまちの取り組みへの入り口のデザイン。細かなことでも、ひとつひとつの振る舞いや言葉づかいに心を配る。

第5章

主体性のデザイン

まちに暮らす人々の心地よいつながりは、そのまちに暮らす一人ひとりの「主体性」を持ち寄ることで生まれるものです。

その大小に、優劣はありません。たとえば組織のリーダーを務めることも主体性の発揮ですし、誰かが企画したイベントに参加してみることや、隣人に「おはようございます」と声をかけることもまた、主体性の発揮です。ある人が、あるシーンでどのような主体性を発揮するのかは、人それぞれでしょう。

ただ、まちに暮らす人々がつながりを育んでいく過程では、**それぞれの人が**、**その人なりの主体性を持ち寄ることが大切**です。100パーセント受動的な姿勢ではそもそも楽しさやおもしろさがないですし、「一部の人だけががんばり、他の人は依存する」形では、助け合える関係性にはならないからです。

あるエリアマネジメントのプロジェクトでは、このように大小さまざまな主体性を持ち寄ることを「まちへの参加方法は住人十色」と表現しました。リーダーが上にいて、上下の階層で整理されるピラミッド型の組織体ではなく、あらゆる人のあらゆる主体性の形を認め合うこと。主体性の大小ではなく、その人なりの主体性を尊重しようというメッセージがここにはあります。

しかし、それぞれの人が主体性を持ち寄るためには、個人の性質や努力だけでは難しいことも。たとえば「私なんて、何もできない」と思い込んでいる人がいたとき、その人だけで考えていると状況は変わらないかもしれません。ただそこで、その人の興味関心や性格などに寄り添う働きかけがあり、周囲の理解など精神的な安全性が確保されることで、その人が潜在的に持っている主体性を発揮できるようになることがあります。このように**その人が本来、潜在的に持っている主体性を引き出し、育んでいく過程のサポートを行っていくこと**を、私たちは「主体性のデザイン」と呼んでいます。

なお、機会・主体性・場所・見識の4つのデザインは相互に影響を与え合うものだとお話ししましたが、とりわけ機会と主体性には強い相関性があります。

その前提のもとであえて整理をするならば、機会のデザインでは主に人々が「つながるまで」の話を、イベントや座談会、日常会話など「コト」に軸を置きながらご説明してきました。主体性のデザインではその後、「つながりのなかでよりその人らしさを発揮していくには？」について、より「ヒト」に着目して考えていきたいと思います。

①「もう一歩」「もう半歩」に寄り添う

多様な主体性の形がある。これは大切な大前提です。まちへの参加方法には図5・1（次頁）に見るように、さまざまな段階があります。たとえば子育てや介護などライフステージの変化によって、ある活動で中心的に関わっていた方が中心から離れることもあるでしょう。また情報に目は通すものの仕事が忙しくて深くは関われない方もいるかもしれません。ネイバーフッドデザインに取り組むうえでは、基本的にどの立ち位置にいる人も尊重し、それぞれがお互いを許容できるような環境づくりを心がけます。

ただもちろん、興味を持って関わり始めてくれた人に対しては、**それぞれの立場からもう一歩、もう半歩でもまちとの距離を縮めやすくするアシストを行う**ことを意識しています。

たとえばあるマンションで、サークル活動に興味がある方を集めてサークルづくりのワークショップを行ったことがあります。『ランニング』や『子育て』などテーマ別にグループワークをしてもらうと、「こんなことができるといいよね」とアイデアはたくさん出るものの、それを「誰がどう実現するか」まではなかなか話が進みませんでした。

初対面同士の場だったので、それは私たちも想定内のこと。そのため、その日はグループワーク後に懇親会を設け、ざっくばらんにしゃべってもらう時間としました。懇親会のなかで盛り上がっている輪に入り話を聞いてみると、一組のご夫婦のひとりは現役のシェフ、もう一組のご夫婦のひとりはデザインを仕事にしているとのこと。そこで「何か一緒にやりませんか？」とお声がけをし、パンづくり教室の企画が立ち上がりました。先生は現役シェフの方、チラシを作成したのはデザインが得意な方。そのマンションの共用部で初めて行われた入居者による企画は、参加倍率3倍という大人気企画になりました。

　ワークショップという機会を通じてつながったマンション入居者同士が、ちょっとしたお声がけで「一緒にやってみる」一歩を踏み出すことにつながった、こちらのエピソード。もしあのときお声

図 5.1　主体性の発揮には段階がある

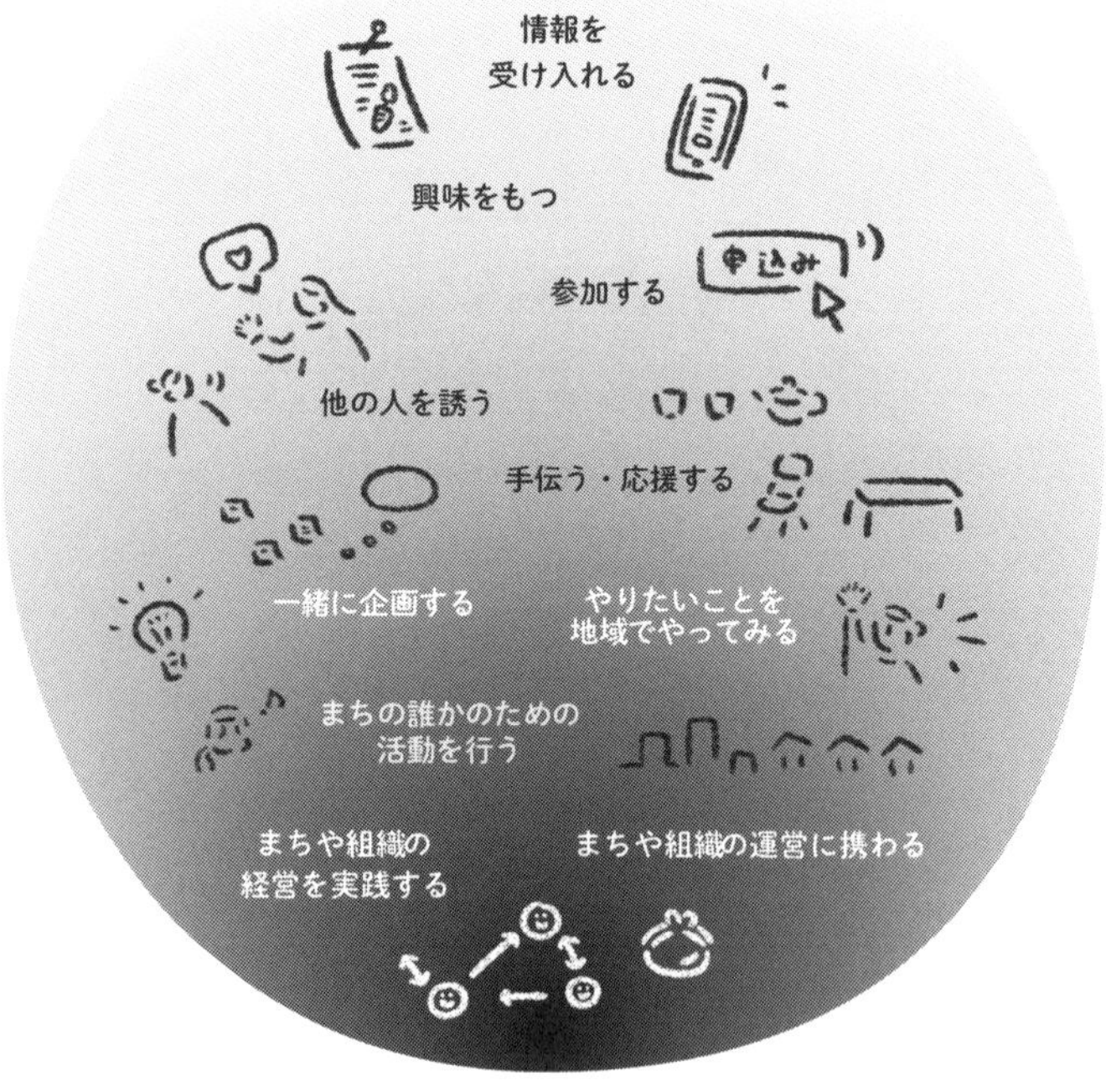

がけしていなかったら、2世帯だけのつながりで終わっていたはずです。しかしイベント当日は、参加者全員でメッセージグループをつくるなど、20世帯のつながりへと発展しました。

なお、こうしたサポートに入るときに気をつけているのは、それぞれの人にうまく役割分担をすることです。初めてのことなのにいきなり「全部やってください」では、尻込みしてしまう人も多いはず。たとえばデザインができる方には、「印刷や配布はこちらでやるので、チラシのデザインだけやってみませんか？」など、その人がやりたいと思える範囲での役割を提案してみる。**「それなら自分にもできそうだし、やってみたいな」と思ってもらうことで、ちょうどよい「もう一歩」を踏み出すことにつながる**のです。

そしてまずはサポートしながら1回目を実施すると、ご本人はもちろん、他の入居者の方々にも「楽しい」「自分たちでもできる」といった実感が生まれます。そうした実感が、「またやろう」という思いや行動につながっていくのです。

ご紹介したパンづくり教室開催のエピソードは、もともとサークル活動に興味がある方同士の話でもあり、イベント企画という比較的大きな「もう一歩」につながりやすい土壌もあったと思います。ただ、こうした「一歩」を踏み出せる人ばかりではありません。そのため、それぞれの方がそれぞれの立場から「もう半歩」踏み出すための工夫も、いろいろと凝らしています。

その一例としてご紹介したいのが、洋光台団地（神奈川県横浜市）のコミュニティ拠点として私たちが運営に関わっている「まちまど―洋光台 まちの窓口―」でのエピソードです。

まちまどでは、AさんとIさんという近隣在住スタッフの方々が丁寧なコミュニケーションをとることで、拠点を訪れる方の「もう半歩」「もう一歩」をそっと後押ししてくれています。

お二人が特に大事にしているのは、まちの方が初めて来訪した際、一方的にこちらの説明をせず、相手の様子をよく見て、徐々にお話を伺っていくこと。その姿勢が伝わるとその方も2回、3回と繰り返し訪れてくれるようになり、距離が近づいていきます。すると自然と、「実は私、こういうことをやってみたくて」とか、「家でこういう問題があって……」など、ご自身の深いところにあるお話をしてくださるようになるのです。先日まちまどへ取材に来られた記者の方はその様子を「カウンセリングしているみたいですね」とおっしゃっていました。

まず、相手の話をしっかりと聞く。それを前提に信頼関係を育んでいく。必要に応じて、相手のニーズに応える具体的なサポートをする。奇抜さはありませんが、こうしたシンプルなステップをさぼらず、丁寧に重ねていくことで、その人の「もう半歩」が自然と引き出されていくことは多々あります。

たとえば近隣在住の主婦Eさんは、地域活動に関心はあったものの、地元で企画の旗振り役をすることへの怖さがあったそう。ただあるとき勇気を出してまちまどに来てくださり、いろいろとお話を聞くなかで「洋光台の人々が自分たちのことを表現できるようなマルシェ」や、「人と人をつなぐ」ような活動をやりたい気持ちがあるとわかりました。その思いはまちまどの方向性にも合うことから、「では一緒にやりましょう」という話に。地元のクラフト作家の方々が交流できる「ことはじめ市」や、地域の方々同士で横のつながりを生む「おしゃべり会」などの企画を始め、定期的に開催するようになりました。今やそれらの企画担当として大いに活躍されているEさん。でも当初を振り返ると、「思いはあったが、自分だけでは形にできなかった。仲間として後押しをしてもらえる場があったことですごく救われた」とおっしゃっていました。

またまちまどでの対話を通して、育児などでいわゆるビジネス社会での仕事から離れていた方が、地域の活動を入り口として徐々に仕事に復帰されるようなケースも複数あります。

以前フォトグラファーとして活動していたSさんは、育児などの諸事情により10年ほど仕事から離れていました。しかしスタッフがその話を聞き、撮影ワークショップの講師をやってみませんか？とお声がけしたのを機に、少しずつフォトグラファーとしての活動を再開。その後も地域のイベントに有償で撮影スタッフとして入ったり、周辺企業の撮影案件を任されたりと、徐々に仕事が広がっています。

同様に、育児のため仕事から離れていた元デザイナーの主婦Iさんも、まちまどスタッフとの会話を機に、まちまどのチラシ制作をお手伝いしていただくことに。その後も、洋光台の古き良きものが出揃うフリーマーケット企画「ふろしき市」やその他イベントにまつわるチラシ制作などを手がけ、少しずつデザイナーとして復帰されています。生活の場でもある地域というフィールドを入り口に、段階的に仕事へ復帰していく。それはその方の日常の質を高め、ひいては生きがいへとつながっていきます。


まちまどにおけるもうひとつの特徴は、「**ルールを決めすぎない運営**」です。隣接するレンタルスペースの利用ルールは、最低限しか定めていません。これも、利用される方が主体性を発揮できる余白を残したいからです。スタッフも利用者の方も、お互いのやりたいことについて把握できている前提があるので、予約の希望が重なっても、コミュニケーションをもとに円滑な調整が図られることがほとんど。ゆるやかな運営がうまく機能しています。

また、オンラインでの新規予約もできるようにはしているものの、その場合もできるだけ事前に見学に来てもらい、内容を詳しく伺うようにしています。話を聞くなかでサポートしたほうがよさそうなことがあれば、活動前から伴走していくためです。

たとえば先日、「ネイルの資格をとったので、ご高齢の方の爪のケアも含め、地域でネイルの活動をしたい」という方がオンラインで新規予約をしてくれました。見学に来てもらいお話を伺うと、初めての活動とのことで、集客が難しい可能性もあるとわかりました。そこでスタッフも「この方に声をかけられそうだね」とアイデアを持ち寄り、告知をサポートさせてもらいました。

こうした段階的なサポートを丁寧に行うことで、「2回目以降の活動を重ねられるか」が変わります。実際それから数か月経ちますが、その方はまちまどでネイルの活動を続けています。活動を始めることはわかりやすい「もう一歩」ですが、それを継続していくこともまた、「もう半歩」を踏み続け、まちとの関わりを深めていっている状態だと言えるでしょう。


さらに言えば、「活動する」ことばかりが「もう半歩」でもありません。地域の会議に参加してくれた人には、終了時に、「ご自分の椅子だけ片付けをお願いします」と声をかけてみる。片付けてくれた方には、「次から少し早めに来て、設営を一緒にやりませんか」と呼びかけてみる。こうした小さな行動も、単なる「参加者」から「もう半歩」だけ主体性を発揮して、自分ごととしてまちに関わり始めるステップになります。

もちろんそうした行動には、「手伝ってくれてありがとうございます」とその都度、感謝を伝えていくことも欠かせません。そういったやりとりを繰り返していくことで、あらゆる人がそれぞれの立ち位置からもう半歩ずつ、まちとの関係を深めていくことができるのです。

②その人の幸せのために行動する

ネイバーフッドデザインの根底にあるのは、人々のゆるやかなつながりが、社会環境問題や地域課題の解決につながっていくという考え方です。それは前提として、**「関わる一人ひとりの幸せを実現する」**ことも同じくらい大切だと考えています。

誰かのために自分の時間や労力を犠牲にしているような「やらされ感」でまちの役割を担当しても、そこから主体性ややりがいが育まれていくことは難しいもの。そうではなく、**個人の夢や目標と、まちのプロジェクトの接点を見つけ**、**その人の興味のあることに関わり**、**幸せを感じられることが何よりも大切です。**まちの人々に幸せを感じてもらうために、プロジェクトや個々の取り組みがあると言っても過言ではありません。

結果的にはそれが、その人の主体性の発揮、ひいては持続的な取り組みにもつながっていきます。そして持続的な取り組みの先にあるのが、まちの課題解決です。

一般にまちづくりの文脈のなかではよく「担い手」という言葉が使われます。個人的には、「担わせる相手」と聞こえることが多く、あまり好きではありません。状況によってはその言葉が伝わりやすいシーンもあると思いますが、私たちは可能な限り使わないようにしています。

なぜなら、担い手という言葉には、まちの仕事を「負担する」というイメージが強く、その人の「主役」感がないと感じるからです。それよりも、**関わる人が楽しく幸せになりながら、まちもどんどんよくなっていく。そんな循環をつくり出していくことが大事**だと考えます。

あるエリアマネジメントで、縁あってその組織の活動に興味を持ってくれた大学生（当時）のTくんという人がいました。初めはインターンとして、イベントのお手伝いから関わってくれるように。その後、体調を崩して大学を休学することになった後には、組織の事務局スタッフとして本格的に参加してくれるようになりました。

インターンとして関わりはじめた当初から、Tくんは写真を撮ることが好きでした。そこでまずは趣味の延長として、イベントでの写真撮影をお願いしてみました。「この写真いいね」「この構図おもしろいね」など、こまめにフィードバックや雑談をしながら日々を過ごすなか、Tくんは徐々に私たちと打ち解け、興味・関心を含めていろいろなことを話してくれるような関係性になっていきました。

私たちもそんなTくんの興味分野を伸ばしてもらいたいと、写真に関する情報があると進んで共有するように。あるとき地域メディア主催の「写真の撮り方」講座を見つけ、紹介しました。すると後日、Tくん自ら、その講師であるまちの写真家さんに連絡をとり、数か月ほど弟子入りするという展開に。いろいろな経験を積ませてもらったそうです。まちを通して自分の興味分野を学ぶなかで徐々に撮影スキルも向上し、イベントでの写真撮影も仕事として有償でお願いするようになりました。さらに写真のみならず、彼の得意なパソコン関連の知識を活かして、日々の

Tくんが企画を担当した、まちのアーカイブの取り組み

事務局の活動にも貢献。私たちはその貢献に感謝すると同時に、彼の表情がいきいきと輝いてゆくのを嬉しく感じていました。

大学に復学する直前には、友人と二人でユニットを組み、コミュニティ施設を自分たちで借りて、写真の展示イベントを実施するまでに。数年間で積み重ねてきたものの集大成として、まちの人たちに自分の写真を見てもらう機会を自らつくり出したのです。

また同じころ、エリアマネジメント団体の取り組みとしても、「まちの風景を記録として残そう」という企画を担当。まちの人々からまちの風景写真を集め、そのエリアの地図の中に貼ってまちのアーカイブをつくる取り組みを積極的に進めてくれました。

エリアマネジメント組織の活動を卒業するとき、「このまちに関われてよかった。力をつけて、将来はこのまちに恩返しがしたい」と言ってくれたTくんの言葉は、今も心に残っています。

このエピソードは、まさにその人自身のやりたいことを、まちの取り組みのなかで実現した一例です。一人ひとりの興味関心にアンテナを張り、その実現のために適切な声かけやサポートをすることで、その人が本来持っていた主体性が徐々に引き出され、自ら走り出し、生きがいになることは決して少なくありません。

③ 対話を通じて、まちとの接点を言語化する

まちづくりに携わる方と話していると、ときどき「スタッフのモチベーション維持に悩んでいる」などの声を聞きます。特に活動が長期化すると、何の働きかけもなければ、関わってくれる人々の気持ちが離れていってしまうこともあるでしょう。

モチベーション維持のために始めたことではありませんが、主体性のデザインの一環として私たちが大切にしている心構えや行動が、結果としてスタッフの方々のモチベーション維持にもつながっているのではと感じることがあります。ここではその内容についてお話ししたいと思います。

まず心構えとして根底にあるのは、関わってくれる一人ひとりと、人間的な関係性をつくっていくことです。単なる作業員としてのスタッフではなく、「**その人がその人らしく前向きに関わってくれるには**」を**念頭に置き**、**一人の人間同士として対話をする**ことをとても大切にしてい

ます。これは前項の「その人の幸せのために行動する」の話とも通じるところです。

この姿勢を前提に、一人ひとりの中にある思いまで踏み込んで対話すること。特にスタッフに関しては、対話を通して「**定期的に、その人とまちの接点を言語化する**」ことがとても大事だと考えています。

スタッフとして携わってくれている方は、無償・有償を問わず、何かしらまちでの活動に興味を持って、そのために自分の力や時間を使いたいと考えて来てくれたはずです。それでも活動を続けるなかでやりがいを感じられなくなってしまうとしたら、それは自分のやっていることが、まちのなかでどんな役割をもち、どう役立っているかが見えづらい状況があるのではないかと考えます。

その人の興味や関心は何か。その人が取り組んでいることは、まちのどんな人の、どんなことに役立っているのか。実際にどんな反応があったか。その人が「こんなふうになりたい」という夢を持っているなら、その夢に今の取り組みはどんなふうに関係していて、どのくらい進められているのか。

日々の仕事のなかに埋もれてしまいがちなそんな要素を、定期的に引き出し、言葉にし、確認し合うこと。これは本人のやりがいと取り組みの持続性を考えるうえで欠かせない、重要な部分です。

スタッフには、大きく分けると2つの種類があります。無償で関わってくれているサポーターと、有償スタッフです。

サポーターは、主にイベント時のお手伝いや企画の一部など、ピンポイントで活動に関わってくれている近隣の方々です。プライベートや他の仕事と並行しながら、イベント時のみなど不定期で、内容によっては月に2〜3回のお手伝いなど、それぞれのペースで関わる方が多い印象です。

サポーターとひと口に言っても、取り組みの動機は実にさまざま。「仲間と一緒にいる時間が楽しくて」という方もいれば、「人の役に立つことが嬉しい」「自分自身も課題を抱えていて、その解決にもつながるから」「性格的に頼られるのが好き」など、いろいろな理由があります。複数の理由で関わっている方もいるでしょう。

だからこそ大切なのは、**一人ひとりの動機や、関わり続けている理由をしっかりと聞く**ことです。組織（やチーム）の中に一人でも、その人の思いや状況を知っていて、応援したりサポートしたりできる人がいること。やりがいを持って継続的に関わってもらうために、これは不可欠だと考えています。

また有償スタッフは、主に拠点の運営や広報業務を行いながら、時間ごとのシフト制で継続的に関わっている方々です。部分的なコミットが多いサポーターと比べると、より長期的・全体的な視点を持って業務に取り組むことが多いのが有償スタッフの特徴です。

ただ率直に言うと、まちづくりの業界では、業務に対して十分に見合う報酬を提供できるプロジェクトが少ないのも事実です。有償スタッフとして関わる方は、ある意味、「金銭的報酬を一番の目的として働いているわけではないが、ボランティアでもない」立場です。そのなかで責任のある仕事に、しかも自身の幸せを実現しながら楽しく取り組んでもらうためには、相応のフォローが必要です。これはまちの活動に限らず、多くの非営利組織のマネジメントに通じる話ではないでしょうか。

私たちの場合、スタッフに対しては2、3か月に一度、定期的に個別面談の機会を設けています。やり方はプロジェクトによって異なります。大切なのは、**型にはめすぎず、それぞれの担当者がその人個人との関係性に応じて対話を行う**ことです。

一例をご紹介すると、あるエリアマネジメントでは、2か月に一度有償スタッフとの面談を設けており、面談の前にはいくつかの項目を紙に書いてきてもらうようにしています。2か月間の振り返りや、日々の業務で今感じていること、やりたいこと・興味関心、これから2か月間の目標、具体的に取り組むことなどです。それをもとに30分ほど、1対1でディスカッションを行っています。さらに、それぞれの有償スタッフに、自分が主に取り組んでいこうと思える「マイプロジェクト」のようなものを作ってもらい、一人ひとりがそのプロジェクトのリーダーになっていく働きかけを意識的に行う、という工夫も。もちろんそれらのマイプロジェクトを進めるうえでも、現在地や今後について定期的に対話やフォローを行うようにしています。

先述したように、面談の進め方は担当者やスタッフの個性に応じて多様でよく、今挙げたのは一例に過ぎません。事前のシート記入など形式張ったステップはあえて用意せず、雑談の延長のような形でラフに対話を行うほうがふさわしい現場もあります。

形式よりも大切なのは、そこで話す内容です。定期的に個別面談の機会を設けても、表面的なタスク処理の話だけをしているのでは意味がないからです。

大事なのはそこで一歩、その人の内面に踏み込んだ会話をすること――それができるための人間関係を、日頃から丁寧につくっていくことです。そうして引き出した何気ない一言やプライベートの状況、今の興味分野などの話から、ネイバーフッドデザインを通して応援できるものをすくい上げ、それをまちの活動のなかでどう実現するかを一緒に言葉にしていく。まさに、対話を通して「定期的に、その人とまちの接点を言語化する」ことが、結果的にモチベーションの維持や向上につながっていくのです。

また、プロジェクトによっては関係者が多く、全体像や、自分たちの取り組みの位置づけがなかなか現場まで伝わらないことも起こりがちです。

私たちが途中から携わったある団地の活性化では、複数の企業や公的機関、専門家など膨大なステークホルダーが関わり、コミュニティスペースの現場スタッフが自分たちの位置づけを把握できていない状況がありました。

スタッフの方々はもともと地域活動への関心も高く、「まちの人のために何かしたい」という気持ちを持っている方々。でも当時は「何をどうしたらいいんでしょう？」という感じでした。

そこに私たちが入り、まずは団地活性化プロジェクトの全体像から、自分たちの取り組みの位置づけ、現在地や今後の方向性を、会話しながら丁寧に共有していきました。ステークホルダーごとに扱う言葉も異なるため、資料を渡して終わり、では現場には伝わりません。**専門家や公的機関、デベロッパーなどの言語を翻訳し**、**その思いを現場にわかりやすい言葉で伝えていく**こともまた欠かせないのです。そのために必要なのもやはり、現場スタッフ一人ひとりからていねいに話を聞くこと。相手の気持ちを理解できていれば、両者の接点を探り、どう説明すればより伝わるか、考えながら翻訳していくことができます。

対話を繰り返した結果、現在はいきいきと活躍してくれています。ある方は、まちの方々からの相談も増えるなか、相談者に対する提案を自ら出してくれるように。またある方は、自分たちの取り組みがまちの将来にどうよい影響をもたらすかを定期的に言葉にし、目を輝かせて話してくれるようになりました。

なぜ、関わり始めたのか。なぜ、関わり続けるのか。そしてその思いは、いまどんなふうに実現されているのか。この先さらに、どんなふうにしていきたいのか。目の前の細々とした業務のなかでは見失いがちだからこそ、**根本にある思いを定期的に引き出し、その人の現在地やまちとの接点を言語化していくことが大切**です。

④リーダーシップを発揮しやすい土壌づくり

主体性の発揮の大小に優劣はないというお話をしましたが、一方でリーダーなど中心的な存在がいなければ活動が続いていかない、ひいては助け合える関係性が育まれないのも事実です。リーダーの資質があり、かつそれが本人の興味関心や幸せと重なる方がいるなら、リーダーシップを発揮しやすい環境を整えるのも私たちの重要な役割です。

リーダーとひと口に言っても、たとえば単発企画の主催者から組織の代表まで、その規模や性質はいろいろです。その環境づくりとしてどのような立ち回りをすればよいかも、状況に応じて変わってきます。

たとえば小さな企画やプロジェクトを推進する主体性を引き出したいなら、まずは**私たち自身がリーダーとしての動き方を見せていく**ことが、ひとつのポイントとして挙げられます。

先に「リーダー」という肩書きをぽんと渡すのではなく、その人のやりたいことを丁寧に聞いたうえで、やりたいことを実現するためのプロジェクトを一緒に進める。そして一緒に進めるなかで、軌道にのってきたら徐々にこちらの身を引いていく。そうするケースは多くあります。

以前、あるまちの人々と新しいチームを立ち上げ、定期的に会議を行うようになった際もその視点は大切にしていました。

いきなり住民の方をリーダーに据え、「じゃあ進めてください」とバトンを渡しても、手探りで話し合いを進めていくのはハードルが高いもの。そこで最初は私たちがリーダーとして振る舞い、それを見せながらリーダー像について共通のイメージを育んでいきました。

たとえば会議で参加者一人一回は必ず発言してもらうように話を振るなど、私たちの振る舞いを通して、場の進行方法や空気感のイメージを徐々に共有していきます。また、会議の頻度やアジェンダなど事前の資料準備も、当初から「引き継げることしかやらない」と意識して行いました。

まちの方々との対話のなかで「どれくらいなら皆が負担なく楽しく続けていけるか？」を探りながら、それをリーダー像に反映していったのです。言い換えれば、最初から立派すぎるイメージを作らないこと。これもまた、意外と重要なポイントです。「**これくらいなら自分にもできるかも**」**という気持ちが**、**もう一歩**、**主体性発揮の歩みを進めることもある**のです。

このプロジェクトの伴走支援を離れて半年後、様子を見に拠点を訪れたとき、スタッフの方からこんな言葉をもらいました。「いろいろ悩んだこともあったけど、そんなときは『〇〇さんだったらどう考えるかな？』をキーワードに、皆で解決していったのよ」。〇〇というのは、HITOTOWAの担当者の名前です。これを聞いたとき、まちの方々は私たちの振る舞いだけでなく、どのような思考を経てまちの課題を解決していくかというプロセスを含めて見ていてくれたのだ、と嬉しく思いました。

まずは率先して動き、失敗やその対応も含めて背中を見せること。そのなかで現場の様子もよく見つつ、徐々に身を引いていく。これは主体性を発揮しやすい環境づくりのひとつの工夫です。

また、エリアマネジメント団体など大きな組織の代表者を決める場合には、別の工夫が必要になることもあります。本人の興味関心や幸せと一致しているのは大前提ですが、それ以外にも**周囲からの理解**、**他のメンバーやまちの方々からの納得感もまた**、**その人が主体性をのびやかに発揮するためには欠かせないもの**です。つまり周囲との調整も、活躍しやすい環境づくりのひとつの要素だと言えます。

たとえば、あるエリアマネジメント組織では、まちの人に運営主体を引き継いでいくにあたり、代表理事の候補者としてエリア内ではなく、徒歩圏内の近隣エリアの方の名が挙がりました。その方はもともとその団体のサポーターとして活動していたこと、またNPO運営に携わる仕事柄、市民活動への理解も深いことなどから、私たちもぜひ代表理事になってほしいと感じていました。ただ、もちろん本人の意向も大切ですし、最初から「代表理事になってください」と打診をしたわけではありませんでした。

まずは、その方にイベントのリーダーを担当してもらったり、まちの住民向けのパーティーにお呼びして住民の方を紹介したりと、少しずつ接点を増やすような働きかけからスタート。その後、1年間は事務局のコアメンバーの一員として運営に入ってもらうことにしました。その1年を通してより深く関わるなかで、段階的にまちの人々との関係性を深めていただいたのです。繰り返し顔を合わせて実際の取り組みを目にすることで、まちの人々からの信頼も次第に厚くなっていきました。そして私たちも、やはり代表理事を安心してお任せできるのはこの方だ、との思いを深めていったのです。

ところが1年後、いざ代表理事にというタイミングで、一部の会員から「代表理事はエリア内に住んでいる人のほうがいいのでは?」と反対意見が。

ネイバーフッドデザインの考え方としては、エリアマネジメント組織のスタッフは必ずしも全員がエリア内の人間である必要はありません。まちへの思いがあり、かつ高いスキルを持つ方など、まちに対してよい影響を与える人が入るのはむしろ望ましいことです。

ただ理論的に正しいからといって、反対意見を取り合わずそのまま放置していては、代表理事が着任した際にやりづらいのも明らかです。そうならないよう、反対意見を持つ方とも向き合って話を聞き、そのうえで、なぜリーダーとしてその方が最適なのかの理由を、丁寧に伝えていきました。

その際に大事なのは、無理に説得するという姿勢ではなく、「そのまちにとって何が一番いいか」を軸に対話していくことです。その姿勢で対話を続けた結果、最終的に合意も得られ、無事に近隣エリアの方が代表理事に就任することになりました。事務局長など周囲からの信頼も厚く、組織運営に安心感をもたらしていると聞いています。また最近は自身のNPO運営経験を活かし、コロナ禍での法人運営における危機管理マネジメントでもリーダーシップを発揮しています。

役割や肩書きだけを渡すのではなく、率先してリーダー像の背中を見せたり、周りの環境を整えたりすること。その人がその人らしいリーダーシップを存分に発揮していくために、伴走者だからこそできることがあります。

⑤まちの課題への共感は、主体性の連鎖を生む

ネイバーフッドデザインの根幹にあるのは、まちに暮らす人々同士がゆるやかにつながり、お互いに助け合える関係性と仕組みをつくっていくことですが、まずは趣味的なつながりなど、楽しさを入り口につながりを育んでいく。これも重要なアプローチです。

ただその一方で、ときには直接的に、そのまちの課題意識をしっかりと打ち出すことで、「まちをよくしたい」という主体的な思いを持つ方々が、自然と集まってくることもあります。**課題意識は、主体性が引き出されるひとつの要素でもある。**主体性のデザインの終わりに、その視点にも触れておきたいと思います。

なお、「まちの課題」というと、防災や環境美化など、ある程度組織的に取り組むべきことを

イメージされる方も多いかもしれません。しかし、そうしたまちの課題は、暮らしにおける個人の困りごとを拾い上げるなかで見えてくることも多いものです。たとえば日常での漠然とした孤独感や育児や介護の悩みなど「自分だけが抱えていると思っていた」問題や悩みが、相談してみると実は、他の人たちも抱えていることだとわかる。**自分自身が抱えていると思っていた問題が、実はまちの取り組みや体制、人とのつながりによって解決に向かっていくこともたくさんあります。**まちの人の暮らしにおける困りごとに気づく視野を持ち、相談しやすい雰囲気をつくっていくこともまた、ネイバーフッドデザイナーの役割です。

たとえば兵庫県西宮市のエリアマネジメント組織「まちのね浜甲子園」では、発達や成長に不安を抱えるお子さんのいる保護者の方々が集まり、情報交換や雑談をする場があります。それを主催しているのは私たちではなく、Nさんという元教員の住民の方です。

きっかけは、あるマンションの交流イベントで、ある住民の方（Aさん）のお子さんのお世話が大変そうだなと感じてスタッフがお声がけしたとき、そのお子さんが自閉症だと話してくださったことでした。後日改めてお会いした際、「普段はどういうところで遊んでいるんですか?」などごく自然な会話を続けるうち、Aさんは少しずつご自身のことを話してくれるように。その流れで、「育児について悩みを相談できる相手が少ない。子どもの行動を気にすると外にも連れ出せず、孤独な育児をしていた」とスタッフに打ち明けてくれたのです。

同じころ、よくＨＩＴＯＴＯＷＡが運営するコミュニティ拠点を利用していたNさんが雑談のなかで、元小学校教員であることを教えてくれました。さらに、「公立小学校では、個に合わせた教育がどうしても制限されてしまう。子どもがその子らしくいられるような居場所づくりをしたい」との思いがあると聞かせてくれたのです。

その思いを知りAさんにコンタクトをとったことがきっかけで、「育ちの会 ありのままで」という小さな会が発足することになりました。当初は私たちがサポートしましたが、現在はNさんが中心となり、定期的に情報交換の場を設けるなど、主体的な運営を行っています。

Aさんが「自分だけの悩みだ」と感じていたことも、つながる機会がなかっただけで、実はまちの中に分かち合える相手がいたのです。まずAさんがまちのスタッフに相談するという主体的な行動をとったことで、Nさんの主体的な思いと結びついたこと。さらに会として活動することで、同じような悩みを持つまちの人々にも届き、お互いに悩みや情報を共有し合えるつながりが生まれていったこと。まさに主体性が主体性を呼び、持続的な取り組みにつながった例だと感じます。

もうひとつ、防災・減災の課題意識が発端となって主体性の連鎖が生まれた例をご紹介します。ひばりが丘（東京都西東京市／東久留米市）のエリアマネジメント組織「まちにわ ひばりが丘」では、エリア内のマンションの管理組合向けに防災ワークショップを定期的に開催していました。公民館などで行う防災勉強会と比べると、自分たちが住むマンションで開催し、内容も実際の生活環境に沿った形で行うワークショップは、参加者もテーマを身近に感じやすくなります。具体的には、大災害時のリアルな課題、特にマンションでの在宅避難や、それに伴うトイレや水、ごみ問題などを主に扱っていました。こうしたワークショップを重ねるうち、参加した方々も日頃から備えておく必要性を理解し、課題感を高めてきていました。

何度か防災ワークショップに出席していたある方は、マンションの防災理事に就任。その任期を終えてから地域の防災イベントにスタッフとして参加したのを機に、「やはり自分たちももっと防災の活動をやっていくべきだ」と実感し、まちにわ ひばりが丘に相談に来てくれました。

ひとりの真剣な思いを受けて、私たちも「では、同じマンション内で興味を持ちそうな人を探してみます」と、まちにわ ひばりが丘のネットワークで声かけを実施。すると「私も必要だと思っていた」「手伝いますよ」という方が次々に集まりました。

早速、防災委員会を発足させようという話になり、検討する準備会を開始。まちにわ ひばりが丘がファシリテーターやアドバイスなど必要なサポートを行いながら、マンションの管理組合における、住民主体の防災委員会が発足しました。この防災委員会はその後も、メンバーの方々がさまざまな工夫をしながら先進的な取り組みが続けられています。これについては「見識のデザイン」のなかでもご紹介します。


個人で抱えている悩みや課題感を共有したり、相談したりしやすい雰囲気があること。ネイバーフッドデザインには、まずこれが求められます。ご紹介した2つのエピソードにも見られるように、話しやすい雰囲気や声かけなどのサポートがあることで、まちの人々の主体的な相談や提案が起こりやすくなるからです。そして主体的な相談や提案は周囲の共感を呼び、友人や仲間、チームなどの輪につながります。輪ができればそこで主体性の連鎖が生まれ、取り組みが続きます。それがひいては皆の安心や幸せにつながっていくのです。

なお、こうした過程で私たちネイバーフッドデザイナーにできることは、「主体性を引き出すこと」だけでなく、**「すでに主体性を持っている人々がそれをスムーズに発揮し、課題解決にとってよい方向に進めるような支援をすること」**だと考えます。

たとえば、まちの人が何かの課題に声をあげたとき、同じような関心を持つ人をつなげられるネットワークを持っていて、それを提供できること。また実際に取り組みを進めるなかでわからないことや困りごとが出てきたとき、相談にのったり、適切な情報や、正しい知識を得るための専門家を紹介したりすること。また彼らの取り組みや知識を、まちに暮らす他の人々にも伝える広報的な面を支援すること。活動を広げていくうえで必要なパートナーとなり得る団体とつなげること。そういったフォローを通じて、走りたい人が走りやすい環境を整えることもまた、私たちの役割だと考えています。

最後に、ある大学の課題をそのまちの住民の協力で解決したエピソードをご紹介しましょう。東京都の多摩ニュータウンでは2020年の春、コロナ禍の影響でそのまちの大学の授業が完全にオンライン化され、大学生が授業で育てる予定だった有機きゅうりの苗が大量に余ってしまう事態が起きました。そのことを大学の先生から聞いた私たちは、まちのパートナー団体の方々と急遽、「レスキューリプロジェクト」なる企画を立ち上げ。苗を引き取り、育てて経過報告をしてくれる「里親」を募ることにしたのです。また、地域の人が有機栽培に触れるきっかけになることを願い、有機肥料や土もセットにして有償で販売することに。

また企画の際、「家にプランター等を持っていない方もいる。何かで代用できないか？」と考えていたところ、近隣商店街の米店から快く米袋を提供いただけることに。プランターの代わりに米袋を活用することになりました。

さっそく、SNSや個別メールでの発信、チラシ掲示による広報を開始。するとわずか2日間ほどで、約100本の苗の引き取り手が決まりました。有機の苗や土、肥料は一般の苗と比べて決して安い価格でなく、またコロナ禍のため「徒歩圏の方限定」という条件付きだったにもかかわらず、子育て世帯からご高齢の方々まで、いろいろな人が積極的に購入してくれたのです。

さらに、必須ではないものの、苗の成長についてSNSでぜひ投稿してほしいと伝えていたところ、実際にその後、多くの方が苗の状況を投稿してくれる結果に。それを見て、苗を育てるはずだった学生たちも様子を知って喜ぶ、というゆるやかなつながりも生まれました。

このようにまちの人々が積極的に支援してく

レスキューリプロジェクト

れたのも、きゅうり苗の話がどこか遠くのニュースではなく、自分たちが暮らす地元の大学や、学生に関わる話だったからこそではないでしょうか。これもまた、地元の具体的な課題に対する共感から始まった取り組みがさらなる共感を呼び、新たなつながりの輪を育んでいったひとつの事例だと考えています。

育児相談の会や防災委員会のような場や団体を立ち上げて活動していくのも主体性の表れであり、レスキューリプロジェクトに参加した人たちのように、呼びかけに応じて足を運んで苗を購入したり、インターネットで情報発信したりすることもまた、立派な主体性の表れです。さまざまな人がその人なりのやり方で主体性を発揮できるようにすることがネイバーフッドデザインでは大切であり、そうして生まれる主体性の連鎖が、まちの課題を解決に近づけていくのです。

本章のポイント

- どのように主体性を発揮するかは人それぞれ。「主体性のデザイン」は、人々がその人なりの主体性をもってまちに関われるようにサポートすること。
- 「これなら自分にもできそう」と思える、ちょうどよい「一歩」「半歩」の関わり方を促すことが大事。そこからまちとの関係が深まり始める。
- 個人の夢や目標と、まちのプロジェクトの接点を見つけ、その人自身の興味や幸せにつながる活動を後押しする。

▼まちづくりに携わるスタッフのモチベーションを保つためには、定期的に対話をして、関わる動機など、まちとの接点を言語化することが大事。

▼まちの活動の中心的な存在になり得る人がリーダーシップを発揮しやすいように環境を整える。

▼まちの課題への関心は、主体性が引き出されるきっかけになる。課題意識を共有することで主体性の連鎖が生まれることがあり、それは課題の解決にもつながる。

第6章 場所のデザイン

ネイバーフッドデザインにおける「場所」は、建物や設備などのハード面はもちろん、その場のコンセプトや運営・管理する人のコミュニケーションなどソフト面までを広く捉えた概念です。より正確に表現するなら「場所」そのものよりも、「場所のあり方」といったほうが近いかもしれません。

そして「場所のデザイン」は、非常に大きな役割を果たすものです。なぜなら、**人の気持ち・行動は場所や空間によって大きく変化する**からです。

たとえば、装飾がなく整然と片付けられた会議室では人々も真面目な気持ちになり、雑談など気軽な会話は生まれにくくなります。一方で芝生と青空、砂浜や海など自然に触れられる場所では開放的な気持ちになり、会議室でじっとしているより自然と会話も生まれやすくなります。これらは極端な例かもしれませんが、人々の気分や雰囲気に対して、場所や空間にはとても大きなインパクトがあるのです。

またもうひとつの理由は、「**場所**」**がそのまちに**「**あり続ける**」**性質を持つ**ものだからです。

「機会」が接点というイメージなのに対し、場所は一度できあがると（変化は遂げながらも）そこにあり続け、周囲に影響を与える線や面のイメージです。活動の中心となる場所を私たちはよく「拠点」と表現しますが、文字通り人々のつながりを継続的に育んでいく「拠りどころ」のような位置づけだと捉えています。

そうした位置づけを踏まえると、人が集まり、会話が生まれやすい場所のあり方（ハードの工夫からその運営・管理方法まで）を考え、それを場所に反映させていくことは、継続的につながりを育んでいくためにとても大切な要素だと言えます。ここでは「人々のつながりや共助が育まれる場所のあり方とは？」を主なテーマに、私たちが各地で手がけてきたコミュニティ拠点の事例を通して、ハード面、ソフト面を行き来しながら「場所のデザイン」について考察していきましょう。

①場所から考えない

場所のデザインもやはり、起点となるのは「未来とゴールのデザイン」で考えた未来へのイメージです。**まちの未来像やプロジェクトのゴール、コンセプトをもとに、それらを一貫して実現する場所の目的や業態、また場の運営・管理方法を考えていくのです。**当たり前のことのようですが、ハード面の話を深掘りしたり、日々の運営について議論していたりすると、いつのまにか場所起点の思考になってしまうこともあるものです。そうならないよう、意識的に「まちの未来とゴール、そしてコンセプトを一貫する場所が実現できないか？」という視点に立ち返るようにしています。

なお建物や施設などハードがすでに決まっていて、利用目的にかなった修正ができない状況で相談されるプロジェクトもありますが、ネイバーフッドデザインの観点で考えれば、本来はどのようなハードを用意するかも、未来像やゴールから導き出していくべきです。ありがたいことに最近は、ハードの設計段階の前から携わらせてもらうケースも増えています。ここでは2つの事例を通して、ゴールやコンセプトからどのように「場所」の業態や運営を考えていったのかを見ていきましょう。

まずご紹介するのは、浜甲子園団地再開発エリア（兵庫県西宮市）のプロジェクト、「まちのね浜甲子園」が運営するコミュニティカフェ「OSAMPO BASE」での事例です。

こちらのカフェは、未来とゴールのデザイン内、「解決策のパズルが組み合わさる」でも、「適切な事業者が見つからなかったなか、私たち自身がカフェの企画・運営にチャレンジした」という切り口で少しだけ触れています。

先述したように、浜甲子園エリアには地域課題として「ひとり暮らしのお年寄りが多く、食事をスーパーのお弁当・お惣菜に頼っていて健康面が不安」という状況がありました。加えて、団地エリアには既存の飲食店があまりなく、まちの人々からは「気軽に立ち寄れる場所がほしい」という声も挙がっていました。

そういったまちの現在地から、お散歩途中に立ち寄れるカフェ、「OSAMPO BASE」のコンセプトが生まれ、メニューも健康志向に合わせてヴィーガンメニューのみで企画することに。単に動物性の食材を使わないだけでなく、「動物性の食材を使わなくとも食べごたえはしっかり」と満足感を得られるメニューもこだわりポイントです。新鮮な野菜・果物をたっぷり使ったボリューム満点のファーマーズサラダや、自家製パンに自家製の豆腐クリームを使ったトーストなど、バラエティ豊かなメニューを用意しました。団地の中心にあるコミュニティカフェでヴィーガンメニューを企画するのは、かなり特殊な例ではないかと思います。

こうしたメニュー設定に踏み切ったのも、地域課題を解決するというゴールとともに、もうひとつ、運営視点でもゴールを持っていたからです。それが「エリアのカフェとして持続的な収益状況をつくる」ことでした。

実はこのカフェ、立地上、商圏を描くと約半分が海や河川となり、商売としては少々成り立ちづらい予測があったのです。そこで、まちの課題解決は前提としつつ、エリア外の人々にも積極的に訪れてもらえるよう、「エリアの中と外をつなぐ場所」というコンセプトも早い段階から立ち上がっていました。

まちの人々だけが訪れる場所になってしまうと、オープン直後はにぎわっても、1年、2年と続けていくうちに継続が難しくなる可能性がある。持続的に経営していくためには、「近隣エリアのための場所でありつつ、いかに外の人たちにも開いていくか」が問われます。その両立を注意深く検討し、場所のあり方に落とし込んでいきました。

健康志向と話題性を兼ね備えるヴィーガンメニューを打ち出したのも、そうした背景があったからです。他にも、営業日をあえて週末だけにするなど限定性を高めることで、遠方からも健康

OSAMPO BASEのヴィーガンメニュー

意識の高い方、食にこだわりがある方に注目してもらえるよう設計しました。その結果、オープン直後は8割ほどのお客さんがエリア内の方でしたが、それから3年で徐々に認知度が高まり、現在は6割ほどのお客さんがエリア外からわざわざ足を運んでくれています。

一方で、地元では愛着をもって通ってくれる常連のお客さんも増えています。まさに「エリアの中と外をつなぐ場所」、かつ「お散歩途中に立ち寄れて栄養たっぷりの食事がとれる場所」として、コンセプトを体現していると感じています。

もうひとつ別の事例をご紹介します。東京都の多摩ニュータウン団地にある商店街で、空き店舗を活用して運営しているコミュニティ拠点「健幸つながるひろば　とよよん」についてです。

東京都多摩市豊ヶ丘・貝取エリアは高齢化が進んでおり、行政や所有者であるＵＲも医療や福祉の充実など、高齢者の健康を応援する取り組みに力を入れ始めている地域でした。そんななか、商店街の空き店舗に高齢者の支援機能をもつコミュニティ拠点をつくるプロジェクトが立ち上がり、私たちが関わることになったのです。

調査やヒアリングを踏まえ、拠点のコンセプトとして考えたのは「みんなのｉｍａ」。「居間」のように誰もがふらっと立ち寄ることができ、安心できる居場所をつくるという意味と、まちの「今」がわかる情報拠点になるという意味を込めたものです。ひいてはその拠点に「地域活動に無関心な人たちにも来てもらえるようにし、将来的な引きこもりを予防したり、心身の健康を促進していこう」と、多摩市が目指す「健幸都市」と重ねたまちの未来像も膨らませていきました。

これらの未来像やコンセプトを実現すべく、拠点の運営主体としては高齢者向けの介護サービス事業を行う社会福祉法人を公募し、社会福祉法人楽友会が事業者に確定。また運営協力として、地域に多様なネットワークを持つ多摩市社会福祉協議会と連携する体制を整えました。

一方で、場所として福祉の色が前面に出すぎると、「誰もがふらっと立ち寄る」コンセプトからは遠のいてしまいます。そこで、コミュニティスペースで出迎えるのはあくまで地域住民のサポーターとし、まちに暮らすご年配の方々が気軽に立ち寄りやすい雰囲気をつくることにしました。またコミュニティスペースの奥には居宅介護支援の事業所を併設し、ケアマネジャーさんたちが常駐。住民スタッフが窓口となってまちの方々の悩みや困りごとを聞き、必要があれば気軽に専門職の方に相談できる場のあり方をデザインしたのです。

もちろんその他の設計も、車椅子で不自由なく移動できる完全なバリアフリー対応や、「だれ

図 6.1 コミュニティスペースと居宅介護支援事業所の併設

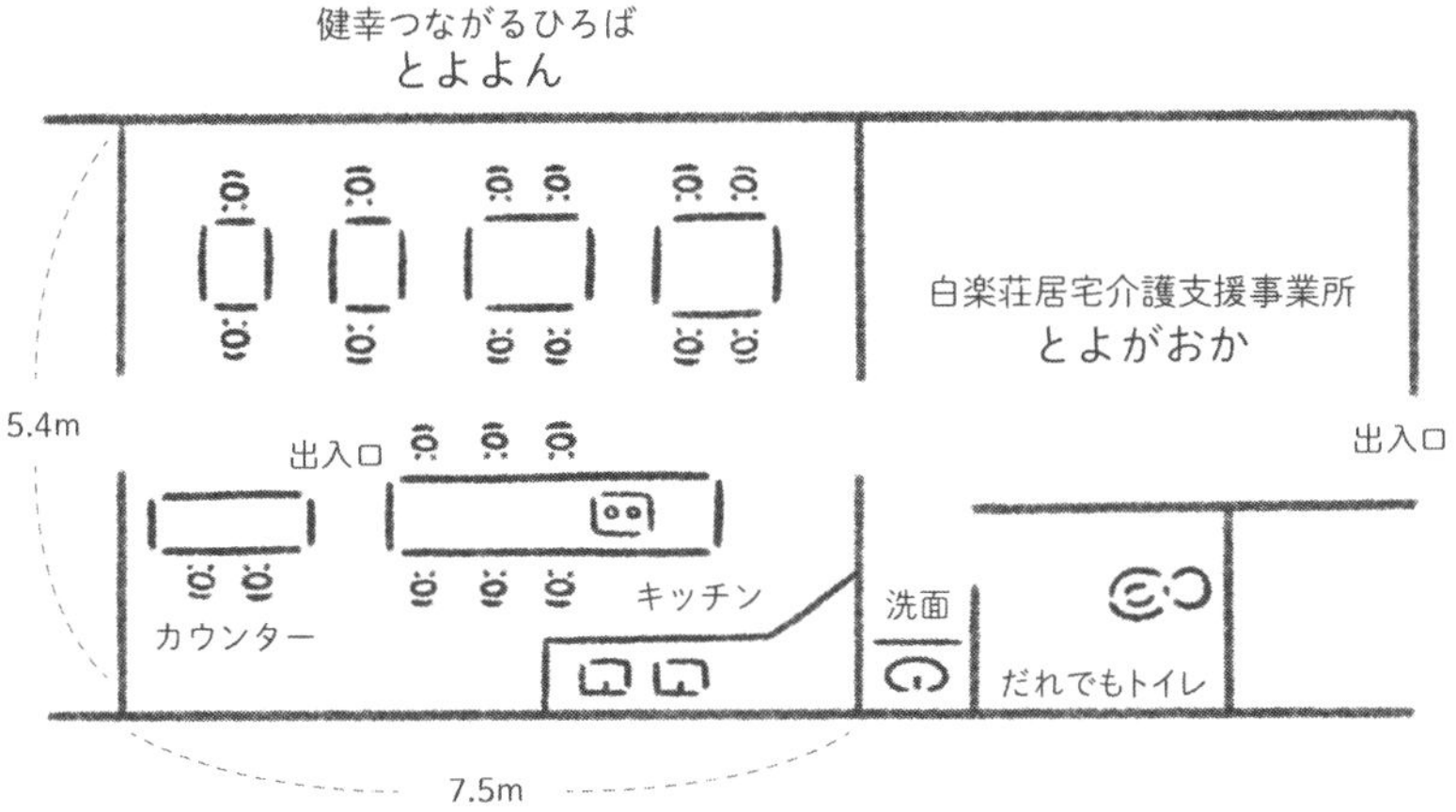

とよよん。奥に居宅介護支援事業所がある

でもトイレ」の設置など、高齢の方々が訪れやすいことを前提に行っていきました。

さらにハード面、ソフト面にまたがる話としては、皆で囲めるキッチン付きの大きなコモンテーブルの設置があります。これはヒアリングのなかで「普段は地域活動に参加しない独居の高齢男性も、食事会のようなイベントには結構顔を出す」という声を耳にしたことや、「働いている親が多く、まちの子どもたちの孤食が問題になっている」状況を把握したことが背景にあります。そういったまちの課題から、多世代で食事をともにするようなスペースがほしいと建築家の方に相談し、形にしてもらったものです。

2020年のオープン後、コロナ禍もあり休館をたびたびはさみながらの営業ではあるものの、折り紙や裁縫の得意な住民スタッフが講座を企画して楽しんだり、皆で介護予防体操をしたりと、ご年配の方々を中心にゆるやかな憩いの場が生まれています。ひとり暮らしをしている年配の方からは、「コロナ禍で誰とも会話をしないのが日常になってしまったなか、ふらりと『とよよん』を訪れることが心の拠りどころになっている」との声も。また、地域で開催された子ども向けのイベントにブースを出展したり、近隣中学校や近隣大学から授業連携のお声がけをいただいたりと、多世代の交流も生まれています。

以上2つの拠点について業態や運営の背景をお話ししましたが、基本的な考え方はどの拠点でも同様です。場所から、ハードから考えるのではなく、**まちの未来像やゴール**、**コンセプトから**、**それを実現するための「場所のあり方」を考えていく**。その順序を忘れずに、ハード・ソフトの両面を行き来しながら考えていくことが大切です。

②無人・有人管理から「友人管理」へ

場所を管理・運営しながら人々のつながりを育み、共助の関係性を築いていくには、無人より有人での管理のほうができることは多いもの。ただ通常の公共施設やマンションで行っている有人管理は、設備ハード面の管理であり、それ以上のことはほとんど行われていません。

それに対し、**接する人と友人のような関係性を築きながら、「場のあり方」をハード・ソフトの両視点から管理していく**ことを、私たちは「**友人管理**」と呼んでいます。スタッフと利用者はもちろん、スタッフ同士、また利用者同士もほどよく近い距離感で、安心して話しかけることができる。親しみやすく、居心地のよさを感じられる。そんな雰囲気を醸成する「友人管理」を行うことが、ネイバーフッドデザインにおける「場所のあり方」の根幹です。

そのような場の雰囲気を醸していくため、たとえば訪れる人々を「いらっしゃいませ」ではなく「こんにちは」と迎えるのが友人管理の工夫のひとつです。管理側と利用側に線引きした関係性ではなく、「対等で距離の近い関係性ですよ」という姿勢を、挨拶ひとつ、行動ひとつでも示していく。主体性のデザインでも触れましたが、自分の椅子は自分で片付けてもらうなど、**お客様扱いをしすぎない**ことも友人管理の特徴です。

そうした基本姿勢は守りつつ、一度でも会ったことのある人の顔は可能な限り覚え、たとえ名前がわからなくても、「このあいだもいらしていましたよね」などと声かけをする。これも多くのプロジェクトで自然と行っていることだと思います。さらに「以前のマルシェにいらしてましたよね。お子さん、また少し大きくなりましたね」など個別の話題に触れつつ声をかけることで、自然と相手にとっても「ひとりのスタッフさん」から、「何度か話したことのある顔見知りの〇〇さん」になり、気づけばお互いにあだ名で呼び合うような仲になっていく。友人管理ではこのように小さな言動の積み重ねで一対一の関係性が少しずつ始まり、また深まっていきます。

「友人管理」の具体的な事例を見ていきましょう。

エリアマネジメント組織「まちのね浜甲子園」では、スタッフが常駐するコミュニティスペース、「ＨＡＭＡＣＯ：ＬＩＶＩＮＧ」を運営しています。ここは外からガラス張りでスタッフが見えることもあり、「あのスタッフさんがいるから」と個別におしゃべりをするために入って来てくれる住民の方がたくさんいます。現在そんな雰囲気が醸成されているのも、２０１８年４月のオープン当初から友人管理の考え方で、ゆるやかな声かけを続けてきたことが背景にあるからです。

「ＨＡＭＡＣＯ：ＬＩＶＩＮＧ」では、事務所に座っているとドアの位置が見えません。そのためドアが開いた音がしたら必ずスタッフが立ち上がって、どんな方が来ているのか確認しにいくようにしています。かといって、「全員に対して必ずすぐに声をかける」という一律の対応をするわけでもありません。訪れた方の様子やタイミングを見計らったうえで、ゆるやかに話しかけたり、訪問の理由を聞いてみたり。**「一度も声をかけられず、ずっとひとりぼっち」の状況がないように**目を配っています。

また少しずつ顔を合わせるようになれば、雑談だけでなく、その人の得意なことや好きなことを引き出し、「それならあの人に声をかけてみよう」と人を引き合わせたり、企画を紹介したりすることも。**個性に基づくネットワークが広がる**ことで、「HAMACO：LIVING」があらゆる人の個性が活かされるためのハブとして機能するようになればと考えています。

スタッフに会いに来る人が多いのは、「まちのね浜甲子園」を母体として運営するコミュニティカフェ「OSAMPO BASE」でも同様です。ここは飲食という目的もあるため、いわゆる地域コミュニティには参加しにくいとされる「ご年配の男性おひとり」が、たくさん足を運んでくれるのが特徴です。接客するなかで気づいたのは、そういった「コミュニティ活動に参加しづらい」と一般的にカテゴライズしてしまっている方々も、決して、「話したくない」わけではないということ。たとえばゲーム機を持ってきてゲームをしている年配の男性もよくいるのですが、その方もひとりでゲームを楽しみつつ、合間にスタッフとたわいもない雑談をしっかりと楽しんでいる光景が見られます。

最初はスタッフと会話を楽しんでいたお客さんが、何度か通うなかで、たまたま居合わせた他のお客さんとスタッフを通じた三角形で話をするようになり、そのうちにスタッフがいなくてもお客さん同士が自然と会話するようになることも珍しくありません。そこから相手が参加しているゴミ拾い活動に一緒に参加してみるなど、まちの活動への参加が広がっていくことも多くあります。

そういった雰囲気が醸成される背景には複数の要素があると思いますが、一言で言うなら、相手を「お客様」ではなく「〇〇さん」という個人として普通に接することと、小さな声かけや何気ない会話の積み重ねが大きいでしょう。たとえば「OSAMPO BASE」は、外観は少しわかりづらく、飲食店として目立つ立地や設えではありません。ただその分、「なんだろう？」とのぞく人にはしっかりと挨拶をする、興味がありそうなら説明をするなど、一般的な飲食店よりも一歩踏み込んだ、距離の近い対応をするようにしています。

また店内ではスタッフ同士の会話に、近くで聞こえていそうな方を巻き込んでみたり、「ちょっと試作してみたんですが、味を見てくれませんか？」と試作品を出してみたり。もちろん相手の様子をよく見たうえではありますが、**会話のきっかけを意識的にちりばめる**ようにしています。メニュー表も、メニュー名だけでは少しわかりづらいものもありますが、文面での説明はあえてしていません。それもまた、「これは何が入っているんですか？」とお客さんが声を発し、会話をするきっかけになるからです。

先ほどのご年配の男性の例もそうですが、友人管理によって「OSAMPO BASE」では、「お客様」と「スタッフ」ではなく、互いにあだ名で呼び合ったり、趣味の話をしたりするような関係性が育まれています。その関係性は場を共有するまわりの人にもゆるやかに波及し、輪のように広がりを見せています。

また、エリアマネジメント組織「まちにわ ひばりが丘」では、団地で最高齢のIさんの誕生日を、スタッフ有志が個人的にお祝いしたというエピソードがあります。コロナ禍だったのでリアルの誕生会ではなく、コミュニティ拠点の中に入っているまちのお花屋さんのお花をプレゼントしたとのこと。

80代後半のIさんは、もともとはHITOTOWAが「まちにわ ひばりが丘」に伴走していたころに出会った方です。団地で行われたお祭りの打ち上げで会話したのを機に、顔を合わせるとおしゃべりする仲に。雑談のなかで、「ぜひ団地の方々にも、コミュニティ拠点に来ていただきたい」と気持ちを伝えたところ、Iさんが所属する手芸サークルで拠点を利用してくれるように。その後、定期的にレンタルスペースの予約もしてくれるようになりました。

スタッフとしばしば顔を合わせるようになり、ランチ会なども開催。交流を深めるなか、汚くなった座布団の交換用にとIさんが手編みの毛糸の座布団をつくってくれたり、ちょっとした事務作業を手伝ってくれたりするような関係性になっていきました。最近では、古くなった椅子の張り地の交換を、手芸サークルのメンバーがやってくれたと聞いています。

5年間にわたる私たちの伴走期間を終え、現在「まちにわ ひばりが丘」の運営主体は住民に移行しています。Iさんの誕生日祝いは、以前からあった催しではなく、いまの住民スタッフの方々が独自に、個人の思いで企画したものです。このように、私たちが運営を引き継いだ後にも、プライベートに近いところで心が触れ合う「友人」の関係性が続いていることを嬉しく思っています。

さて「友人管理」には、管理側と利用側を明確に線引きしない性質があるため、しばらく運営を続けるうちに「**利用者として来ている人たちも**、**徐々に管理に参加しはじめる**」という特徴があります。

まちの人々のためになるからといって、あれもこれも管理側でサービスしすぎるのではなく、むしろ利用者としてその場に来ている人たちにも、「ちょっとあの方に、これを教えてあげてくれませんか？」と手伝ってもらう。そんな空気がスタッフの振る舞いや会話からも伝わることで、その場を使う人にも「ここはそういう場所なんだ」と認識が少しずつできていくのです。

多摩ニュータウンの商店街にある拠点、「健幸つながるひろば　とよよん」では、住民サポーターの方々は全員が無償で運営を手伝ってくれていることもあり、サポーターの方も、利用者として来られる方も、皆対等の**「いち住民」であるというスタンス**を大切にしています。

とはいえオープン当初は、サポーターの方々は開所30分前の9時半に来て掃除をして、シャッターを開けて準備する、という仕事を交代で行っていました。ただ数か月運営をしていくなかで、負担を減らすという意味だけでなく、場所のあり方としても「来ている人にも手伝ってもらったほうがいいのでは？」という会話が生まれ始めたのです。話し合った結果、サポーターの方は開所の5分前集合に変更。シャッターを開けたら、使う椅子は利用者の方に自分で動かしてもらうなど、ゆるやかに運営するようにしました。すると来ている人たちもその場のスタンスを理解し、自らいろいろと手伝ってくれるようになりました。

管理・運営の仕組みやスタッフの言動を通して、利用者の方にも場所のあり方を理解してもらうことは、友人管理の大切なポイントのひとつです。

③「使われ方」をハード面や運営に反映する

「友人管理」は主にソフト面の話でしたが、**設計前のヒアリングや、利用者の方々の声や使われ方などを踏まえて改善点をハード面に反映し、より人を惹きつける場のあり方を実現させていく**のもまた重要です。もちろんハードの工夫だけでなく、必要に応じて運営体制も柔軟に見直します。利用者の声や使い方が臨機応変に「場所のあり方」に反映されていくことは、その場に対する信頼感を高め、「友人管理」がよりうまく機能することにもつながるでしょう。

「未来とゴールのデザイン」でご紹介した「みずべのアトリエ」では、大枠のコンセプトや空間のレイアウトが決まった段階で、将来の使い手となる方々にヒアリングを行い、その声を建物の設計段階から反映していきました。

建物完成後の使い方について住民の方々を含めて話し合ったとき、「資材を保管する倉庫が足りないのでは？」という話になりました。しかし、その場にいた現役子育て中の方から、「授乳室のスペースをとってもらっているけれど、給湯室に十分な広さがあるから、授乳室はなくても大丈夫。皆さんの意見にあった倉庫を増やすことを優先しましょう」という声が。当事者を含めた意見交換ができたことで、授乳室予定だった場所を倉庫として活用するアイデアが出て、スムーズに実現に至りました。

また、近隣の旧自治会館をよく利用する高齢の女性に話を聞くと、「同世代の女性は、女性専用トイレでないと使わずに自宅に帰る人が多い。長時間安心して滞在してもらうためには、女性専用トイレがあったほうがよい」という声も。さっそくその声を男性も含めた会議の場で共有し、話し合った結果、1階のトイレを共用、2階のトイレを女性専用とすることが決まりました。

当事者でない人からすれば「そんなこと?」と思われるような小さなことでも、その小さなことで「場所」に行きづらくなる、ハードルが上がる方がいるのも事実です。紹介した課題に限らず、人によってそれぞれいろいろなものがハードルになっているかもしれません。大事なのは、そういった**一見、小さく思える課題について気軽に口にできる空気感があること**、そしてそんな課題があると気づいたとき、「ではどうしようか?」と話し合い、解決していけるようなつながりがあることだと思っています。

また、場所の運営がスタートしたあとでも、「使われ方」に応じて運営方法を変えながら、より魅力的な場にブラッシュアップしていくことに終わりはありません。

エリアマネジメント組織「まちにわ ひばりが丘」が運営する拠点、「ひばりテラス118」では活動開始当初、レンタルスペースの予約は最大1か月先まで、会員になっても2か月先までしかとれないルールでした。ただ実際に活動をスタートしてみると、ひばりが丘には個人事業を営む方が多く、学習塾や英会話、フラワーアレンジメント、エクササイズ、ベビーマッサージなど、多様な習いごとの開催場所としてレンタルスペースを利用する需要が大きいことがわかったのです。教室を運営する方からは、「1、2か月先までしかとれない状況では予定が立てづらい」という声が挙がってきました。

そこで、定期的に予約を確保して長期で利用したい方も、当日その場で単発の利用をしたい方も、どちらも利用しやすい形を改めて検討。まずは予約のシステムを見直し、月1回以上必ず開催する、など一定条件を満たせば3か月先まで予約が可能な形に変更しました。一方で、当初はキャンセル料がなかったところ、キャンセル料を設定。キャンセルの可能性が高い長期予約は入らないようにし、単発利用の方のための枠も確保しておけるようにしました。

「習いごとの利用では毎回教材を持ってくるのが大変」という声もあったので、「まちにわ ひばりが丘」で有料の備品の預かりサービスもスタート。このように、利用者による「使われ方」に応じて、利用がよりしやすくなるような体制を整えていったのです。

また習いごと以外の地域のニーズとして、周辺エリアのボランティア団体から、保護猫の里親探しを行う会を「ひばりテラス118」で開催したいという声も入ってきました。当初のルールでは、動物の立ち入りは原則としてNG。しかし社会的な意義のある活動であること、また猫をゲージの中に入れるなどの条件を守ることを前提に、動物を含むイベントの利用も限定的にOK、と運用ルールを変更しました。場所の運営がスタートした後も、当初のルールにこだわりすぎず、地域のニーズに応じて柔軟に運営を変更していくのは大事なことです。

別の考え方として、実際に拠点がスタートした後、「**使われ方**」**によって場に変更が必要になるのを見越して**、**当初から柔軟に対応しやすい設計や家具を導入しておく**のもひとつの方法です。

あるプロジェクトでは、まちに住むハンドメイド作家の作品を販売するレンタルボックス棚を固定ではなく、ローラーつきの可動式棚にする工夫をしています。当初は場所の使い方に迷い、苦肉の策でローラーをつけたものの、イベント時にそのまま外に出せたり、拠点の定休日には窓側に移動して外からウインドウショッピングができたりと、予想以上にさまざまな使い方ができて好評とのこと。運営面もハード面も、使われ方に応じて柔軟に変化していく姿勢は大切にしたいものです。

④ 人が集まり、会話が生まれる仕掛けをつくる

人々のゆるやかなつながりは、ある場所に人々が集まり、そこで会話することをきっかけに育まれていくことが多いものです。そのためネイバーフッドデザインにおける「場所のデザイン」では、人が集まり、また集まった人々の会話が生まれやすいような仕掛けをちりばめることを大切にしています。

神奈川県川崎市の賃貸マンション「フロール元住吉」の1階共用部にあるコミュニティスペース「となりの.」では、「地域の方も入居者の方も一緒になって交流できる場所」がコンセプトとしてありました。

そこで地域の方も通りすがりに中の様子が気軽に見られるよう、窓ガラスを大きく設計。かつ外にも屋外席としてベンチを置き、外で利用している人と中で利用している人がフラットに話せるようにしました。外に対して開かれている姿勢を可視化したそれらのデザインは実際に目を

コミュニティスペース「となりの.」があるフロール元住吉

引き、オープン後、前を通る人が「なんだろう？」と足を止める様子がたびたび見られています。また、その後はエントランス前の屋外スペースでマルシェなども企画されるように。入居者と地域の方が入り混じって楽しめる空間として活用され始めています。

また設計時からマンションの隣には公園ができることが決まっていたため、公園を訪れる人とも接点をつくれるよう、カフェにはテイクアウト専用のカウンターも用意。店内に入らずとも、外から注文できるようにしました。テイクアウト用のレジはキッチンに隣接しており、外から注文する人も直接バリスタと会話が楽しめるように。店内の客席もキッチンと距離が近いため、中にいても外にいても、バリスタが豆からコーヒーを入れている臨場感のある様子を見ることができます。

物理的に距離が近いことでお客さんも質問しやすく、バリスタもお客さんに気軽に好みの味を聞くなど、コーヒーの話を中心に会話が生まれる様子がよく見られています。

「まちにわ ひばりが丘」は、そもそもUR都市機構によるひばりが丘団地の建て替えに伴い、もともと住んでいる方々と、新しく入ってくる方々が混ざり合い、ともに「まちに和を描いていこう」という未来像のもとに始まったプロジェクトです。その拠点となるコミュニティスペースは、当初は新築で計画されていたものの、検討を繰り返すなかで、もともとあった団地の一棟を改修することになりました。以前から住んでいた方の愛着のある建物であることに加えて、新しく住まう方にもこの場所のアイデンティティを伝えていく意味があると考えられたのが理由です。拠点の名前も、ひばりが丘団地のテラスハウス118号棟を改修したことから「ひばりテラス118」と名付けられました。

建物自体を残すのはもちろん、内装を考えるなかでも意識したのは「そのまちのなごりを継承する」こと。すべてを新しくきれいにつくり変えるのではなく、整えすぎず、古きと新しきをうまく融合させていくことを意識しました。たとえば内装では、住宅時代のガス栓をそのまま切らずに残したり、タイルの貼ってあった場所にある糊の跡をあえて見えるように残したり。窓のサッシやガラスもそのままです。

かつての建物のなごりを目にして、もともとの団地に住んでいた方が「なつかしい。これ、こうだったわよねえ」「鍵が閉まってたとき、こうやって窓から入ったのよ」などと思い出話が始まることも少なくありません。また、新しく入ってきた方にとっても、「この建物は、以前は住居で、これは当時のガス栓のなごりなんですよ」といった声をかけられることで、まちの歴史に

図6.2　なごりを残して改修する

改修前　　改修後

触れたり、会話をはじめたりするきっかけになります。**きれいに整えすぎず**、**まちの個性や歴史のエピソードに触れる余地を残す**ことは、つながりを育むうえで大切なことです。

またひばりテラス１１８は当初から、多様な人がそれぞれの目的で訪れられるよう、意図的に多目的化を行ってきました。というのも、一般的に作り手は「コミュニティをつくるために」コミュニティスペースをつくりますが、使い手となる人々にとっては、コミュニティスペースは「すでにコミュニティがある人にとって」使いやすい場所だからです。この両者のギャップを埋める必要があります。本質的には、コミュニティスペースは誰もがふらりと気軽に立ち寄れる場所であるべきなのです。

そこで、サークルやイベントなど目的のある人が使えるスペースも用意しつつ、そうでない人もふらっと立ち寄って時間を過ごせるよう、カフェやベンチを設けました。またコピー機を置くなど、コワーキングスペース的な使い方をしたい人のニーズにも応えられるよう工夫しました。さらに運営を行うなかで、地元のものづくり作家の方々が雑貨などの作品を販売できるレンタルボックス棚を設置したり、テナントとしてまちのお花屋さんに入ってもらったり、敷地内の庭でまちの人々とシェア農園を始めたりと、多様な人がそれぞれの目的で訪れられるよう、いろいろな要素を盛り込んでいったのです。

そうした多くの工夫で「ひばりテラス118」には人々が集まり、会話が生まれるようになりました。ただ、会話が生まれやすい仕掛けをちりばめるのと同時に、「**会話をしなくても訪れられる**」「**いろいろな距離感で訪れることができる**」こともまた、常に心に留めていることです。義務のように必ず会話をしなければならないような雰囲気があると、それもまた訪れる人のハードルになってしまうからです。

たとえば「ひばりテラス118」では、レンタルボックス「HACONIWA」に好きな作家の新作が入っていないかをふらっと見に来て、それだけをチェックしてさっと帰っていく人もいます。おしゃべり好きの方ならスタッフも積極的に声をかけますが、ゆっくり作品を見たいのに、毎回判を押したように必ず話しかけられるのを好まない方もいるでしょう。スタッフはそれぞれの様子を見て、臨機応変に対応するようにしています。

各拠点で前提となっている「友人管理」は、会話を強要したり、無理にわいわいがやがやすることを求める考え方ではありません。むしろ友人のように人間的に付き合うこと、つまり**一人ひとりの様子に応じて**、**その人が居心地よく過ごせるよう**、**多様なあり方を受け入れる**考え方が土台にあります。人が集まり、会話が生まれやすい仕掛けはちりばめつつ、それを強制するわけではない。関わり方の多様性を受け入れる「余白」を意識的に残すようにしています。

ところで、ここまではコミュニティスペースを前提にお話ししてきましたが、読者の中には、「自分の住むところにはそもそもこういう用途で使える場所がない」「うちのマンションには共用部など場所はあるが、こんなに自由には使えない」という方もいるのではないでしょうか。

実際、活用されていないマンションの共用部はたくさんあります。コミュニティスペースと銘打っていなくとも、たとえばエントランスホールなどもそうです。本来は活用・運営の仕方を考えたうえで場所がつくられるべきですが、それが十分でない例はよくあります。すでにハードが決まっていると使い方の自由度は限定されますが、活用されていない場所をできるだけ活用できる状態にし、そこに人が集まるような雰囲気をつくっていくのも、ネイバーフッドデザイナーの役割のひとつ。最後にこの視点から、私たちが行っている工夫について触れておきたいと思います。

ひとつは、**使われていない場所をあえてイベントやワークショップなどの会場にして「新たな利用イメージ」を可視化する**ことです。たとえば普段は通り過ぎるだけのマンションのエントランスも、スクリーンやテーブル、椅子などを配置すると、空間の印象ががらりと変わります。またエントランス前や共用の庭など屋外のスペースなら、テントを置いたり、アウトドア用の椅子やテーブルを並べたりするのもいいかもしれません。身の回りにあるものを使って既存の場所のイメージを変え、まずは「ここって、こんな使い方をしていいんだ」と感じてもらうのです。

もちろん、事前に管理会社を通じてマンションの管理組合に話をするなどの手順が必要です。ただ、なかなかそのハードルは高いもの。しかし日頃から友人管理を行っていると、住民の方が「こんなことをやってみたい」と思ったとき、気軽に相談できる関係性があります。そういった意味でも、土台に友人管理の体制があることは重要だと言えます。

他にも、あるコミュニティ拠点では以前、一室を4組の家族が借りて、揚げ物パーティーをしたことがあります。ある住民の方が、「贈り物で大量の牡蠣をいただいたけれど、自分たちでは食べきれない。せっかくなら友人家族とカキフライパーティーをしたいが自宅で揚げ物はストレスが多いし、そもそも4家族も入れない。ならば皆で部屋を借りて、気楽に揚げ物パーティーを楽しもう」と考え、コミュニティ拠点の部屋を貸切利用してくれたのです。

そうした様子も、入居者向けのウェブサイトや日常の会話を通して積極的に発信します。それによって他の人にも「ここって、そんな使い方も許されるんだ」「気軽に使えるんだな」と感じてもらえるからです。共用部は汚してはいけない、自分たちのものを持ち込んではいけない、など制約の多いイメージを持つ人々も多いなか、「こんな使い方をしてもいいんだ」と感じてもらう機会を増やすことは、場の活用を促すために大切です。

また違ったアプローチとして、「**行動を自由にするルールや指針**」**を示す**という方法もあります。先にご紹介した神奈川県川崎市の賃貸マンションでは、設計段階からコミュニティスペースにおける住民の行動指針を示すクレド（Credo）について検討を開始。「入居マナーを守って、自分も周囲も気持ちよく」「分かち合うことを楽しむ」など、利用者皆で大事にしていきたいことをポジティブな形で表現し、住民憲章としてまとめ、入居予定者の方々にも紹介していくようにしていました。

一般に共用部のルールというと、「飲食禁止」「音出し禁止」などネガティブな表現をとるものが浮かびがちです。実際、そういった「○○禁止」を規定するマンションがとても多いのも事実。しかし、禁止事項ばかりが先行していては、その場所はますます使いづらく、居心地の悪いものになってしまいます。ルールや指針を示すうえでは、「多様な人の居心地のよさを生むルールや指針」であることが重要です。

⑤個性を場所に反映する

人が集まり、会話が生まれやすい仕掛けをつくること自体は、多くの場所で行われていることかもしれません。ただネイバーフッドデザインでは、「場所」に愛着をもってもらうために、もうひとつ大切にしていることがあります。

それが、**関わる人々の個性を場所に反映する**ことです。運営者やスタッフ、また利用者の方々の個性が、少しずつじわじわと「場所」に映し出されるようにすること。他とは違う唯一無二の「場所」となることで、そこはまちの人々や住民スタッフの方々がより愛着をもって通える場所になっていきます。

利用者の方々の個性が反映されるとは、どういうことでしょうか。

「みずべのアトリエ」では、施設のオープン後も、使い手による魅力的な場づくりが進んでいます。たとえば、イベントの告知チラシの掲示方法。もともとは「外からも見えるように」との意図で公園に面する大きなガラス扉に貼っていましたが、見た目があまりよくないという意見が。そこで使い手の方々が協力し、公園内に新たな掲示板をDIYでつくりました。

また、近隣に住む出版社勤務の方から「雑誌が毎月家に溜まっていくので寄付したい」との声があったのをきっかけに、マガジンラックもDIYで製作。訪れた人が自由に閲覧してゆっくりと時間を過ごせるうえ、空間の一部として、図書館やカフェのようにくつろげる雰囲気を醸し出しています。

他にも、「高齢の方々の健康促進のために、タンパク質の多い食事と適度な運動を、子どもたちも一緒に皆で楽しくできないか？」という話から、皆でテラスにピザ窯をつくる企画が始動。高齢者の方にはレンガ積みを、その上の飾りつけなど仕上げを子どもたちに手伝ってもらい、力を合わせてピザ窯を完成させたのです（写真）。できたピザ窯では栄養に配慮したピザを焼いて食べるなど、アトリエに集う人たちの声を、皆で形にしていく取り組みが続けられています。

また「まちのね浜甲子園」の拠点、「HAMACO：LIVING」は当初、気軽に立ち寄っておしゃべりを楽しむような使い方を想定していました。ただオープンからしばらく経った夏、まちの方々と会話をしていると、「ここで、子どもたちをビニールプールで遊ばせていいですか？」という保護者の方々の声が。

その提案はスタッフとの相談のもとさっそく実現され、ある日のコミュニティスペース前にはビニールプールが5つほど並ぶ光景が広がっていました。子どもたちをビニールプールで遊ばせながら、親たちはそれをガラス越しに眺めつつ冷房の効いた室内でおしゃべり。その様子を通りすがりの人も眺めて、楽しそうに使われている場所だなと感じてもらえたようです。

　ここで大事なことは、住民の方が「○○してみたい」「○○していいのかな?」と思ったとき、気軽にパッと相談できる関係性がそこにあることです。ビニールプールは明確に禁止されているわけではないけれど、水もこぼれるし、子どもたちも大声を出してしまうもの。だめだと言われるかもしれないけれど、とりあえずあの人に聞いてみよう。そう思える関係性があることで、その場所に新たな使われ方が生まれます。さらに、その様子を見た周りの人がまた新しい使い方を思いつくかもしれません。そうした積み重ねによってまちの人々が「自分たちの希望が相談できる

皆で作ったピザ窯

場所だ」と感じ始めれば、その場所への愛着が生まれていくでしょう。愛着が生まれるとよりその場を活用するようになり、いっそう「まちの人々の個性が場所に反映」され、さらに愛着も深まっていくという好循環が生まれます。

さて、次は運営者やスタッフの個性が場に映し出されていった話をご紹介しましょう。

まず前提として、ネイバーフッドデザインにおける「場所」では、友人管理のあり方からもわかるとおり、運営側と利用側の両方の立場を兼ね備えて関わる方が多くいます。そういった方々にも、運営に関わるなかで積極的にそれぞれの個性を場所に反映してもらうことで、利用者としても長く愛着をもって通ってもらえる場になっていくと考えています。

たとえば「まちのね浜甲子園」のコミュニティカフェ「OSAMPO BASE」では、内装のDIYを近所の大学生有志と協働で行いました。カフェのコンセプトなど大枠の方向性が決まった段階で、近所にある大学でDIYに興味のある学生を募り、その学生たちと週1回集い、4か月にわたってDIYでお店をつくっていくプロジェクトを実施したのです。11名の学生が集まってくれたのですが、チームもそれぞれの興味や好きなことをもとに編成。内装プランニングのチームや、手を動かして家具などを制作するチーム、またロゴ制作などデザインチームなどに分け、それぞれのチームが提案してくれた内容を全体で議論しつつ、作業を進めていきました。

華道を習っている学生は、内装の中にも花を取り入れるアイデアを出してくれ、ガラスの中にフェイクグリーンを配置したインテリアをチームメンバーとともに制作。また書道が得意な学生は、お洒落なレタリングを施した立て看板を作ってくれました。いずれも今の「OSAMPO

コミュニティカフェの内装を近所の大学生がDIY

ＢＡＳＥ」を構成する大切な要素ですが、本人たちがいなければ入ってこなかったエッセンス。個性を持ち寄り、それを反映することで場所としての広がりが出たと感じます。

さらに、関わってくれた学生たちもオープン初日には店員として手伝ってくれ、その後もお客さんとしてたびたび訪れてくれています。ひとりはその後「まちのね浜甲子園」の広報紙にも携わるようになり、それらの経験を実績として、もともと希望していたまちづくり関係のデザイン会社に就職しました。

参加型のＤＩＹで場づくりをする企画は近年めずらしいことではないと思いますが、こうした機会にネイバーフッドデザインの視点から大切にしているのは、その時だけ関わってすぐ解散する関係性ではなく、プロジェクトのゴールやコンセプトを共有したうえで、つくるプロセスに入ってきてもらうことです。

同じゴールに向かって対話を繰り返していく

ことで、信頼関係も少しずつ深まり、安心して個性を出せる環境につながっていくと言えるかもしれません。

最後に、まちの住民の方々が有償スタッフとして、個性を発揮したお店づくりの事例をお伝えします。

「OSAMPO BASE」は現在、まちの住民の方々がスタッフとして主体的に運営。仕込みが好きな人、発信が得意な人、未知の料理にチャレンジする人、お客さんとの会話が上手な人。それぞれ得意分野が異なる個性豊かなスタッフが揃っているのが特徴です。このような背景もあり、お店のルールをかっちりと決めるのではなく、**スタッフ一人ひとりの「得意」や「好き」を活かしながら、ルールや仕組みを整えていく**方針で運営を続けています。

コロナ禍でテイクアウトの需要が増えるなか、60代の女性スタッフ、通称さっちゃんの考案で始まった「さっちゃん弁当」もそのひとつです。さっちゃんは人に喜んでもらうのが大好きな人。そして「こんなものできないかな？」と声をかければすぐにチャレンジして試作するようなフットワークの軽さを持っています。お客さんとの会話から得たリクエストに応えているうちに、いつのまにか新メニューとしてお弁当を始めることになっていました。

お弁当の中身は、「動物性の食材は使わず、でも食べごたえはたっぷり」というお店の基本方針は守りつつ、天ぷらや春巻き、和風や中華のお惣菜などお弁当ならではのおかずがぎっしり。通常メニューでは「こだわりパンとフレッシュ野菜」を基調にしているので、少しカラーの違う商品と言えるかもしれません。でもお店としては「個がいることで成立するメニューがあってもいい」と、スタッフそれぞれのアイデアを積極的に取り入れ、反映するようにしています。

こうした「場所のあり方」を土台とすることで、スタッフの方々もよりその場に愛着を持って関わることができます。そしてリクエストに柔軟に応えてくれるスタッフがいることは、まちの人々にとっても、その場所への愛着を育むことにつながります。

ルールや標準化など「こうあるべき」にとらわれすぎず、思い切ってそれぞれの個性を活かし合う。そこに重きを置くことで、他にはない、そのまちならではの「場所」が見えてくるのです。

本章のポイント

- 「場所」は人の気持ち・行動に大きく影響するとともに、まちに長期間「あり続ける」性質を持つため、人々のつながりを支える基盤となる。
- 場所から考えず、まちの未来像やゴール、コンセプトに基づいて、それを実現する場所のあり方を考える。
- 管理側・利用側の関係ではなく、ほどよい距離感のスタッフによる「友人管理」が、つながりを育むのにとても重要。
- 場所が実際にどう使われているか、どう使いたいか、人々の声をハード面や運営に反映していくことが大事。
- 整えすぎないこと、行動を自由にするルールや指針をつくることで、居心地がよく、人のつながりが生まれやすい場所ができる。

▼関わる人の個性を反映することで、場所の魅力は高まり、人々の場所への愛着も深まっていく。

第7章 見識のデザイン

ネイバーフッドデザインの根幹にあるのは、まちの人々にゆるやかな助け合いの関係性と仕組みを育むことで、地域課題、ひいては社会環境問題の解決に貢献したいという思いです。対象とする課題は幅広く、防災・減災や環境問題など全員が当事者となるものから、子育てや高齢者の問題などライフステージによって関わりの度合いが異なるものまでさまざまです。

課題解決を実現していくために欠かせないのが、「見識のデザイン」です。

暮らしの中の困りごとやまちの課題は、そもそもそれにまつわる知識がないと「気づく」ことができません。さらに知識だけでなくそこに「体験」が伴うことで、「自分ごと」としての理解が深まります。そして理解が深まることで、困りごとや課題についてよりリアルに想像できるようになり、自らの具体的な行動にも結びつけることができるようになるのです。また課題に対する想像力が高まれば、その課題に関わる人々の気持ちにも寄り添いやすくなるでしょう。

情報としての「知識」を持ち、それを自分自身で「体験」して理解を深め、自らの具体的な行動に結びつけることができるようになること。「知識×体験」を経て得られる物事の本質的な見方や、それをもとに主体的に考えられる力、いわば「見識」が課題解決には求められます。私たちが単に知識のデザインではなく「見識のデザイン」と呼んでいるのは、**知識や気づきをもとに、主体的に考え、行動できる力も含めて高めていくことが大切**だと考えているからです。

まちの人々が見識を高められるように、ネイバーフッドデザインの視点から意識的に行っていることは何か。知識や体験をどう提供し、専門機関とのネットワーキングをどうはかっていくのか。課題への取り組みを持続可能なものにするために行っている工夫は何か。以下ではこうした点について紹介します。

図 7.1　見識のデザイン

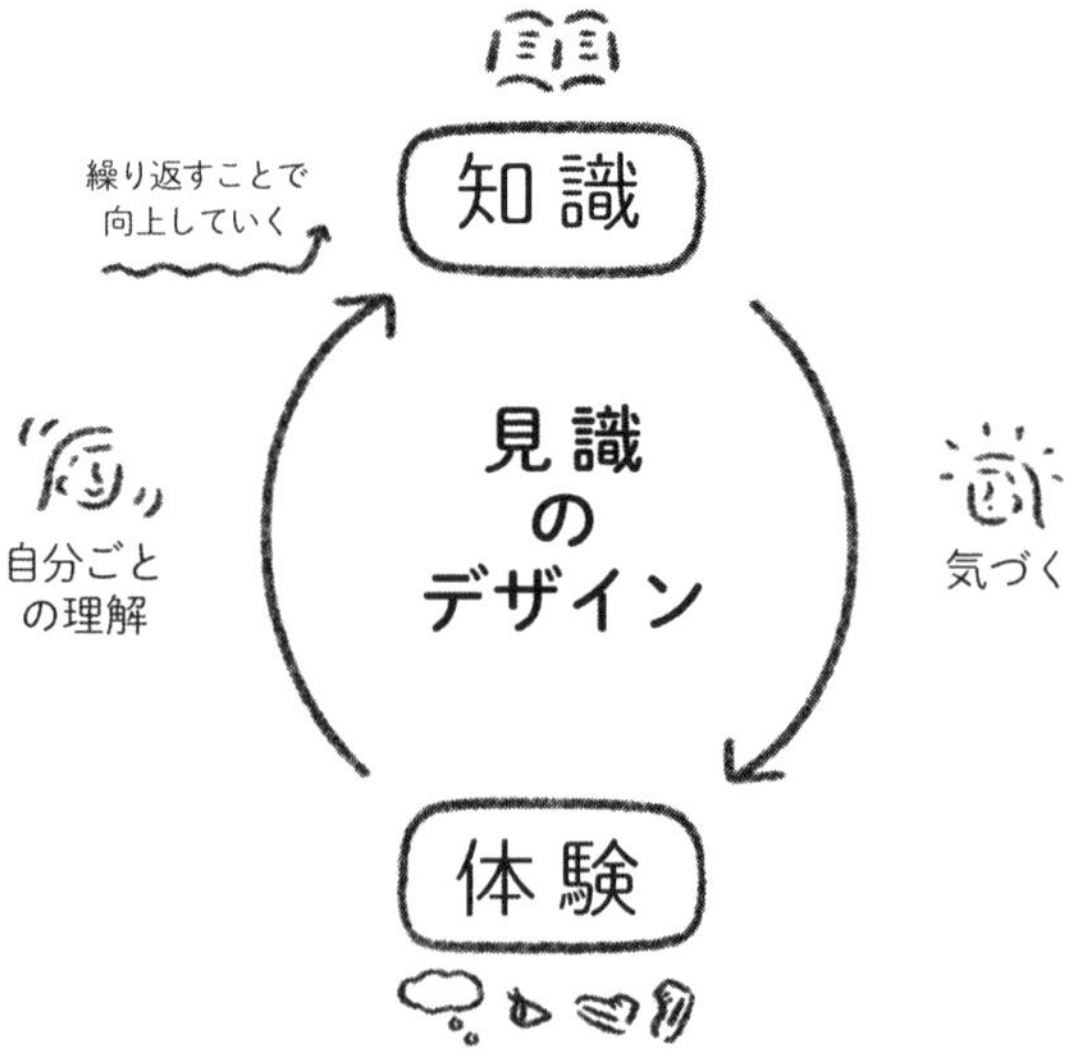

①「気づく」ための知識をちりばめる

見識を高めていくために、その前提として「知識」を持つことは非常に大切です。まずは「知る」ことで、自分や周囲の抱えている問題に「気づく」ことができるようになるからです。

一例をあげると、児童虐待を受けている子どもやその親に見られる特徴や、そうした家庭に必要な支援の知識があれば、近所で疑いのある家庭に接したときにその可能性に気づき、必要に応じて児童相談所などの専門機関へ連絡し、支援につなぐ（少なくともその必要性について思いをめぐらせる）ことができるでしょう。

知識がなければ、同じ日、同じ言動に接したとしても、それが問題だと「気づく」ことができません。子どもの表情や服装、言動などについて知識があれば「あれ、もしかしたら？」と思えるヒントが見えていても、知識がなければ「そこを気にする視点」がそもそもないのです。**まずは「気づく」ことができるようになるために、知識を持つことは非常に大切です。**

なお、それぞれの家庭が置かれている環境や背景を理解するという意味では、ひとり親家庭やステップファミリー、里親・養子縁組家庭など多様な家族のあり方について知ることはとりわけ重要です。地域によっては、そうした家庭に対する理解がまだ乏しいのも実状。そんななかで一部の価値観だけに基づいてまちの人々のつながりを育むことは、一歩間違えばそうした家庭をよりいっそう孤立させ、追い込んでしまう危険性もあります。助け合えるつながりを育んでいくためには、まず互いを理解しようとする寛容な価値観を育むことが大前提として必要です。

ネイバーフッドデザインを行ううえでは、運営スタッフはもちろん、**まちの人々が多様なあり方への知識を持つことが欠かせません。**

そのためHITOTOWAでは、まちの人々にさまざまな課題にまつわる「知識」に触れてもらう機会をつくるようにしています。

イメージしやすい例では、チラシやフリーペーパーなどの広報物に課題に関するコラムを書いたり、イベントなど人が集まる場で情報提供したりすることが挙げられます。たとえば、防災ワークショップなど課題自体をメインテーマにしたイベントやワークショップを企画することもありますし、交流や趣味がテーマの楽しいイベントの場でも、その冒頭ではまちの課題について触れるプレゼンテーションを入れるようにしています。こうした取り組みは、すでに行われている所も多いかもしれません。

ただ、私たちがもっとも大切にしているのは、そういった**不特定多数への発信だけではなく、対個人の会話のなかに**、**課題にまつわる知識をちりばめていく**ことです。

エリアマネジメント組織「まちのね浜甲子園」では、スタッフが意識的に**雑談のなかでまちの現状や課題に触れる**ようにしています。

たとえば、まち周辺でマンションや団地がどんどん建て替えられている状況を踏まえて、「あのマンションにはファミリー層がたくさん入ってきますけど、こっちのマンションは団地の建替えなので、高齢の方ばかりで半分以上はひとり暮らしの方々なんですよ」といった住民層の現状を、若いファミリー世帯の方にもさりげなく話して知ってもらう、といった具合です。

また、コミュニティスペース「HAMACO：LIVING」には学校の放課後、子どもたちが集まってきますが、その様子を外から見ている年配の方がいれば声をかけ、「最近は共働きの両親の家が多くて、放課後はなかなか子どもたちが安心して過ごせる場所がないんですよ。それでここが、子どもたちの居場所や、宿題をする場所として役に立っているんです」といった話をすることもあります。

そんなふうに、**直接的には自分に接点のない事柄についても、雑談のなかでさりげなくまちの現状を知ってもらい、少しでも関心を持ってもらう**のです。まちの人にも、「ここに来るとなんとなく、知らなかったことを知ることができる」感覚になってもらえるといいなと思っています。

また別のコミュニティ拠点では、運営スタッフが入室する際に、近況や最近の「気づき」を互いにシェアし合う時間をつくり、その中に社会環境課題に関する話をちりばめていく工夫をしています。たとえば親の介護をしている人はそこでの気づきを話したり、最近子どもが生まれた人は子育てにおいての発見を話したり。スタッフが「こういう視点があることに気づいた」という話を共有することは、他の人がその視点について「知る」きっかけとなります。気づきを継続的に共有する場があることで、スタッフの視野が広がり、お客さんに対しても課題への視点を持って会話ができるようになっていきます。

さらに広報物やプレゼンテーション、会話などすべての機会を通してですが、課題について一般的な話をするだけでなく、**その住宅や街区という単位での定量データに基づいて「自分たちの**

まち」の情報を伝えていくことも意識的に行っています。

たとえば行政の情報では町名単位の情報までしか出ていないところを「自分たちの集合住宅や街区レベル」で見てみたり、小学校区や徒歩圏内という切り口で数値化するとどうなるのかを紹介したり、住民へのアンケート結果から「このマンションの状況」を可視化して見せたり。一口に「知識」といっても、やはり自分たちの暮らすまちや建物に即した知識のほうが、ぐっと身近で説得力があるからです。

②体験と追体験の機会をつくる

知識を持つことで、課題に「気づく」ことができるようになる。ただ、課題解決のための行動ができるようになるには、「知る」から「わかる」への変化が必要です。その変化のために必要なのが「体験」や「追体験」。**体験を通して、単なる知識を「自分ごと」化する**のがポイントです。

たとえば「子育ては大変」「介護は大変」とよく耳にしてはいても、「何がどう大変なのか」「どんなときに困るのか」「何をサポートしてほしいのか」など具体的なことは、その立場になって体験するまでわからなかった、という人は多いのではないでしょうか。また、自分がその立場にならなくても、親しい友人から実体験を聞くことで、「そんなこともあるんだ」「自分は大丈夫だろうか」と想像が膨らんだ経験をお持ちの方もいると思います。

このように人は、ある課題にまつわる体験をしたり、体験した人のリアルな話を聞くなどの追体験をしたりすることで、課題への理解が深まり、その状況に置かれた人の心情に寄り添う想像力を持つことができるようになります。そこでネイバーフッドデザインの活動のなかでは、知識だけでなく、**体験や追体験の機会を用意する**ようにしています。

まずご紹介するのは、多摩ニュータウンの商店街活性化プロジェクトで進めている「オーガニック・エディブル・コミュニティガーデン多摩」。

これは、「商店街に隣接している小さな公園に何か新しい魅力を持たせることで、お店以外にも商店街に来てもらう仕掛けをつくれないか？　それによって、人々の動線上に位置する商店街をまちの資源として捉え直すことができるのではないか？」という考え方から始まった取り組みです。

企画チームとなったのは、周辺に位置する恵泉女学園大学で「園芸を通じた人々のつながりづくり」に取り組む人間社会学部 社会園芸学科の先生方、それから自身の設計事務所スタジオメガネを商店街内に構え、その一部を地域に開きながら地域とのつながりづくりに取り組む建築家の方、そしてHITOTOWAスタッフ。その三者で企画し、商店会会長や市の各所管担当者の協力をいただいて助成事業に採択され、市が管理する公園でありながらエディブルガーデンを設置できることになりました。

そもそもの前提として、一般的な公園では主に管理や安全性、公共性の観点から、収穫できるものやトゲがあるものなどは植えられません。その状況のなかで市の公園課や道路課と交渉を重ね、ハーブなど食べられるものや、触って香りを楽しめる植物も植え、小さな子どもからご高齢の方まで楽しめるガーデンをつくれることになったのです。

小さなお子さんを持つ保護者の方は、植物や土に対しても「子どもが触ったら危ない」と気を張っていることが多いもの。そこでこのガーデンで使う土には、肥料ではなく、近くの農場から購入した牛糞堆肥や発酵鶏糞、落ち葉から作った堆肥を使用し、小さな子どもでも安心して触れるように配慮しています。

一方でご年配の方が眺めて楽しめるゾーンを設けたり、車椅子に乗ったまま菜園作業が楽しめるレイズドベッド（立ち上げ花壇）のゾーンを設けたりと、多様な方が皆で一緒に園芸を楽しめる空間を設計していきました。ちなみに花壇のデザインは、恵泉女学園大学の学生さんが設計図をつくり、その図面をもとに地域の方々と一緒に植えて完成させたものです。

また気軽に園芸活動に携われるよう、園芸道具の収納スペースやコンポスト付きのベンチも整備。なるべく地域の方々が管理・活用に参加できる設備を用意しました。ガーデンの土づくりやお花の植え付け、レイズドベッドづくりも住民の方々との協働で実施。コロナ禍で思うように進行できないこともありましたが、２０２１年の秋にお披露目会を開催しました。これから住民の方々と一緒にガーデンを育てていく予定です。

なお、ガーデンの管理・活用には、付近に自由に使える電源や水道がないという課題がありました。そこで、大学教授の監修のもと、再生可能エネルギーの活用にも注力。具体的には、ソーラーパネルを設置した蓄電システムや雨水タンクの設置です。蓄電池は、いざという時の災害用にも活用できますし、花壇の手入れをしに皆で集まるときには、工具やライトの電源としても活

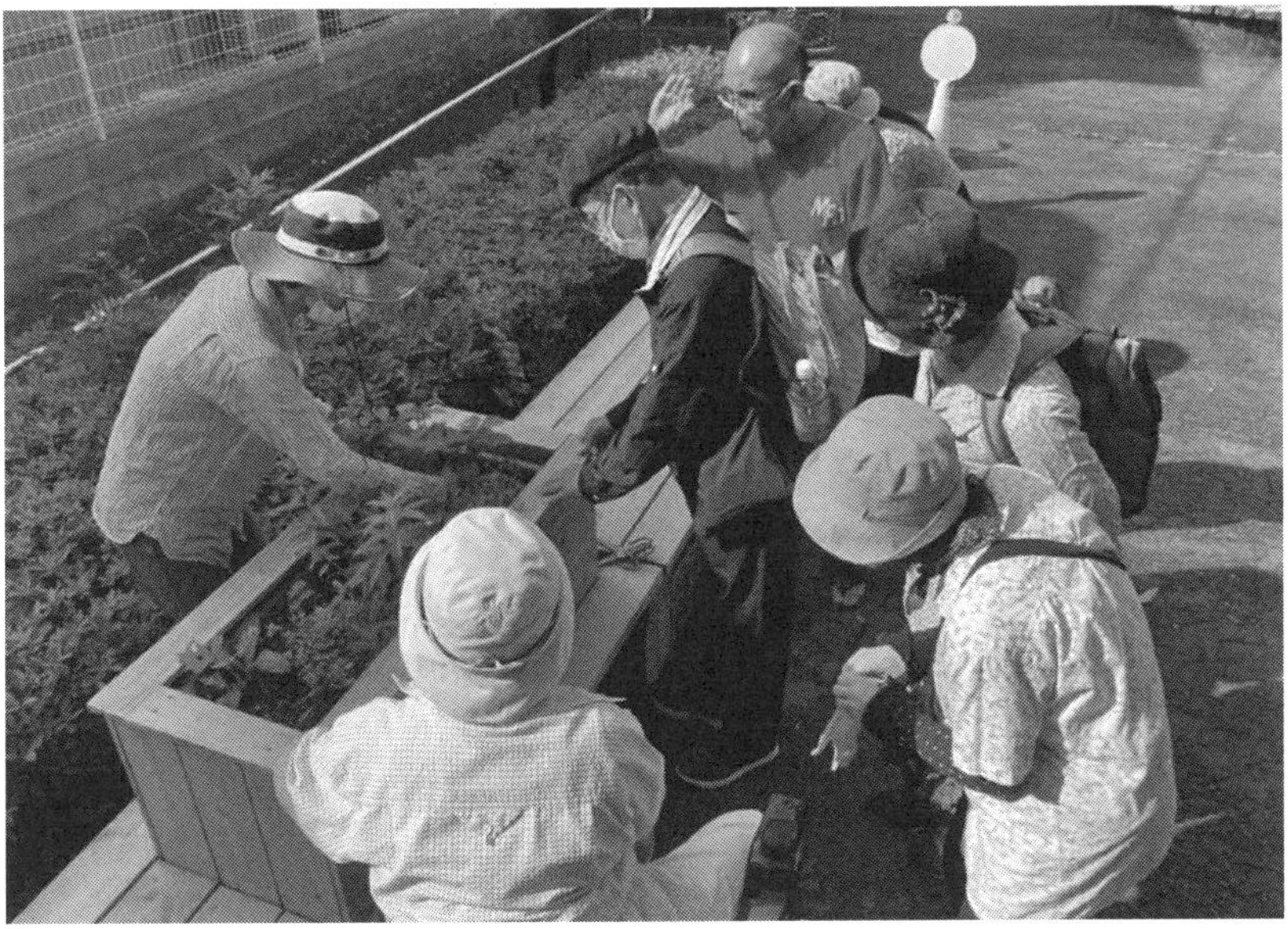
コミュニティガーデンでの花壇づくり

用できます。
さらに、再生可能エネルギーの活用システムを可視化するデザインに。「ソーラーパネルからこの線を通じて電気が来てここに蓄えられ、水はあの雨樋から雨水が流れてこのタンクに溜まって……」という仕組みを隠すのではなく、あえてすべて見せるデザインにすることで、再生可能エネルギー活用の流れを体感できるように設計しました。
コミュニティガーデンで生まれるこれらのさまざまな「体験」を通して、高齢の方や子どもたち、学生、障がいのある方など多様な人々の交流が生まれたり、自然に触れて食や環境への興味が高まったり、再生可能エネルギーの活用を目の当たりにすることで環境問題が身近になったりと、複数の観点から社会環境問題への理解が深まっていけばと考えています。すぐそばの商店街にあるコミュニティ拠点「健幸つながるひろば　とよよん」では、「収穫したハーブを使って、皆でハーブティーを楽しみたいね」など、体験をまちの人々に共有する構想も膨らんできているところです。

ご紹介したコミュニティガーデンの事例は「体験」の提供としてひとつの理想的なデザインではないかと考えています。ただ、すべてのまちで、すべての課題についてこのような実体験を提供するのは難しいかもしれません。そこで私たちが行っているのが「**追体験の機会づくり**」です。

まず防災・減災に関しては、復興支援に通うなかでの気づきを踏まえ、一般社団法人復興応援団代表の佐野哲史さんら東日本大震災の発災直後から現地で活動されていた方々を通じて、また私自身もなるべく現地に通って、実際に被災された方の声に触れることを大事にしながら活動内容を考えてきました。被災者の声をもとに備えを考える防災ワークショップ「大災害のリアル」は、私たちが各地で積極的に行っている追体験の機会づくりのひとつです。

従来の防災情報は、「(災害に備えて／災害が起きたら) こうしましょう」と、とるべき行動だけを伝えるものが多いと感じます。しかし、とるべき行動が示されているだけでは、自分で想像力を働かせることがなく、その防災情報以上の見識は得られません。

一方で、「災害時にはこういうことが起きて、実際に被災した人たちはこんな状況になりました。では、皆さんの環境だとどうなりますか?」と問いかけられたらどうでしょうか。あたかも自分たちが被災したような感覚になり、「そのとき、どうしたらいいのか?」を考えることで、自分自身の問題として意識が高まっていくはずです。被災を追体験し、それを乗り越えるにはどうしたらいいかを考える過程があって初めて、「だからこそ、（災害に備えて／災害起きたら）こうしましょう」という情報が本当に生きるのです。

たとえば、備蓄にも関連する「食糧」というテーマ。東日本大震災では、遅いところでは十数日目に初めて食糧の配給がありました。配給があるまでは、食糧は自分たちで調達し、分け合うしかありません。宮城県各所の避難所運営に携わっていた方へ行ったインタビューでは、「初日はパン半切れをお年寄りに、1／4を子どもに分けただけ」「観光客や自宅に備蓄をしていない学生などが食糧を求め避難所に多数来たため、想定していた備蓄では全然足りなかった」「きざみ食などは配給されないため、お年寄りの中には配給された食糧を食べられない人もいた」「炭水化物のメニューが1か月以上続き、野菜不足で栄養が偏りがちに」などリアルな声が寄せられています。

これらの声に触れるだけでも、ただ「備蓄は大切」と伝えるよりよほど、具体的な備蓄のアクションにつながるのではないでしょうか。もちろんご紹介したのはほんの一例に過ぎません。実際の防災ワークショップでは食糧だけでなく、大震災時の逃げ方など命を守ることから、避難所生活のこと、トイレ、水、物資、医療、あるいは水害や火事への備えなど、さまざまなテーマを網羅的に扱っています。

被災された方の声に触れ、災害を追体験することで、漠然と眺めていた防災情報の意味がよりリアルにわかるようになる。すると自分や家族はいざというときにどう行動するか、また日頃からどう備えておくかというアクションについても当事者意識を持って考えられるようになります。

ワークショップ参加者の方々の変化を見ていると、大災害のリアルを追体験することの大切さを実感します。

また子育てに関しては、先輩パパ・ママたちの経験の共有を行う機会を積極的に用意しています。

たとえば「まちのね浜甲子園」では、「はまこー情報局 どこいこ?保育所/幼稚園」というイベントを毎年開催しています。「保育所や幼稚園を決めたいけれど、引越してきたばかりだし、選択肢も多すぎて、どう決めたらいいのかわからない」。そんな保護者の方々が大勢いるとわかり、合計20の保育所・幼稚園の在園児をお持ちの方々に集まってもらい、自分の子が通っている施設について話してもらうイベントを企画しました。

毎年どの方も、自分が数年前に欲しかった情報を、今悩んでいる保護者の方に対して惜しみなく提供してくれます。そして参加者の方は、数年後には次の情報提供者として、下の世代への情報提供に協力してくれるのです。そんなふうに、まちのなかで助け合う仕組みのひとつとしても機能していると感じます。

また「まちにわ ひばりが丘」では、「まちにわリビング」という子育てひろばが定期的に開催されています。内容は、親子連れが集って歌や手遊び、工作などを楽しむというシンプルなもの。当初はエリアマネジメント組織のサポーターで保育士経験や子育て経験のある方をホスト役として始まったこの「まちにわリビング」は、地域に根ざした子育て情報を得られると好評です。参加を機に、育児に関して困ったときサポーターの方に相談に行くなどの関係性も生まれています。

開催を重ねるうちに参加者と主催者の境界も徐々に溶け合い、今では皆でゆるやかに参加・運営を行う場になっているようです。

単なる情報としての知識は、体験や追体験を経ることで、より身近な「自分ごと」になります。「知る」ことで「気づく」ことができるようになるように、自分ごととして「わかる」ことが、能動的な「行動」につながります。**体験を通した本質的な理解は、課題の解決に向けた行動を生む原動力になるのです。**

さて、ここまでは「経験者との接点づくり」による追体験のエピソードをご紹介してきました。最後に、**私たち自身が経験者や専門家の翻訳者**となり、追体験を与えられるような存在になっていったエピソードにも触れたいと思います。それは、コロナ禍におけるオンラインでのコミュニケーションについてです。

コロナ禍が本格的に社会のあり方を変え始めた2020年の初め、人々は対面で会うことが難しくなり、会議やイベントからサークル活動まで、それまで当然だったコミュニケーション方法がとれなくなるという課題に直面しました。ネイバーフッドデザインを手がけている私たちもまた、早急に対面以外のコミュニケーション方法を見出していかないと、外出自粛の状況下、人々の孤独感をより高めてしまう危険性があると感じました。

そこでHITOTOWAでは各方面のオンライン化にいち早く取り組み、その経験を各エリアマネジメント組織のスタッフや、理事会や管理組合、また住民サークルなどに提供してきました。たとえば、2020年3月中旬から速やかに「完全在宅ワーク」への切り替えを実施。社員全員が完全在宅ワークを行うなか、オンラインでの会議運営をスムーズにするための細かなノウハウをどんどん蓄積していきました。また、在宅ワークでは雑談や気軽な相談などのコミュニケーションが取りづらいという課題に気づき、社員の発案で「バーチャルオフィス」というオンライン上のコワーキングスペースのような試みを開始。並行して、オンラインイベントについてまだ知見が広まっていない当時の状況下、率先して情報収集を行い、社内でもトライアルを重ねていきました。それらの知見をもとに対外的なオンラインイベントについても実績を重ね、オンライン上でのコミュニケーションについてできる限り早く、多くの知識と経験を獲得していったのです。

そうして得られた経験を、マンション管理組合や理事会、コミュニティ委員会などに積極的に共有していきました。たとえば当時、マンションでは「コロナ対策のことを話し合いたいけれど、集まって話し合えない」という状況が。今でこそ年配の方々にもオンラインの取り組みが普及しつつありますが、当時はそもそもそういったツールを知らず、知っていてもやり方がわからない理事や委員の方も大勢いました。そこで私たちが得た経験を共有し、サポートすることで、理事会やコミュニティ委員会もオンライン開催できるようになったケースが多々ありました。

なおオンライン会議といっても、たとえばスマートフォンで参加する人もいるから、資料は画面共有に頼りすぎず事前にメール、場合によっては投函で共有しておくなど、ビジネスとは異なるまちの活動ならではの注意点もあります。

また「バーチャルオフィス」も、社内で心身の健康維持やコミュニケーション活性化などの効果を実感したことから、運営しているエリアマネジメント拠点でも同様の仕組みを導入。急激な社会変化で漠然とした不安や孤独感の高まりやすい状況下、スタッフ間のコミュニケーション不足を補い、状況の改善をはかることができました。

そうしたオンラインを活用したコミュニケーション経験の共有に加え、コロナ禍当初はいくつかのコミュニティ拠点において、行政や医療機関による発表、また海外のまちづくり団体のヒアリングをもとに、その情報を噛み砕いてマンションやエリア向けの広報物に掲載して共有するなどの取り組みも行いました。

またあるマンションでは在宅ワークの住民が増えるなか、「適切な距離を保って密を避ければ、共用部でも在宅ワークを行って大丈夫ですよ」との情報を発信したところ、実際に共用部を仕事場として活用する方も出てきました。やみくもにすべてを禁止するのではなく、「感染症対策の基本『正しく怖がる』を大切にしながら、コミュニティ全体で心身の健康を保ちつつ、コロナ禍を乗り越えていきましょう」とメッセージを発したのです。

これらもまた、**専門家の情報にスタッフが接するだけでなく、それを追体験できる形に「翻訳」し、まちの人々にも発信する**ことで見識が広まっていった事例だと思います。

③課題解決型のチームをつくり、見識を深めていく

課題に「気づく」知識を持ち、体験や追体験によって「具体的に行動する力」が育まれてから重要なのは、その**課題について明確な目的を持ったチームやプロジェクトをつくり、そのなかで**

より見識を深めていくことです。

一人ひとりの行動も大切ですが、チームやプロジェクトの形をとることで、まちやマンションといった単位で課題に向き合うことができ、取り組みの内容や規模も広げていきやすくなります。またチームメンバーがいれば困ったときに相談でき、互いに支え合うこともできるでしょう。

暮らしにまつわる課題は、一時的な取り組みで解決できるものではありません。だからこそ、チームやプロジェクトをつくり、そのなかで見識を深めていくことで、活動を安定的、かつ持続的なものにしていくことは非常に重要なのです。

なお課題解決型のチームビルディングについては、「主体性のデザイン」の「まちの課題への共感は、主体性の連鎖を生む」でも少し触れています。

チームやプロジェクトの組成に携わるとき、ネイバーフッドデザイナーとしてできることのひとつは、先述したような**チーム立ち上げのサポートやメンバーのネットワーキング**です。

さらに、「課題解決型のチームビルディング」のサポートという視点ではもうひとつ、**課題についてしっかりと見識を深め、ある程度の専門性を必要とするアドバイスができる**ことが重要だと考えます。

まちの人々に対して「見識のデザイン」を手がける側にいる人々ならば、完全な専門家にはなれなくても、少なくとも専門家が言っていることを読み解き、まちの人々へわかりやすく翻訳し、正確なアクションに落とし込んだり、アドバイスができるくらいの見識は身につけておかなければなりません。HITOTOWAでも、社員は少なくとも自分が一番関心のある地域課題・社会環境問題については日頃から勉強、そして実践することを大事にしています。

先の「まちにわ ひばりが丘」の防災委員会では、担当していたHITOTOWAスタッフが被災地に通っていたこともあり、活動を進めるなかで住民メンバーだけではわからないことがあれば、すぐに相談できる環境がありました。また担当スタッフも自分の知識でわかることはその場で答えつつ、自分の知識や経験でわからないことは防災の専門家に話を聞くなどして、その回答を噛み砕いてチームに伝えるという翻訳の機能も果たしていました。**メンバーのネットワーキングと、課題に関するアドバイスという両面を行うことが**、**課題解決型のチームビルディングのポイント**です。

最近でも、その防災委員会が取り組んでいる防災マニュアルづくりに関して相談を受け、私たちが構成や内容、発信方法等についてアドバイスするといった関係性が続いています。また彼らは自分たちのマンションだけでなく、近隣の他のマンションとも防災の情報交換を積極的にしていこうと考え活動しています。

では、その防災委員会のメンバーはどのように自分たちで見識を深めているのでしょうか。ひとつの鍵は、**メンバーの方々が積極的にオンラインを活用して相互学習をしている**ことです。

従来の地縁組織の防災委員会は、「月に一度集まって会議をする」ような運営方法が一般的でした。しかしこの頻度では、インプットできる情報量も、意見交換の量も限られます。そこで「まちにわ ひばりが丘」エリア内のマンション防災委員会では、早い段階から連絡にチャットツールを活用。グループを作成し、他地域における防災事例や、近隣の防災情報、防災関連の書籍やテレビのおすすめなど、さまざまな情報を気軽に、リアルタイムで共有しています。また防災士の資格を持つＨＩＴＯＴＯＷＡスタッフもグループに入っているため、メンバーも何か疑問があれば、気軽に質問することができます。

オンラインのよいところは、各自が自分のペースでアクセスできることです。まちの活動は、それぞれ別の仕事で忙しい人たちが兼任することが多いもの。だからこそ効率化できるところは効率化し、負担はできる限り少なく、持続的な仕組みを整えることが大事です。さらに、メッセージでのやりとりは記録が残り、後から遡ることもできます。途中から加わった人にもこれまでの過程が見えやすいことも、見識が分断されずに引き継がれていくうえで大切なポイントです。その防災委員会では、専用ホームページを立ち上げてマンション住民が閲覧できるようにする、議事録もそこで共有するなど、連絡手段以外にも積極的にＩＴ活用を行っています。

また、見識を深めているのはオンラインの情報交換だけではありません。たとえばマンションの防災設備点検には防災委員会のメンバーが分担して取材に行き、「これはどういうふうに動くんですか？」など、専門会社に自分たちで直接質問。さらに、そうして得た見識を「防災かわら版」としてわかりやすく紙面化し、マンション掲示板への掲示やホームページを通して、住民に共有する取り組みも継続しています。まさに知識＋体験・追体験を実践し、マンション住民全体の見識を底上げしていると言えるでしょう。

従来の防災委員会のイメージにとらわれず、オンラインとオフラインを組み合わせた柔軟で先進的な活動や運営方法には、私たちも見習うべきものがあると感じています。

なお、防災委員会は私たちが伴走支援をした事例ですが、HITOTOWA自らも課題解決型のエリアマネジメント組織の事業展開に携わっています。現在関わっているのは、子どもの教育機会や居場所に課題があるエリアで、その課題を解決するためのエリアマネジメントを行政やデベロッパーと行うものです。デベロッパーの事業ノウハウを活かして地域の不動産・建設事業者と連携し、商店街のリノベーションを行い、その場所を教育支援NPOが活用することで、子どもたちの教育機会や居場所づくりを実現したいと考えています。課題解決型のチームビルディングは、まちの人々の見識を底上げしていくためにも、今後私たちがより力を入れていきたい分野です。

④専門家・専門機関とつながりやすくする

チームやプロジェクトを組成し、まちとして課題に向き合うなかで必要なのは、それぞれの課題に関する専門家や専門機関との連携です。住民の方々が課題意識や基礎的な見識を育めたとしても、やはりその道の専門家とは知識・経験の量、視点が異なるからです。自分たちでは解決できない課題も、専門家のアドバイスがあることで解決へ結びつく可能性もあります。

専門家・専門機関とつながるには、2つの方向があります。

ひとつは「専門家・専門機関→まちの人々」の方向。専門家のなかには、一般になじみのない用語を使ったり、難しい前提条件を置いたりしながら情報提供をしてしまいがちな方もいます。また専門家の話は情報量が多く、もっとも伝えたい重要なポイントが一般の人にはわかりづらいことも多々あるものです。そこでネイバーフッドデザイナーには、「**専門家の話を理解し、話の本質を抽出し、それを噛み砕いてまちの人々にわかりやすく伝える**」役割が求められます。これは前項でも触れたところです。

もうひとつの方向が、「まちの人々→専門家・専門機関」の方向です。そもそも普段の生活のなかでは、課題の専門家・専門機関に接することは少ないもの。子育てや介護など、自身や身内に課題があり、専門家に相談してみたいとの思いが頭をよぎっても、自ら連絡先を調べ、アポをとってなじみのない場所に相談に向かうのは、なかなか難しいのではないでしょうか。

図 7.2　専門家・専門機関とつながりやすい状態にする

だからこそ、**まちの人々が日常生活を送るなかで、自然と専門家や専門機関と関われるような状態をつくる**ことがネイバーフッドデザインでは求められます。

「健幸つながるひろば　とよよん」の場のあり方もまさにその一例です。とよよんでは、コミュニティスペースの奥に居宅介護支援事業所を併設。そこにケアマネジャーの方々が勤務していることで、ふらっとコミュニティスペースに遊びに来た方が気軽に専門職の方とつながれる場が実現されています。

神奈川県川崎市の子育て応援賃貸マンション「フロール新川崎」で行っている、マンション1階の認可保育園との接点づくりもよい例です。

手続き上、認可保育園は、同じマンションの住民だからといって優先的に入園できるわけではありません。マンションに保育施設が入ることは多いものの、マンション住民の方が入園できるかは運次第。そのため、意外とその保育施設とマンション住民にはつながりがなく、ある種の断絶状態にあることが多いのです。

せっかく保育のプロが同じ建物にいるのに、断絶されているのはもったいない。そこで「フロール新川崎」では入園の有無にかかわらず、マンション住民と1階にある保育園の間にゆるやかなつながりをつくっていこうと考えました。

具体的には、まず入居者向けの子育て交流会をあえてその保育園のなかで実施させてもらい、園長先生や保育士さんにも参加してもらうことで、マンション住民と園の先生方が知り合うきっかけをつくりました。そのなかで、保育園では「一時預かり」も行っていることを説明してもらったところ、一時預かりはその後住民の方によく利用されるようになったそうです。次第に、私たち主催のイベントだけでなく、保育園の先生方が独自にマンション住民も参加できるイベントを企画してくれるような関係性に発展していきました。

育児に関しては身近な人と気軽に雑談できる関係性も大切ですが、専門職の方に相談したい悩みを抱えている保護者の方々も多いものです。その保育園に預けていない保護者の方でも、園長先生や保育士さんと顔見知りの関係がある状態は、日々の育児生活の安心感につながるのではないでしょうか。

さて、ここまでは高齢者の課題や育児の課題についての事例をご紹介しましたが、最後に、複数の分野における専門家・専門機関と、総合的な取り組みをしている直近の事例にも触れておきたいと思います。

大規模マンションを中心としたさいたま新都心のプロジェクト「SHINTO CITY」では、このマンションのある地域で活動するさまざまな分野の企業・団体を協働パートナーとし、プログラムの設計段階から連携してネイバーフッドデザインを進めています。

たとえば、「子育てしながら自分育て」のコンセプトのもと育児中の女性の活躍を支援する合同会社ままのえんとの協働で親子向けイベントを実施したり、「都会で暮らしながら触れ合える田舎体験」を提供する一般社団法人INAKA PROJECT（イナカプロジェクト）と一緒に田植え体験プログラムを提供したり。「0歳から一生涯の健康づくりに貢献する」を経営理念にスポーツクラブ・フィットネスクラブを展開するセントラルスポーツ株式会社は、子どものかけっこ教室や、高齢者の介護予防体操のプログラムなどを提供しています。その他にも、小中学向けプログラミング教室SMILE TECHとの協働による子ども向けプログラミング体験、対話の場づくりを通じた課題解決を行うNPO法人bond placeとの協働による、子どもも大人も遊びながら未来のまちを考えるワークショップなども実施。また、Jリーグの大宮アルディージャが、Jクラブの社会連携活動の一環として、次項で紹介するサッカー防災®「ディフェンス・アクション」の取り組みにて協働しています。

私たちだけでは提供できない知識×体験（＝見識）も、同じまちに根ざして活動しているいろいろな専門分野の方々と協働することで、多様なテーマ性を持ったプログラムとして提供できます。「SHINTO CITY」における私たちの伴走期間は3年間の予定ですが、その後もまちのなかでつながりが続いていくために、**住民の方々とまちの企業・団体との関係性をしっかりと築き、つながりの基盤を残していく**ことは非常に大切なミッションだと考えています。

⑤意外性のある楽しさを取り入れる

チーム化、プロジェクト化して課題に向き合うことはメリットも大きい一方、効率化を重視していくと、ゴールに直結しないことを排除しようとする作用も働きます。もちろん効率的に進めることも大切ですが、それだけでは精神的な負荷が大きく、続けていくうちに疲弊してしまうことも少なくありません。

そこで私たちが「見識のデザイン」の視点からも大事にしているのが「楽しさ」です。

いかに課題解決型の取り組みでも、やはり**楽しさが伴わないと活動は続いていきません**。また、**仲間を増やすためにも、楽しさは欠かせない要素**です。

ここでいう「楽しさ」とは何でしょうか。

たとえば課題解決型の取り組みでも、課題を全面に出すのではなく、楽しさを入り口に設計してみる。あえてちょっと、笑いの要素を取り入れてみる。ゲーム性を持たせたり、そこでしか見られない光景を皆でつくってみたり、いろんな人を主役にしてみたりして、自然に会話がしやすい空気をつくってみる――。

従来の課題に関する会議や勉強会、セミナーは「静かに黙って話を聞く」のが当たり前だったけれど、ここでは自由に発言していい、大声で笑ってもいい。そうしたちょっとした驚きや意外性を含むオリジナリティある取り組みが、見識のデザインにおける「楽しさ」です。

「**課題解決×楽しさ×意外性**」の取り組み例としてまず挙げたいのが、HITOTOWAが独自開発した、サッカー防災®「ディフェンス・アクション」です。

これは、サッカー・フットサルを通じて楽しみながら防災を学べるワークショップ。チームを作って勝ち負けを競い合う要素があり、参加者同士が仲良くなるので、共助の関係性を育むのにもとても効果的です。

たとえば「パス・ストック」というプログラムは、備蓄品リストを制限時間内にできるだけ多く覚え、サッカーのパスをしながらひとつずつ備蓄品を言い合い、多く言えたほうが勝ちというもの。ゲーム性を持たせることで子どもたちも楽しく、かつ真剣になります。なかには開催後、「子どもから自宅の備蓄品についてチェックされた。備えが足りていなかったので、家に帰ってすぐに準備したい」という保護者の方も。具体的なアクションにつながる声を多く耳にしています。

そもそも「ディフェンス・アクション」を開発した背景は、まじめな防災ワークショップを開催するなかで、どうしても参加者層が限られる状況があったことでした。アンケートをとってみると、子育て世代は「子どもを守ろう」という意識から防災に対しての関心は比較的高い傾向にあるものの、まじめな防災会議は子連れでは参加しづらい、家に子どもを置いて参加するのも難しい……と参加のハードルが高い状況が見えてきたのです。また実際に防災訓練の際、子どもが飽きてしまい、途中で帰るといったシーンに出くわすこともたびたびありました。

そこで、大人も子どもも楽しく参加できる防災ワークショップをつくりたいと思い、開発を始めたのが「ディフェンス・アクション」です。開発開始から3年以上、試行錯誤を繰り返しながら、「課題解決×意外性のある楽しさ×共助のつながりづくり」を実現できるプログラムを練り上げていきました。今も参加した方から「親子で防災の話をするきっかけになった」と聞くことは多く、子どもを通して大人にも変化をもたらすプログラムになっていると感じています。

またディフェンス・アクションには、これまで多くのＪクラブやサッカー選手が関わってくれています。参加者にとっては、憧れの選手が防災について話してくれる体験が加わることで、より防災へ興味・関心が高まります。またＪクラブやサッカー選手からも、サッカーを競技以外の面で活用する教育的な手段として捉え直す機会になっていると聞き、その協働をありがたく思っています。

あるマンションでは地元のJクラブを招き、ディフェンス・アクションを実施。そのJクラブのコーチやマスコットキャラクターも来場し、かつ実施場所は廊下や各居室のベランダから見られるマンション共用部だったため、住民の方々から広く注目を集めていました。

最初はそのJクラブやサッカーへの興味から参加した方々がほとんどでしたが、開催後のアンケートでは「自身の備蓄品をこれから揃えたい」などの自助に関する声はもちろん、「マンション住民の皆で防災に取り組んでいく必要性を感じた」など共助の考え方に通じる声も。「楽しさ」をきっかけに、防災意識がしっかりと底上げされた手応えを感じることができました。

さらに、参加の有無にかかわらず行ったアンケートでは、参加せず様子を見ていた住民の方々からも「今後の防災イベントには参加してみたい」「サッカーを通して防災について学んでみたい」という意見が多々。参加した方々だけでなく、それを見ていた方々にまで楽しさが伝播し、防災への興味・関心が創出されていく効果を感じ、嬉しく思いました。

元日本代表級から現役のJリーガー、Jクラブ、そして実はFリーガーやラグビー選手など、これまで協力してくれた方々のおかげもあり、「ディフェンス・アクション」は拡大し、首都圏のみならず関西、九州にも広がりをみせています。ネイバーフッドデザインの一環としてマンションや団地で実施することもあれば、行政からの依頼で行う機会もあります。また学校の授業として行った例もあります。

さらに、2021年にはB.LEAGUE（公益社団法人ジャパン・プロフェッショナル・バスケットボールリーグ）と協働し、バスケットボール版の「ディフェンス・アクション」を開発

サッカー防災®ディフェンス・アクションの様子

しました。これにより、今までよりさらに多くの方に防災への興味関心を持ってもらえる可能性が広がりました。防災の興味を持つ仲間を増やす入り口として、たとえば野球のキャッチボールと防災をかけ合わせるなど、今後もさまざまな協働に力を入れていきたいと考えています。

意外性のある楽しさを大事にする、スポーツ以外の事例をご紹介します。

「SHINTO CITY」では、入居後初のイベントを住民参加型にするための工夫として、全戸にテーマカラーである4色の防災ハンカチを配布。季節柄、七夕にちなんでそれを玄関先で振ってもらい、皆でひとつの壮大な天の川を描く企画をつくりました。玄関先でそのハンカチを振ることで、隣と顔を合わせて挨拶や会話をするきっかけになり、マンション全体でも一体感を生むことができると考えたのです。できればこの催しを毎年1回、皆で4色の旗を振って全景を撮影するような恒例行事とし、ゆくゆくはその取り組みを自治会に引き継いでいければと構想しています。

このハンカチのアイデアは、災害発生時にその世帯が全員無事であることを知らせる「黄色い旗」から発想したものです。マンション全戸でカラフルなハンカチを振った経験や景色は、子どもたちにも楽しい記憶として残るはず。そして実はそれが安否確認にも役立つものだという情報を伝えていくことで、いざ地震などが起きたときに「あ、いつも振ってたあのハンカチを」と思いつき、玄関先に安否確認のハンカチを掲げるという行動につながることが理想です。防災訓練のように「災害」を全面に出した機会も大切ですが、それだけではなく楽しさを入り口にした機会を設けることで、より多くの人が日常のなかで課題への見識を高めていくことができると考えています。

課題を解決しようとすればするほど、最短距離を求めるあまり他の要素を削ぎ落としてしまいがちです。でも、課題をダイレクトに扱うだけでなく、ちょっとした「意外性」があるから楽しめること、そしてその「楽しさ」があるからこそ、継続していけることもあります。また「楽しさ」をきっかけに課題を知る人、興味を持つ人が大勢いるのも事実です。**持続的、かつ発展的な取り組みをしていく意味でも、「意外性」や、そこから生まれる「楽しさ」は欠かせない要素です。**

本章のポイント

- まちの課題の解決には、「知識」を持ち、「体験」により理解を深め、それを自らの行動に結び付けられる力＝「見識」が必要。
- イベント等のほかエリアマネジメント拠点等での日常の会話にも、まちの課題に関する知識をちりばめていく。
- 体験・追体験によって知識を「自分ごと」化してもらう機会をつくる。体験型のワークショップ、経験者との接点づくり等が有効。
- 課題解決の目的をもったチームやプロジェクトをつくることで、より見識を深めることができ、取り組みの内容や規模も広げられる。
- 住民が課題の専門家・専門機関とつながりやすい状態をつくることが大事。
- 人々に見識を広めるうえでは、意外性のある楽しさを取り入れることが不可欠。

第8章 仕組みのデザイン

まちの未来像からプロジェクトのゴールやコンセプト、そこから導かれる機会・主体性・場所・見識のデザイン、**すべてを統合する重要な位置づけにあるのが仕組みのデザイン**です。人々が助け合えるつながりが生まれ、育まれていく活動をデザインした後に大事なことは、その活動が持続し、コミュニティが経年良化していくこと。その**持続化・経年良化の基盤となるのが「仕組み」**です。

そして**仕組みは運営継続の基盤であると同時に**、**活動の「制限」である**とも言えます。というのも、財源や組織など「仕組み」を超える活動やモノゴトは起こりづらく、かといって一度つくった仕組みを変えるのには大きなパワーがかかるからです。

一方で、活動開始前から適切な「仕組み」が整えられていれば、その仕組みに沿って運営することで本来の活動に集中でき、コミュニティを質的に経年良化させていくことができます。このように長期にわたり今後の活動すべてに影響を及ぼしていく意味でも、仕組みのデザインは重要です。

仕組みという視点から考えたとき、いまのまちづくりで主に課題となっているのはどのようなことでしょうか。大別すると、**「協働」「財源」「組織」**の3つがあります。

まず「協働」は、行政、自治会・町内会などの地縁組織、管理会社といかに良好な関係を築き、それを仕組み化して長期的に運用していくか。まちづくりに携わる方々から、「行政とうまく信頼関係を築けない」という声をよく聞きます。またそれ以前に、自治会や管理組合、エリアマネジメント組織といったさまざまな地縁組織の位置づけをまちの人々が理解しきれない課題もあるでしょう。**「協働」という言葉はよく耳にするものの、具体的にどうすれば協働関係が築けるのかは一般化されていない**ように感じます。

次に「財源」は、活動資金をいかに生み出し、活動を持続させていくか。よく聞く声としては、「資金が足りなくて新しい活動への投資ができない」「雇用が創出できず、マンパワー不足に陥っている」などが挙げられます。財源についても多くのまちづくり関係者が課題感を持ち、関心を寄せているのではないでしょうか。**効果的な活動の持続化、そして「友人管理」を考えるうえで避けては通れない課題**です。

最後に「組織」をどうするか。本来、活動が持続化・経年良化していくためには、まちの未来像やプロジェクトのゴールをもとに、目的を達成すべく構成された組織体が必要です。しかし実際は、そうした過程をすっとばし、名ばかりのメンバーを集めてとりあえず構成するなど、「組織ありき」で走り出してしまうケースも多く見られます。また、近接する狭い地域に複数のエリアマネジメント組織が乱立している状況も。**そうした組織ありきの進め方では、まちのための活**

動になりません。

ここから、活動の持続化・コミュニティの経年良化を考えるうえで欠かせない以上の3点、「協働」「財政」「組織」について、それぞれどのような考え方で「仕組み」に落とし込んでいけばよいのか、そのプロセスにも踏み込んでお話ししていきたいと思います。

仕組みというと機械的なイメージを持つ方もいるかもしれませんが、私たちが何より**大事にしているのは、仕組みに落とし込んでいくまでの有機的なプロセス**です。人と人の関係性があってこそ、落とし込むべき仕組みの形が自然と導かれてきます。それはどういうことか、見ていきましょう。

協働の仕組み

ネイバーフッドデザインに取り組むなかで、さまざまな団体や人と相互に協力関係を築き、力を合わせていくことはとても重要です。ひとり、または一組織だけで行えることにはどうしても限界があります。各パートナーとの協働関係があってこそ、より大きな取り組みが実現でき、まちの人々の共助のつながりづくりも促進され、ひいては課題解決へとつながっていきます。

ここでは主に行政、地縁組織、管理会社について、それぞれとの関係性における陥りがちな課題を整理し、それをいかに乗り越えて協働の仕組みをつくっていくかを考察します。

まちづくりの文脈において「協働」という言葉はしばしば耳にするものの、協働をいかに仕組み化するかを議論することはあまりありません。そのため実際の現場では、協働がうまくいかないために持続できない、経年良化できないケースも非常に多く見かけます。だからこそ、本項では協働の仕組みを掘り下げていきます。

①〔協働〕行政との関係性——依存から共創へ

まちづくりにおいて行政との連携はかかせないものです。まちづくり団体には行政から委託を受けて活動するところも多くあります。問題は、委託における関係性がいわゆる「下請け」になっており、パートナーとして対等な協働関係が築けていない状況も多いことです。要因は行政側、民間側の双方にあります。

まず行政側は「小さな政府を目指して、民間を活用する」考え方が基本にはあるものの、実際は活用ではなく、単に「利用」する形になってしまっているケースも多くあります。

その背景は行政の立場になって考えてみれば見えてきます。行政機関では通常、防災なら防災、福祉なら福祉と、予算の使途が狭い範囲に限定されています。そのため、民間組織からの複合的な提案について、柔軟にOKを出しづらいのです。実際のまちの課題は複数の課題がからみ合ったものが多く、まちづくりの活動もテーマは多岐にわたります。そうした複合的な取り組みについて民間組織が行政に相談すると、行政側では対象が捉えきれず、「管轄外」とされて通らないことが多いのです。こうして行政と民間組織が互いに「相手がわかってくれない」と感じ、歩み寄りをあきらめてしまう状況も見受けられます。

そしてもうひとつの課題は、こういった状況のなかで行政との協働関係を目指すことなく、「補助金を得るために行政から言われたとおりのことをやる」民間組織があることです。

現在も、行政の補助金ありきで活動しているまちづくり系の組織は少なくない印象です。補助金を活用することは決して悪いことではありませんが、補助金を得ることが目的となり、活動が手段となっているケースがあるようです。それでは本質的にまちのためにはなりません。

民間のまちづくり団体は、民間ならではの柔軟性を活かして住民と対話し、まちの現在地やまちの未来像を明確にしたうえで、そのまちにとって本当に必要な施策を、行政とともにつくっていくべきです。

本当にまちや住民のためになる施策を行っていくためにも、まずは**行政に依存しない経営基盤を確立し、依存ではなく共創パートナーとしての関係性を築いていく**ことが大切です。

では、行政と共創パートナーとして歩いていくためには、どのような工夫をすればよいのでしょうか。

ひとつは、そもそも補助金ありきの事業計画とはしないことです。まずはそのまちにふさわしい活動の収益化を検討し、補助金はその手段のひとつとする。この考え方が重要です。

そしてもうひとつは、公共的な取り組みしかできない行政の特性を理解すること。そのうえで、民間である自分たちの立ち位置が「公共的な目的に基づいて、行政ができない部分を補完したり、広報を支援し合ったりする」ポジションであると伝えることです。こうした相互理解があって初めて、一方的な依存関係ではなく、同じ目標に向かって協力し合う協働の仕組みを築いていくことができます。

私たちも行政の方々と対話するなかでは、あくまでも「実現したいまちの未来像のために」という公共的な視点に立って話をしています。そもそもネイバーフッドデザインはまちのための取り組みなのでこれは当然のことですが、公共的な目的を意識した対話を積み重ねることで、行政側も信頼を寄せてくれるようになると感じています。

また行政側も協働する意識を持つことが重要です。委託、指定管理、規準、規制など、民間との協働はさまざまな形で規定できますが、行政のスタンスによっては依存が生じたり、民間の取り組みが孤立したりすることがあります。ある自治体の一部署ではエリアマネジメントを再開発の要件にしていながら、他部署が管轄する公共空間の有償利用は不可という方針がとられたりします。つまり、民間でのエリアマネジメントを促す一方で規制緩和は行わないため、エリアマネジメントの活動原資が不足するといった例も散見されます。逆に、縦割りを内部から変える、前例主義ではなく最適な事例を創造するスタンスをとる行政では、非常に優れた取り組みが生まれています。

②〔協働〕地縁組織間の関係性——相互に理解し合う

まちには自治会・町内会やマンション管理組合、エリアマネジメント組織などさまざまな地縁

表 8.1　地縁組織の性質の違い

	管理組合	自治会・町内会	エリアマネジメント組織
対象住民	分譲マンション住民、分譲戸建て住宅地住民	一定区域内に住む住民	エリア内在住・在勤の住民・事業主、地権者など
定義	区分所有建物では、区分所有法に基づいて、区分所有者全員で構成された団体	町または字の区域その他市町村内の一定の区域に住所を有する者の地縁に基づいて形成された団体	地域における良好な環境や地域の価値を維持・向上させるための、住民・開発事業者・地権者・行政等による主体的な取り組みを行う団体
活動目的	建物の共用部分や敷地を維持管理すること	区域の住民相互の連絡、環境の整備、集会施設の維持管理等、良好な地域社会の維持及び形成に資する地域的な共同活動を行う 出典：総務省「都市部におけるコミュニティの発展方策に関する研究会」第 1 回（2014 年 7 月 10 日）参考資料	快適で魅力的な環境の創出や美しい街並みの形成による資産価値の保全・増進等に加えて、ブランド力の形成や安全・安心な地域づくり、良好なコミュニティ形成、地域の伝統・文化の継承等 出典：内閣府地方創生推進事務局「地方創生まちづくり – エリアマネジメント –」

組織があります。いずれも「まちをよくしていこう」という目線は共通しているものの、機能としては異なる部分も多々。また発足の経緯が異なるため、ひとつのまちに複数の地縁組織が存在しています。それゆえに、ときどき同じまちのなかで活動や行事がバッティングするようなこともあります。

本来、まちにある地縁組織は互いに連携をとりながらまちを運営していくのが理想です。しかし実際は相互の十分なコミュニケーションがなく、協働関係が築けていないところも多いようです。

地縁組織同士はいかに調和をとり、協働関係を築いていけばよいのか。2つの事例を通して考えていきましょう。

ひとつは、ひばりが丘団地エリア（東京都西東京市／東久留米市）でのエピソードです。

ここではエリアマネジメント組織「まちにわ ひばりが丘」を組成したのですが、同時期、新しい分譲住宅ができるにあたってマンション管理組合が発足。また団地・賃貸住宅エリアにはもともと、歴史が長く活動も盛んな自治会がありました。その状況下で、新たに立ち上げるエリアマネジメント組織の範囲と役割をどうするかが問題でした。

前提として、昔からある団地自治会は活動の規模を広げることが難しく、新たなマンション住民に自治会に入ってもらうのは困難な状況がありました。そこで別の自治会を新たにつくる必要があるのか行政に問い合わせたところ、エリアマネジメント組織が自治会のような役割をするのならそれでよいとの回答を得ました。とはいえ、既存の自治会とは別の組織をつくることで、もともと住んでいた方と新たに住む方を分断してしまうのも好ましくありません。エリアマネジメント組織を他の地縁組織との関係も含めてどのように仕組み化するか。特に重要な論点になったのは、活動の範囲と会費徴収の2点です。

話し合った結果、活動の範囲は旧ひばりが丘団地エリア全域とした一方で、会費は新規分譲エリアからのみ、任意加入で集めるという形にしました。つまり、以前から自治会のある団地・賃貸住宅はエリアマネジメント組織の活動範囲に含まれるものの、その住民の方々からは会費を徴収しないのです。一見ちぐはぐに思えますが、その考え方の背景には、自治会への敬意がありました。

団地自治会は、50年以上にわたって続く幼児教室を運営していたり、名物となっている毎年の夏祭りを主催していたりと、そのまちにとって欠かせない存在。エリアマネジメント組織ができることで会費が二重徴収になり、結果として自治会の加入率が下がるようなことは避けなければいけないと考えたのです。

ただ一方で、新規分譲エリアの方々だけから会費をもらうとなると、「会費徴収の有無によってエリア内で住民の不公平感が生じないようにするにはどうするか」という別の課題も生じます。

本質的にはまず、新規住民の方々にエリアマネジメントの意義や価値について理解、共感してもらうこと。これがもっとも大切です。月額３００円の会費について費用対効果や支払うメリットについて質問があった場合は、エリアマネジメント組織は単なるサービス事業者ではなく、まちの方々と支え合う関係を目指していることをお伝えします。そのうえで、会費を払ってくれる方にはスペースレンタルやイベント時の割引など、ささやかな特典を用意しました。またこうした対応はスタッフ用の想定問答集にも明記し、会員から疑問を示された際には誰でも同じ回答ができる体制を準備。エリアマネジメント組織の立ち位置と方針を定義し、それを住民の方々にもしっかりと説明していける環境を整えたのです。

こういった金銭面での整理は欠かせないものですが、ひばりが丘の事例でもっとも重視したのは、**各地縁組織間の関係性を最大限に配慮して**、**最終的な仕組みに落とし込んでいく**ことです。まちには団地自治会を中心として積み上げてきた貴重な自治の歴史がありました。そこに後から入っていくのですから、特に自治会へはできる限り配慮するのは当たり前のことです。特に「**エリアマネジメント**」**という言葉は**、**人によっては傲慢に感じられることもある**ため、言葉の使い方には注意が必要だと考えていました。

そもそも、「私たちがこれからここをマネジメントしていきます」という姿勢ではなく、「ひばりが丘をさらに魅力的なまちにしていく仲間に入れてください」という姿勢でまちの人々のなかに入るべきなのです。分譲住宅が増えつつある状況下、「変化のなかでも、旧ひばりが丘団地にあったような、笑顔や触れ合いが行き交うまちを、これからも一緒に実現していきましょう」。自治会への敬意を忘れず、このような姿勢でエリアマネジメントの意義をお伝えし、連携できる関係性を一歩一歩、育んでいきました。

たとえば、自治会の開催する夏祭りの人手が足りないところを、新規分譲エリアの住民の方々と一緒に手伝って盛り上げる。人手不足でなくなっていた餅つき大会などのイベントを復活させて、新しく住む人も、もともと住んでいた人も一緒に楽しめる機会をつくる。私たちが企画した防災の勉強会に自治会の方々も招き、皆で学ぶ。

そんなふうに地縁組織の垣根を超え、「まち」にとって必要だと思う活動は、エリアマネジメント組織から自治会にも積極的にお声がけをしながら行っていきました。まちの歴史を尊重しながら、そのうえで新しい住民の方々とどんなことができるか。この視点を土台に、まち全体の課題を意識しながら協働の仕組みを形づくっていったのです。

結果、5年以上が経過した今では、エリアマネジメント組織の運営する拠点のカフェに自治会の方が常連として通っていたり、一緒にイベントを開催して楽しんだりする光景も見られます。また自治会役員の高齢化が進むなか、自治会主催の夏祭りには継続して新規分譲エリアの方が手伝いにいき、力仕事を担うなどの関係性ができています。

さらに、管理組合の中には「コミュニティ担当理事」という、エリアマネジメント組織とのつなぎ役になる役職を配置。これによって管理組合とエリアマネジメント組織の連絡が密になり、相互の協力がスムーズにとれるようになっています。

まとめると、「まちにわ ひばりが丘」における地縁組織間の協働の特徴は、**各組織の状況を把握したうえでそれぞれの関係性を定義し、仕組みに落とし込んでいった**ところにあります。

自治会の歴史とまちにおける存在意義を踏まえ、その活動の妨げとならないように、エリアマネジメント組織の会費徴収の仕組みをつくったこと。活動範囲と会費徴収対象が異なることについて想定問答集を用意し、明確な回答ができる体制を整えたこと。管理組合に「コミュニティ担当理事」を設け、エリアマネジメント組織について管理組合でも話し合いがもたれる体制をつくったこと。このようにエリアマネジメント組織と自治会、管理組合の位置づけを明確にし、それぞれの関係性を育てていったことが大きなポイントだと考えています。

もうひとつの事例は、小学校の跡地に新しくマンションを建設した都内のプロジェクトです。ここではもともとの開発要件として、マンションの一部に「地域開放スペース」を設けることが行政からの希望として挙げられていました。

課題となったのは、その地域開放スペースの管理を誰が行うか。現地調査を進めると、該当エリアでは自治会が活発かつ柔軟で、新しい取り組みにも積極的なことがわかりました。ならば自治会にそのスペースを活用してもらいつつ、管理も行ってもらうことはできないか？ と、自治会との協働を前提に全体の仕組みを設計することにしたのです。

とはいえ、いきなりすべてをお任せしては自治会も困ってしまいます。まずはマンション入居者のイベントに、「まちの紹介をしてほしいのでいらしてください」と自治会の方をお招きし、マンション住民となる方々と自治会の方々の顔合わせをするところから始めました。

その後も地域開放スペースの使い方についてアドバイスをもらったり、ご近所マップ作成やまちあるき企画に参加してもらったりとやりとりを重ねるうち、自治会の方々も次第に、主体的に関わってくれるように。こうした過程を経て、自治会がその地域開放スペースを使い、また一部の管理を担当する体制のもと、地域住民とマンション住民の交流空間が生み出せるようになっていきました。

③［協働］集合住宅における管理面での協働

最後に、特に都市部では欠かせない集合住宅に関して、その管理面での協働を考えていきます。集合住宅の管理を考えるうえでのメインテーマは、やはり**管理会社との協働**です。なぜなら住民の方々が暮らしのなかで困りごとを抱えたときに一番近くにいるのが管理会社であり、同時に、各世帯に対してアプローチできる立場を有するのも管理会社だからです。

ただ、まちづくりの文脈においてありがちな課題に、管理会社がコミュニティづくりにあまり積極的に関与しないことがあります。

その理由は、契約書面上、管理会社はあくまで「ハード面の維持管理を請け負っている」からです。

そもそも管理会社とは、マンション入居者などから構成される管理組合と委託契約を交わし、マンションの管理業務を行う立ち位置です。

管理組合の各種規定のことを管理規約と言いますが、国土交通省による管理規約の標準モデル、「マンション標準管理規約」では、2016年3月の改正によって「コミュニティ条項」が再整理されました。この整理では、強制加入である管理組合の活動と、任意加入である自治会・町内会等との活動を混同しなければ、マンションやその周辺における美化や清掃、景観形成、防災・防犯活動、生活ルールの調整など、管理組合における「コミュニティ活動」を実施できるように配慮がされています。

一方で、管理組合から管理会社への委託契約では、管理会社の「コミュニティ活動」稼働分の予算確保がなされていないことが多いのです。つまり管理会社の役割はハード面の維持管理のみで、コミュニティ活動への関与は契約外と捉えられる状況が生まれてしまう。これが、管理会社がコミュニティづくりにあまり積極的に関与できないひとつめの理由です。

もうひとつの理由は、管理会社の事業構造が、少ない人数で多くの物件を担当することで利益を生むビジネスモデルになっているからです。つまり、社員一人ひとりには個人の「思い」があっても、一つひとつの物件に対して、思うようにマンパワーを割けない状況があるのです。

また、かつては管理員が個人の判断でコミュニティに貢献する取り組みをしていたマンションもありましたが、近年は管理員の業務規程も厳しくなり、ハード面以外への関与は禁止されているケースもよく見かけます。住民の方が暮らしのなかで何かに取り組もうとすれば、基本的には管理員や管理会社に相談したいはずですが、相談してもこのような背景からはね返されてしまうケースも多いようです。

また、マンションの理事会は「積極的にコミュニティ活動を進める」方針だとしても、管理会社としては「本当は業務外なのに」という気持ちで仕方なく取り組んでいることも。これらは担当する個人の問題ではなく、**構造上の問題**です。管理会社の方も、気持ちとしては応援したいけれど、どこまで関与したらいいのか難しい立場にあるのが現状だと言えるでしょう。

というのも、一般的にマンション入居者が支払う管理費は、ハード面の維持管理のためのお金だからです。コミュニティづくりの支援に携わろうとすれば、管理会社としては当然、新たな予算が必要になります。そこで「では、管理費にコミュニティ支援のための費用を追加します」と言えればいいのですが、管理費の引き上げは総会決議など手続きが必要で、とてもハードルが高いのです。管理会社の方も、個人の思いと現実のビジネスモデルや予算の間で、葛藤している方も多いのではないかと思います。

こういった背景に基づくと、協働のためには、**マンション入居者（管理組合）が管理会社の業務内容やその限界を理解しておくことがとても大事**です。管理会社の立ち位置や構造上の課題を理解したうえで、管理組合の予算を決めること。そうすれば、ネイバーフッドデザインの専門家である第三者が入ってコミュニティ支援を行うことも可能になりますし、管理会社も協力しやすいのではないでしょうか。

マンション入居者には「管理会社は住宅のことならなんでもやってくれる」と捉えている人も多いですが、災害など非常時に管理会社は駆けつけられません。ただこうした事実は、管理会社からは積極的に言いづらい面もあるでしょう。そこで私たち第三者が、「すべてを管理会社さんが行えるわけではありませんよ。共助の関係性をつくり、住民同士で助け合えるところは住民同士で解決していくことが大事ですよ」と、入居初期から伝えていくこともあります。そうした中立的な立場からの働きかけがあれば、住民も客観的に受けとめやすくなるでしょうし、管理会社のためにもなると考えています。

互いに相手を理解し合うこと。いろいろな協力をお願いする一方で、自分たちも相手の立場を慮り、相手にとって喜んでもらえる行動をしていくこと。そういった繰り返しのなかで徐々に信頼関係が育まれ、協働の関係性へとつながっていきます。

残念ながら一部の管理会社には、担当者がコミュニティ活動はおろか、なるべく住民や関係者との接触を避けようとする傾向も見受けられます。管理＝現状維持という意味合いも強いため、事なかれ主義に陥りがちなようです。しかし、住民と適切にコミュニケーションを取り、コミュニティ活動に協力することは、住まいやまちのためになり、ひいては管理会社と住民との良好な関係性にもつながります。

以下では管理会社との協働の仕組みについて具体的な事例をご紹介しましょう。

ひとつめは、ある大規模マンションを中心としたネイバーフッドデザインにおける管理会社との協働の仕組みです。

このプロジェクトの特徴は、「管理組合」とは別に「自治会」を立ち上げ、それぞれの役割分担を明確にしているところ。具体的には、管理組合がハード面の管理、自治会がコミュニティ活動や防災・防犯、地域情報の発信などソフト面の運営を担当しています。体制としては、管理組合には管理会社が伴走し、数か月に一度理事会を行って運営。自治会のほうはＨＩＴＯＴＯＷＡが立ち上げに携わり、立ち上げ後の伴走支援を3年間行って、住民の方々の運営に引き継いでいくことになっています。

管理会社との協働という点では、共用部の使用許可に関するフローがわかりやすい例です。そのマンションでイベントを行う際には、共用部の占用使用許可などいくつかの許可が必要になります。しかしそのようなハード面の管理は自治会の権限ではないため、管理組合から許可を得なければなりません。ただ、その許可を得るために必要な理事会での説明については、管理会社の担当者が自ら行ってくれています。自治会からの相談に対し、管理会社の担当者が「〇月〇日に理事会があるので、こういった資料を用意いただければ、私が説明してきますよ」と言ってくれる、そんな相互の信頼関係のもと協働が実現しているのです。

また、管理面での協働として特徴的なのは、「自治会費」の引き落としを管理会社が、管理費等と一括で行ってくれているところです。自治会役員が1件1件自治会費を回収するのは現実的でないなか、管理会社がお金の管理を一括で引き受けてくれることはとてもありがたいこと。入退会者が出たときにも、担当者に連絡をすれば引き落とし開始・停止手続きにすぐ対応してくれるなど、とても円滑な協働が実現しています。

なお別の案件では、エリアマネジメント組織を立ち上げる際に、「会費徴収は管理会社が担当できない」との話があり、会費徴収のための人件費を換算したところ会費と相殺することがわかり、やむなく会費をなしにしたケースもありました。まちづくり業界では一般的に資金集めに大きなパワーがかかり、活動のための資金集めをしているのか、資金集めのための活動をしているのかわからなくなっているような現状も多数、見受けられます。

だからこそ、先述した自治会費集めにおける円滑な連携は、非常に大きな意味があります。一律にすべてのマンションやエリアマネジメントで導入できるものではないですが、こういった協働の仕組みは自治会やエリアマネジメント組織の持続的な運営を可能にするうえで大きなポイントだと言えます。

こうした管理会社との協働関係を築くうえでもっとも大きな意味があったと感じるのは、やはり丁寧に対話を重ねるなかでまちの未来像やプロジェクトのゴール、コンセプトを共有し、それを実現する母体としての自治会という文脈を提案し、理解してもらえたことです。「自治会ありき」の話ではなく、このまちで人々のつながりを育んでいく手段として自治会が必要である。その理解を得られたからこそ、「では管理会社としてはこの部分を手伝います」と、次の協議に発展していくことができました。

仕組みから提案するのではなく、**その仕組みがあることによって生まれる価値**、**その先にあるゴールや未来を一緒に考えていく**ことがとても重要です。

もうひとつ、別の角度から管理面での協働例をご紹介しましょう。

「フロール元住吉」の事例です。フロール元住吉では、マンション入居者と周辺地域の住民が心地よいつながりを育んでいこうという目的で、「守人（もりびと）」と呼ばれる新しいスタイルの管理員が週5日、日勤しています。

管理員というと一般的には清掃業務や設備・ハード面の管理をするイメージが強いと思いますが、守人はどちらかというとソフト面に寄り添い、入居者とのコミュニケーション、共用部の活用方法、またそれらを活性化していくための環境をどう整えていくかといった内容を中心に担当する管理員です。一方、管理会社は入居者の居室など専有部や、全般的なハード面を担当。その役割分担のもと、協働してマンションの管理・運営を行っています。

一般的な集合住宅では、ご近所さんと挨拶は交わしても、なかなかそれ以上の会話はしない関係性であることが多いもの。そんななか、挨拶プラス二言、三言の会話をする、かつ困ったときにはすぐに相談できる、それでいて必要以上にプライベートに踏み込むわけではない、そんな**「ちょうどいい」距離感**の守人がそこに居続けてくれる安心感は、まさに都市の住宅に暮らす人々が求めているものではないでしょうか。

守人の所感としてまず挙げられたのは、「ちょうどいい距離感に守人がいることで入居者からの相談を気軽に受けられ、早期に管理会社やデベロッパーへつなぐことができている」点です。マンションのエントランスに守人がいることで、住民の方々は住まいにおけるちょっとした違和感や困りごとの種を、雑談がてら相談することができる。守人は必要に応じて管理会社に連絡をとる。そのような仕組みがあることで、管理会社としても、大きなクレームになってからではなく、問題が小さいうちに解決できるメリットがあります。

また守人ならではの特徴としてはもうひとつ、**通常の管理員には相談しないような、子育てや介護、健康面の悩みなど、設備面以外の私的な困りごとも相談できる**点があります。フロール元住吉において、守人は隣にある地域交流スペース「となりの.」の運営も行っています。「となりの.」では運営に関して、多世代が参加する場づくりが得意な「NPO法人はたらくらす」や、病気や健康について気軽に相談できる場を運営する「一般社団法人プラスケア」と連携して

コミュニティの管理員「守人」

おり、それぞれの団体のメンバーが「となりの・」でもスタッフとして働いてくれています。そこでの住民の方々との会話で相談ごとがあれば、必要に応じて適任のスタッフにつなぎ、暮らしの課題解決を行っていくことができるのです。さらには守人の見識をもとに、必要に応じて民生委員や児童相談所など外部の専門家に適切な橋渡しを行うことも可能です。そういった相談の橋渡しがスムーズに行えるのも、日頃から入居者の方々に近い立場でコミュニケーションをとり、それぞれの方の人となりや状況を把握しているからこそです。

住民の方々にとっても、設備面はもちろん、暮らしにおける不安や困りごとについても気軽に話せる人が日常の場にいることは、大きな安心感となるでしょう。

ネイバーフッドデザインにおけるメイントピックのひとつであり、まちづくり業界の関係者からの関心がもっとも高いのがこの「財源の仕組み」ではないでしょうか。

活動を持続させ、思いのある人が長期間まちに関わることができればできるほど、まちはよくなっていく。しかし、それを成り立たせるためには活動への資金が必要ですし、活動を支える人にもそれに見合う報酬をお支払いすべきです。ただ現実として、財源化に苦労しているまちづくり関係者は多いと思います。存続のためにやむなくコストを削減したり、活動を縮小したりしているところも少なくないかもしれません。

しかし本来、**ネイバーフッドデザインでは投資的な考え方でお金を扱うべき**なのです。

特に都心や中心市街地では、場所や空間をうまく活用すれば一日数十万円以上の収益を上げることもできます。そして、稼いだお金をまちのための活動に使うことが大切です。お金を稼げるように先行投資をし、得られたお金を使ってまちをよくするためのさらなる投資を行い、地域でお金を循環させていくのです。思いのある人々や活動に適切にお金を活用することで、さらに魅力的な活動が展開されるようになり、また思いのある人々が集まってくる。そうした好循環を生むような質の高い活動を展開していくために、投資的な視点を持つことが必要です。

また理想は、その必要性をまちの人々にも理解してもらい、**まちで暮らす一人ひとりが**、**単なる消費者ではなくまちの投資家という視点を持ち**、**お店や物品**、**場所を選んでお金を使っていく**ことです。たとえばコミュニティカフェに支払う数百円、マルシェの野菜購入で支払う数百円。

1回1回は小さな金額だとしても、そうしたまちの人々のお金の使い方の積み重ねが、まちの活性化につながっていきます。

このような考え方のもと、私たちの関わるプロジェクトではどのように財源の仕組みをつくっているのか。詳しくご説明していきましょう。

④〔財源〕管理から経営へ

管理から経営へ。

これは財源化を考えていくうえで欠かせない、重要な考え方です。

そもそも、管理と経営はどのように違うのでしょうか。一言で表すならば、**「管理＝現状維持」**、**「経営＝経年良化」を目指すこと**だと、私たちは考えています。

たとえば一般的なマンションや公共施設の管理で管理会社が担っているのは、基本的に設備・ハード面の現状維持を行う役割です。

「管理」においては、一律で資金を集め、それを現状維持のために使うという考え方をします。そのため、資金を上げようとすれば説明責任が生じるなど、そのハードルが高い構造があります。多くの管理会社や自治会が新しいことにチャレンジするよりも前年やったことをなぞる活動になりがちなのには、こうした背景もあるでしょう。

こうした状況を突破するために必要なのが「経営」の考え方です。**自分たちでしっかりと資金を稼げる仕組みをつくり、新たなことにも投資ができる環境をつくり、そこからさらに資金を生んで、よりよい価値を生み出していく**こと。その好循環をつくっていくこと。それが、現状維持ではなく経年良化を果たしていく「経営」の考え方です。

経営とは、ヒト・カネ・モノ・コトに投資配分し、実行することです。なかでも「ヒト」の要素は最重要であり、そこにはまちに雇用を生み出す価値が紐づいています。近年では、雇用形態にとらわれず、個人事業や副業として業務委託の形で関わる方々も増えています。雇用や業務委託という手法を柔軟に使いこなし、思いのある人がまちに関わる「時間をつくる」のが経営的な考え方です。

こうした考え方をもとにしっかりと資金を稼げる仕組みをつくることができれば、個性的な人たちをまちに呼び込み、活動に関わってもらえる状況を生み出すことができます。人のパワーはとても大きく、主体性の連鎖、ひいてはまちの課題解決が促進されていきます。

ＨＩＴＯＴＯＷＡでは先述した「守人」のように新しい形の管理員や、自治会の立ち上げと伴走支援なども行っていますが、それらも根底にあるのはやはり、「経営」の考え方です。

なぜなら、現状維持の仕組みだけでは、時の流れとともに活動も衰退していってしまうからです。**時代に合わせて人々の困りごとも変化していくのだから、組織や取り組みもそれに合わせて変化していく必要がある。**そのためにも必要な資金を集める仕組みをつくり、事業を展開していくことが大切です。

図8.1　管理から経営へ

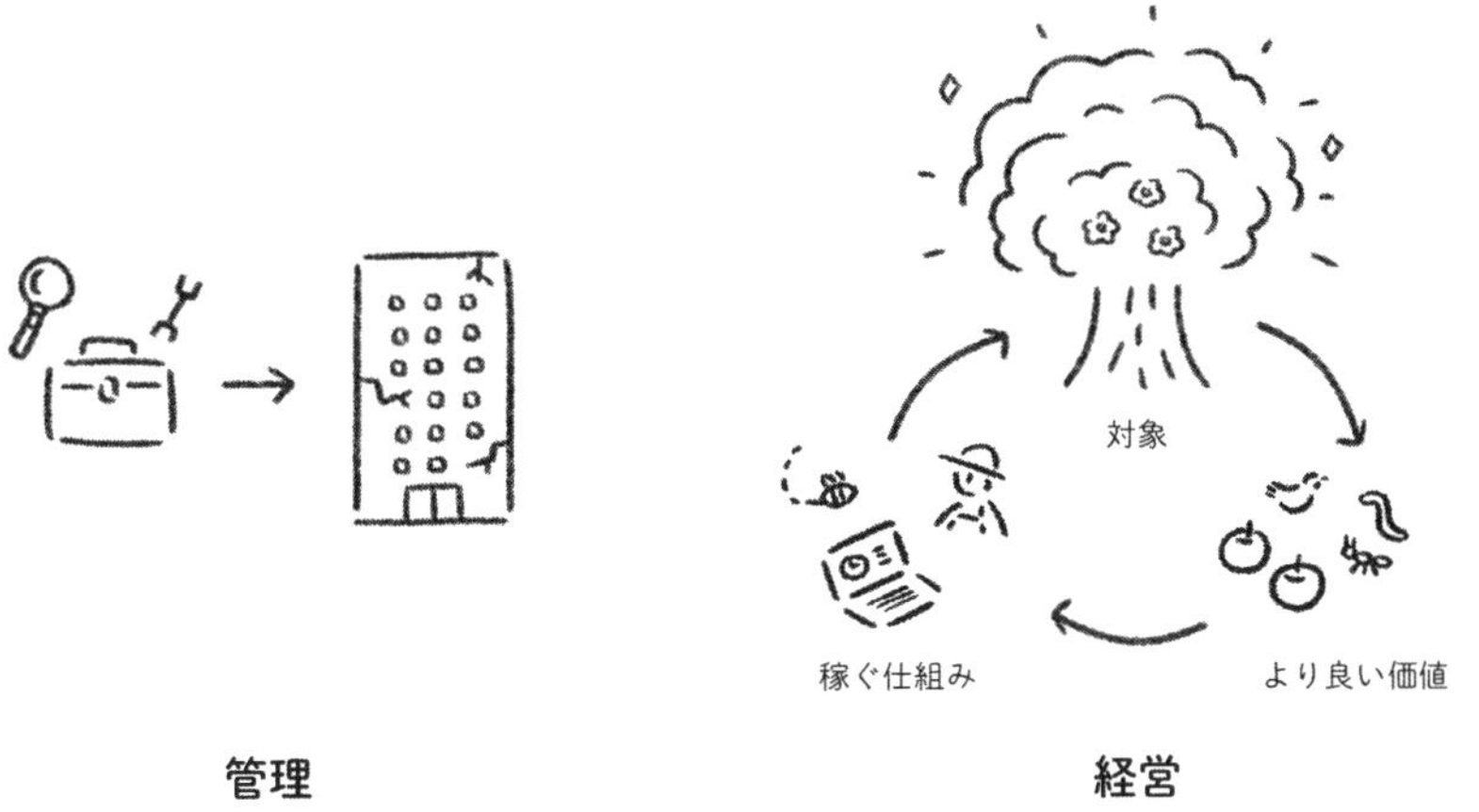

私たちが携わっているエリアマネジメント組織では、会費徴収をしているところもしていないところもありますが、会費徴収がある場合もそれだけには頼らず、さまざまな財源化の仕組みをつくっています。

たとえばコミュニティ拠点でのレンタルスペース運営や、まちの作家の方々が作品を展示して販売できるレンタルボックスの運営、テナントに入ってもらうことで賃料収入を確保すること、自分たちでカフェを運営すること。企業とのコラボレーションもそうです。好立地にコミュニティスペースを持つあるプロジェクトでは、屋内外の空間を商業利用可能にし、物産展など企業のイベント利用に貸し出す工夫も行っています。**複数の財源を持ち**、**得られた資金を**、**活動を通してまちへと還元していく**のです。

また性質は異なりますが、エリアマネジメントの各拠点では個人で講師業をしている方、たとえば書道や英会話、華道の先生などがレンタルスペースで講座を行うといった商業利用もOKにしています。

公共施設ではこうした利用をNGにしているところが多いですが、公序良俗に反していなければ、まちの人々がやりたいことを通じてお金を稼ぐのはよいことですし、またコミュニティスペースを使ってくれればそのレンタル料はまちに還元されるので、むしろ応援すべきことだと考えています。

別の視点では、たとえばコミュニティスペースで運営するいわゆるコミュニティカフェでも、コーヒー1杯の値段は安くなりすぎないように意識しています。一般的なコミュニティカフェでは1杯100円という値付けもありますが、私たちの携わる拠点のカフェでは、400〜500円の価格帯が基本です。その分しっかりとスタッフの雇用を行い、一人ひとりのお客さんへの接客、または接客を超えて「友人管理」で触れたような会話ができる環境を生み出しています。

こうしたコーヒー1杯の価格設定も、やはり経営的な視点から生まれるものです。「価格を安くしてたくさんの人が通える」環境と、「ある程度のお金を払ってもらうけれど、その分スタッフとしっかりコミュニケーションがとれ、深い関係性が築ける」環境は、どちらも価値のあるものです。そのまちにとってどちらがふさわしいかを検証して展開します。後者のほうが持続性があり、実現性の難易度も高いため、そのまちにおける希少性や必要性が高く、現在は後者にチャレンジすることが多いです。

カフェの価格設定については「もっと安くするべきでは」と議論になることも多いのですが、その価格設定によって生み出される雇用や友人管理による関係性づくりなどの価値を理解いただき、経営の持続性を考えて適切に価格設定するようにしています。

裏返せば、当初からそれでも成り立つ事業を考案するという話でもあります。財源確保のために事業を考えるとしても、事業のヒントは必ずそのまちの課題や、住民の方々の声のなかにあるのです。たとえば「カフェが周辺になくて、ゆっくりできるカフェがほしい」という周辺住民の声があるからこそ、そのまちではある程度の価格帯でもカフェが成り立つ。作品を発信したい作家の方々が多いエリアだからこそ、レンタルボックスが成り立つということです。そのまちの課題を解決すること、言い換えれば**そのまちで暮らす人々のニーズに応えることは**、**財源を生み出していくためにも大事な視点**のひとつです。

一方で、経営的な考え方を重視して展開を続けるあまり、次第に収益をあげることが目的となり、本来の目的を忘れてしまいそうになるジレンマもあります。「まちの課題を解決しながら、まちで稼ぐ」ことは決して簡単なことではなく、理想と現実のギャップもある。だからこそ経営的視点を持ち、そういったジレンマやギャップをチームやコミュニティで共有し、乗り越えていくことが欠かせません。

また、お金にとらわれずにまちのために関わり続けることも、非常に尊いことです。私たちも無償で関わってくださっているサポーターの方々には大いに支えられています。むしろ本来の暮らし方としては、そのほうがあるべき姿に近いのかもしれません。

しかしこれまでの経験のなかで、生計を立てるためにまちの活動から離れていったり、まちに関心がなくなったりする人たちもたくさん見てきました。興味や思いがあってもそれで生計が立てられずにやむなく離れていくのは、本人たちもつらかったのではと思います。**思いのある人々**

がまちに関われる時間をつくるためにも、経営的な考え方を重視し、仕事として関われる人々を増やしていきたい。そう考えています。

たとえばアルバイトを検討する際に、その選択肢が、個性よりもマニュアル重視のチェーン店だけでなく、「近くの、自分のやりがいも感じられるネイバーフッドデザイン関連の組織や場、お店」があること。そしてそこでの活動によって、自分が暮らしているまちが変わっていく。まちに暮らす人々とネイバーフッドデザインがそうした関係になれば、それは素晴らしいことではないでしょうか。さらにはそうして働ける場が、ひとつのまちにひとつだけではなく、複数生まれていくことで、相乗効果でどんどんよいまちになっていく。そんな未来を思い描いています。

⑤〔財源〕「空間活用」の重要性

地縁組織の財源には、大別すると「会費・寄付」「イベント収入」「広告」「空間活用」「その他」の5つがあります。このうち広告については、地域の一角に広告枠を設け、その広告収入をまちの活動に活用する取り組みが近年注目されています。また空間活用は文字通り、レンタルスペースなど場所や空間を活用して収入を得るもの。そしてその他には地域調査・マーケティング等の企業支援や物販、エリアマネジメントツアーなどが含まれます。

私たちは、このなかで「**空間活用」をいかに財源化できるかが非常に重要**だと考えています。理由は2つあり、ひとつは「場所のデザイン」でも語ったように、場所や空間は、直接的に行動変容をもたらし、課題解決につながる活動を支援できるためです。

もうひとつは、「空間活用」が他の方法と異なり、商業エリアと住宅エリアの双方で有効な方法だからです。そもそも会費やイベント収入、広告収入は、当然ながら人が多く効果も大きい商業エリアのほうが金額が大きく、住宅エリアではその規模は極端に小さくなります。私たちは商業向けの取り組みも行いますが、主に手がけるのは住宅エリアでの取り組みです。会費やイベント収入、広告収入には頼りきれない部分もあるため、商業エリアはもちろん、住宅エリアでも財源化のはかりやすい「空間活用」を重視しているのです。

空間活用の具体的な内容にはすでに触れたように、カフェなどにテナントとして入ってもらう形、レンタルスペースやレンタルボックスなどで場所を借りてもらう形などがあります。また、公共空間の管理といって、行政の管理している駐輪場や駐車場の管理を請け負い、人件費を差し引いた利益分を財源の一部とするケースもあります。

ちなみに、こうした公共空間の管理、または道路でのマルシェ開催やキッチンカーの配置など公共施設の利活用を行う際には、道路占用許可制度や河川敷地占用許可制度、都市利便増進協定など、複雑な制度を活用する必要があります。その手続きは徐々に改善されているものの、煩雑でハードルが高いものです。そのため、**法制度の専門家とネットワークを持っておくことは、空間活用と財源化の視点からも大切**だということを書き添えておきます。

さて「空間活用」の特徴的な事例としてひとつご紹介したいのは、小岩（東京都江戸川区）のエリアマネジメント組織「ＫＯＩＴＴＯ」で運営する、駅前立地のコミュニティスペースにおける財源の仕組みです。ここは某コーヒーチェーンと協働で運営しているコミュニティスペースで、普段はカフェであり、イベントやワークショップがあるときにはコミュニティスペースになる、という運用になっています。

財源の仕組みとして特筆すべきは、江戸川区が、保有する床をエリアマネジメントに活用するという方針のもと、その方針に賛同するテナントを探すことで、ＫＯＩＴＴＯが活用する床の賃料を発生させない形をとっており、賃料の一部を専門家委託に当てている点です。たとえば全面をコミュニティスペースにしていると、コミュニティスペースの稼働率は高くても40〜50パーセントという性質上、駅前の立地では不動産価値をもてあましてしまいがちです。そこで「普段はカフェ、ときどき、コミュニティスペース」という運用方法を考えたのです。

この運用方法であれば、「ＫＯＩＴＴＯ」にはスペース貸しの収入という形で財源の基盤ができますし、コーヒーチェーン側も、通常のカフェ営業以上にまちに貢献することができ、愛着をもって利用するお客さんが増えるという価値があります。このように、財源化を考えるうえでどういったテナントに入ってもらうか、よいパートナーに出会えるかは非常に重要です。

他にも、前項で触れたコミュニティスペースにおける商業利用も空間利用の一例です。

ただ商業利用可能といっても、単に消費を促進するのではなく、地元作家の作品の販売、地産地消や産地直送の飲食、環境共生型商品のモニターなど、そのまちや人々の課題解決という視点を忘れないようにしています。企業による持続可能性や防災・減災をテーマにした教育研修などもそのひとつです。

いくつかの例をご紹介しましたが、まちづくりの文脈で「稼ぐ」ことはまさに、「言うは易く行うは難し」です。私たちもさまざまなエリアで取り組みに携わりつつ、その難しさはいまだに感じています。すべてが順風満帆なわけではなく、一部にはまだ赤字の取り組みもあります。ただ、だからこそ経営的な視点を持ち、財源の仕組みをつくっていく必要があると感じています。

仕組みは運営継続の根幹であり、活動の「制限」です。特に財源は「制限」の意味合いが大きいもの。本当に財源次第で、「できること」の限界が変わってきてしまうからです。そう考えると、**ものすごく大きな利益を生み出さなくてもいいから、必要な活動を始めたり続けたりするために、活動開始時やそれに先立って財源の仕組みをつくることはとても重要**です。

場所のデザインでも触れましたが、やはり財源化についても、後から考えるのではなくつくり込む前、設計する前の段階から、まちの未来像やゴール、コンセプトに基づいて検討を進めておくことが大切です。これは新たな開発でもリノベーションでも同様です。

たとえばコミュニティスペースをカフェへの転貸モデルにするとしても、ではその立地をどうするか、キッチンのあり・なし、上下水道はどうするか、などは前提となる場所の設計に影響します。また、広場など公開空地も法制度によって商業利用できるか否かが決まってしまうため、財源化に使いたい場合は初期段階で、そこを商業利用可能な公開空地として協議することが必要になります。こうした背景から、新たな開発の場合は特に、開発の初期段階で財源の仕組みを考えて設計を進めることが非常に大切だと言えるでしょう。

⑥〔組織〕一貫性を持つ

これまでも繰り返し語ってきたことですが、「組織」こそ、まちの未来像からゴール、コンセプトという一貫した流れの上につくっていくことがもっとも求められるものです。そしてなぜこの一貫性について繰り返し語っているかというと、実際はそうではないケースが非常に多く見られるからです。

たとえば「○○連携会議」などの枠組みを先に用意し、行政とデベロッパー、自治会などから人が集まって、ただ話し合っているだけのケース。もちろん、期限を決めてしっかりと事業や活動を生み出したり、財源を検討したりするために議論することは有効です。ただ、そうした枠組みありきの場は「会議をすること自体で満足」して終わっている場も非常に多いと感じます。情報共有という意味では多少まちづくりに寄与する面もあるかもしれませんが、もっとも大事なことは、そのうえでどうするかです。

また、先述しましたが、私たちが別のまちで行ったエリアマネジメントの形を「○○（エリア名）モデル」と呼び、そっくりそのまま、違うまちで横展開してほしいという依頼がたびたびあります。「組織」がひとり歩きを始めてしまう例です。

「○○モデル」と呼ばれたその組織の仕組みはもともと、特定のあるまちの現状分析やまちの未来像、各メソッドのデザインに基づいて、「**そのまちだからこそ成り立つ仕組み**」として落とし込まれたものです。それをそのまま別のまちにコピー&ペーストしても、うまくいくとは限りません。最終的には協議のうえ、新たにそのまちの現状に基づいたオリジナルのエリアマネジメント組織を組成しましたが、その必要性を理解してもらうことは簡単ではありませんでした。

組織は、主従関係で言えば「主」ではなく、「従」の存在です。まず実現したいまちの未来像やプロジェクトのゴールが「主」としてあり、そのための事業、それに応じた資源、という一貫性のもとで形作られるのが組織です。本来ならば目的を果たすために組織をつくるはずが、組織をつくること自体が目的化してしまっては本末転倒です。なお誤解のないよう補足すると、これは組織で活動する人が「従」ということではありません。主体性のデザインでも触れているように、大切なのは組織の「主」である目的や事業と、それを構成する個人の「主」である目的（やりたいこと、幸せ）が重なる点を見出していくこと。組織自体はあくまで、そこで導かれる目的を達成するための枠組みであるということです。

一方で「横展開」するのであれば、成果や枠組みそのものではなく、そのまちらしさを踏まえて**成果や枠組みが生まれた「プロセス」や「エッセンス」を横展開するべき**だと考えます。事例から学ぶこと自体は重要で、私たちも大いに参考にしています。ただそれが本当にそのまちに適したものかどうかは、ネイバーフッドデザインメソッドにおけるプロセスに乗せて慎重に検討していかなければいけません。

ではここで、まちの未来像やゴール、コンセプトなどがどのように一貫性を持って組織の仕組みに落とし込まれていくのか、2つの事例を通して見ていきましょう。

ひとつめは、小岩（東京都江戸川区）の3地区合同のエリアマネジメント組織の仕組みづくりについてです。「KOITTO」は、JR小岩駅周辺地区で進められている3つの再開発組合・準備組合と、江戸川区、開発事業者が協力して立ち上げたエリアマネジメント組織。地域の協力連携を推進し、公共的空間の利活用を行いながら、「オール小岩」をコンセプトに魅力あるエリアづくりを行っています。

もともとこのプロジェクトに私たちが携わることになったのは、3地区あるうちのひとつの再開発組合から、コミュニティスペースの企画に入ってほしいと依頼を受けたのがきっかけでした。ただ話し合っているうちに、3地区の再開発という状況のなか、そのコミュニティスペースも小岩全体のためになるものをつくるほうがよいのではという考え方が生まれました。そこでデベロッパーや再開発組合とともに行政と対話していくことに。そこから3地区合同のエリアマネジメント組織の立ち上げに至るまで、実に3年ほどの時間を要しました。

最終的にできあがったのは3地区合同のエリアマネジメント組織という枠組みですが、「仕組みのデザイン」の観点でもっとも重要なのは、それができあがるまでのプロセスです。

当初は、行政とデベロッパー、再開発組合の協議に私たちが立ち会い、ときにはオブザーバー、ときにはファシリテーターとして参加し、それぞれの役割を整理していくところから始まりました。

こうした協議で一般的に陥りがちな状況として、関係者から「行政にあれをしてほしい、これ

KOITTO の拠点、KOITTO TERRACE

をしてほしい」と一方通行の意見が多く出ることがあります。そういった状況にはならないように、行政の立ち位置について適度に説明を交えながら進行していきました。また「この部分なら行政もできるから、その分デベロッパーではここをやるのはどうですか？」と分担を提案するなど、それぞれのできること、できないことを明確にしていったのです。もともと再開発組合の方々も「オール小岩」への思いは強く持たれていたので、そのためにできることを各立場から出し合っていきましょう、という空気感を醸し出していくことを大切にしていました。

こうして明確になっていった各ステークホルダーのできること、できないことを、利害関係ではなく共創関係にしていくために生まれたのが「3地区合同のエリアマネジメント」の仕組みです。

エリアマネジメント組織を一般社団法人として立ち上げるにあたっては、大きな構成員として正会員と理事を決める必要があります。ここでいう正会員は、年に1度の総会で議決権を行使できる、非常に大きな権限を持つ人や団体のこと。一方で理事は、事業執行理事として、実践・実行の責任を持つ方々を指します。

そこで小岩の場合は、「オール小岩」のコンセプトに基づき、3地区の再開発組合それぞれが等しく正会員となり、またその3地区それぞれから推薦された方が理事となりました（図8・2）。また、もともと以前から小岩のまちづくりについて話し合ってきた

図 8.2　KOITTO の組織形態

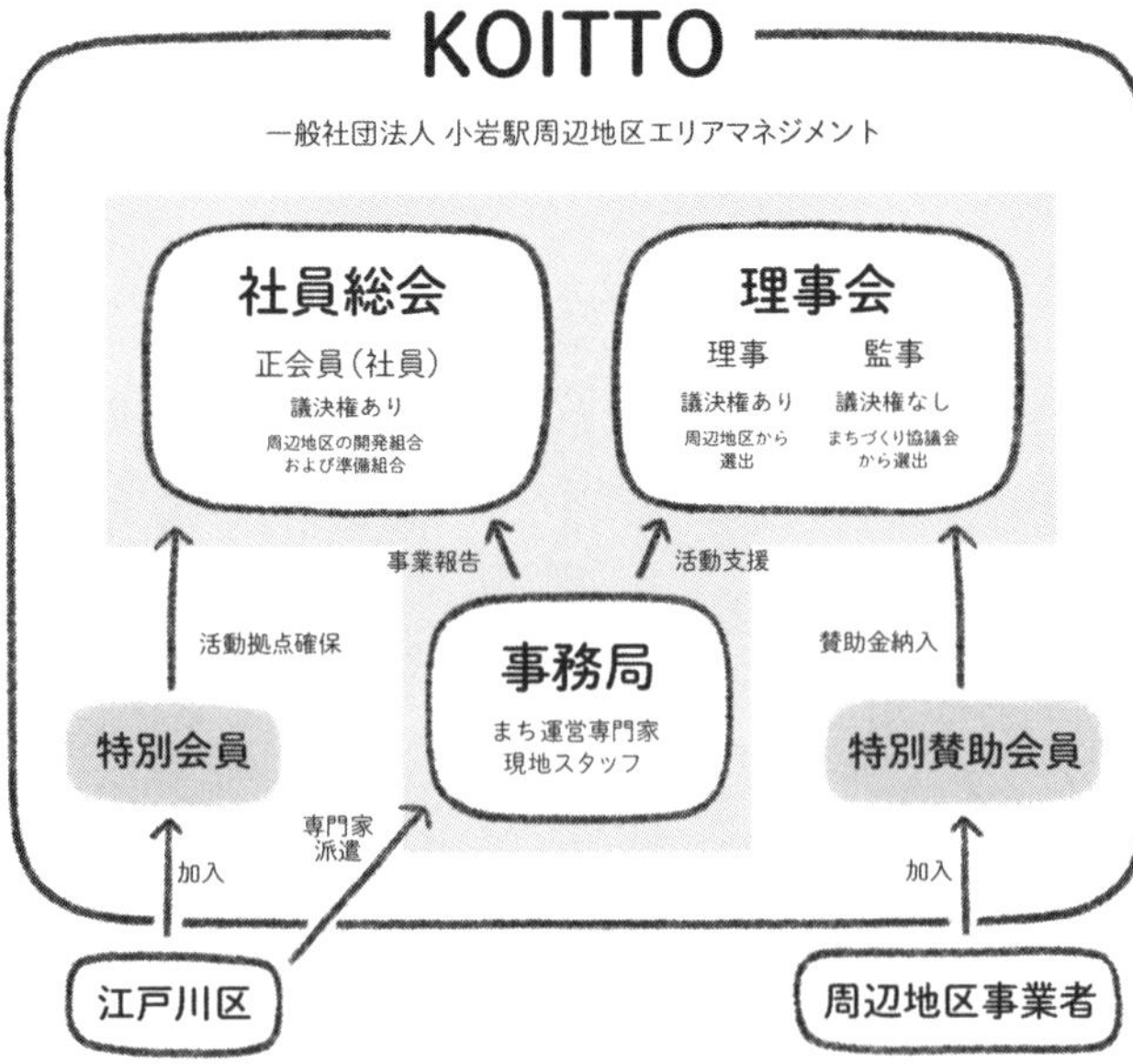

「まちづくり協議会」という母体があったため、そこから推薦された方々に監事になってもらい、内部監査の役割を担ってもらうことにしたのです。

この組織組成のあり方は、「オール小岩」という目指すべき未来像やコンセプトから、そのための構成員、役割のあり方が明解に導かれている好例だと考えています。前提として「オール小岩」の未来像を共有したうえで導かれてきた組織の仕組みなので、構成員の方々もその未来像の実現に対して非常にやる気があり、一体感を持って取り組んでいることも特徴的です。

もちろん、広域な取り組みになればなるほどさまざまな考えの方々がいますので、これからも未来や過去、マクロやミクロの視点を持って、丁寧に話し合いながら進めていく必要があります。ただし、もし3地区のそれぞれに別のエリアマネジメント組織ができあがっていたとしたら、小岩駅周辺地区の全体や将来を見据えた効果的な対話は難しくなっていたでしょう。

実際、小岩以外のさまざまなエリアで、再開発地区単位でエリアマネジメント組織が乱立している例が見られます。地区ごとの再開発は時間軸もバラバラですし、担当するデベロッパーも異なる状況では、当然ながら組織が目指していく方向も異なります。財源や人材など資源の奪い合いの原因となることもあるでしょう。ある程度広域のエリアであれば連携をとりながら共存も可能だと思いますが、小岩のように駅の北口と南口という規模で3つのエリアマネジメント組織が乱立しては、混乱が大きく、全体としてよいまちになっていくことは難しいと予想できます。

組織ありきでなく、「オール小岩」というまちの未来像やコンセプトありきで、それを実現するために3地区合同のエリアマネジメントという組織が組成された。この一貫性があるからこそ、一致団結して活動していくことが可能になるのです。

さてこのように法人格を持つ組織をつくるケースがある一方で、「まちの現在地」によっては、任意団体やチームなど柔軟な形で組織化するケースもあります。最後にその事例をご紹介しましょう。

新しい自治会館「みずべのアトリエ」を立ち上げた埼玉県越谷市の南荻島プロジェクトでは、まちの現在地を調査していくなかで、既存の自治会がアクティブであり、活動も地域の実情に沿ったものを展開していることが判明。また加入率も約90パーセントと高いことがわかりました。

そこでこのプロジェクトでは、新たな自治会やエリアマネジメント組織を立ち上げるのではなく、既存の自治会の仕組みや基盤を前提にした組織の仕組みを考えることにしたのです。ただ一方で、「みずべのアトリエ」の運営については自治会に頼るのではなく、「みずべのアトリエ」運営専用のサポーターチームを立ち上げて、独自に運営を行っていく形を考えました。そのなかでは自治会とは異なるコンセプトを打ち出し、今までは自治会に関われずにいた若年層の自治会員の方々が関わりやすい環境を整えたのです。

最終的にどんな組織体を選ぶにしても、**まずは既存の自治会などそのまちにある組織の現状を調査し**、**それぞれの人たちとの関係性を探ること**。そのなかで、そのまちにとって適切な枠組みが見えてくるのです。この地道なプロセスをおろそかにしないことが、持続的かつ経年良化を遂げていく組織づくりの成功のポイントだと言えるでしょう。

繰り返しますが、組織はあくまで「従」です。それよりも大切な「主」は、目的や事業。組織のための事業ではなく、まちの未来像のための事業であり、そのために導き出されるのが組織です。そこを履き違えて「組織ありき」の考え方を持ってしまうと、いわゆる「しがらみ」文化に通じてしまいます。

たとえば、具体的にはまちづくりの活動を何も担っていないのに、組織のなかで「〇〇長」などの役職についているからという理由で、役割を果たそうと異論を述べる人がいることがあります。実態として本人は活動をしていないので、的外れな話になることも。ただ、意見を出された以上はむげにもできません。つまり、その対応に無駄な労力がかかっているケースがあるのです。

ただでさえマンパワーや時間に限度があるなか、組織ありきの考え方によって生まれる形式的な振る舞いやしがらみのせいで無駄に労力が割かれ、本来やるべきまちの課題解決がおろそかになっては意味がありません。

こういった背景からも、組織より事業を重視すること、まちの未来像やそのための事業が「主」で、組織は「従」であることは、肝に銘じておくべきだと考えます。

さて第3章～第8章を通して、未来とゴールのデザインを筆頭に、機会・主体性・場所・見識のデザイン、そしてそれらを統括する仕組みのデザインについてお話ししてきました。

全体を通してもっともお伝えしたい重要なことは、**これら6つのメソッドが、ひとつの道すじの上に一貫性を持って存在する**ことです。

言い換えれば「まちの未来像」実現のための、機会・主体性・場所・見識・仕組みのデザインです。その一貫性を理解し、かつ実践していくことが、ネイバーフッドデザインの根幹です。

そしてその一貫性のもとですべてのメソッドが実践されていくことによって、そのまちに暮らす人々の幸せや、いざというときに助け合えるつながりが育まれていきます。

本章のポイント

- 未来とゴール・機会・主体性・場所・見識のデザインのすべてを統合し、まちづくりの持続化・経年良化の基盤となるのが「仕組みのデザイン」。
- 行政とは依存ではなく共創的な関係を築くことが大切。そのために行政組織の特性を理解すること、事業収入を確立すること。
- 自治会・町内会などの地縁組織とはその歴史を尊重し、相互補完する関係性をつくる。
- 管理会社との協働には構造面の障壁もあるが、「守人」のような友人管理の事例もある。
- 「管理」でなく「経営」の視点でお金を扱うことが大事。暮らす人のニーズに応え、資金を稼ぎ、新たなことに投資できる好循環をつくる。
- まちでの財源創出の手段としては「空間活用」が重要。貸し出しや商業利用許可など、お金を稼げる使い方をする。
- エリアマネジメント組織などをつくる際は、「組織ありき」で動かず、まちの未来像やゴールに基づいて、組織はあくまで手段としてつくることが大事。

第9章 人と和のために、これからも

本書ではここまで、ネイバーフッドデザインが求められる社会的背景やその意義、そして6つのメソッドについて解説をしてきました。ネイバーフッドデザインとは何か、それはどのように行われるものなのか、ご理解いただけたら嬉しいです。

最終章となる本章では、私の思いや、今後のネイバーフッドデザインの展望などについてお話ししたいと思います。

まずＨＩＴＯＴＯＷＡ創業に至るまでのエピソードや、私自身が実践しているまちでの暮らし方についてご紹介します。第2章で「開発のあり方を変えたい」と書きましたが、その思いは私がかつて働いていたデベロッパー時代の経験からきているものです。その一片を共有できればと思います。

後半では、ネイバーフッドデザインを通して描いていきたい未来について考えていきます。ネイバーフッドデザインの実践によって、未来はどう変わる可能性があるのか。どう変えていきたいのか。

本章を通して、「ネイバーフッドデザインに関わってみたい」「自分も実践してみたい」と思う方がひとりでも多くなれば本望です。

デベロッパー時代に見た、開発の明暗

私は大学卒業後、新卒でリクルートコスモス（現コスモスイニシア）というデベロッパーに入社しました。最初から不動産に興味があったわけではなく、若いうちから仕事を任せてもらえること、かつ人が魅力的であり、多くの起業家を輩出していることなどが主な理由でした。というのも、私には「社会をよくする仕事がしたい」思いが一番にあり、そのために「早く自分の手で仕事がつくれるようになりたい」と思っていたからです。

そう思うようになったのには父の影響があります。私は大学時代に父を亡くしているのですが、その葬儀には約1000人もの方が足を運んでくれたのです。多くが父と仕事で知り合った人だと聞きました。そのとき母に挨拶をした方は口々に「本当に尊敬できる方でした」「憧れの上司でした」と言葉をかけてくれました。その様子を間近に見て、ああ、父は仕事を通じてとても素晴らしい人生を歩んできたのだな、と深く実感したのです。

父が国家公務員で公共性の高い仕事をしてきたという背景もあり、自分も公共性が高く社会の

ためになる仕事がしたい、かつ仕事を通じて豊かな人生を歩みたいと思うようになりました。

社会をよくする仕事がしたい。でも当時の自分には仕事の実力がない。そこでビジネスを学ぼうという思いを胸に入社したリクルートコスモスでしたが、最初に配属されたのはマンションや戸建て住宅を建てるための事業用地を購入する部署でした。

もともとその土地にある建物を壊して新しい不動産をつくるという仕事に、当時の自分は「まちを作っているのか、壊しているのかわからない」と戸惑いが大きかったのを覚えています。社会をよくしたいと思って入社しただけに、何度か本気で辞めようかとすら思いました。

ただそんななか、上司や先輩に相談すると、「本当に大事なものに取り組む時間を作ってみたら?」とアドバイスが。そこで休みの日の使い方を考えるようになりました。それまでは休みの日も仕事の情報をあさったり、物件の視察に出かけたりしていたのですが、それらを辞め、休日は就職活動中に出会った仲間たちと環境問題に取り組むことにしたのです。

やがて環境NPOを立ち上げ、デベロッパーと環境NPOの二足のわらじを履きはじめました。2005年の1月、入社して10か月目のことです。

環境NPOでは主に啓発活動を行い、逗子・葉山を中心に10年以上活動しました。たとえば福祉作業所で育ててもらった苗木を皆で植えるなど、障がい者雇用を促進する森づくりを継続的に行い、またビーチクリーン活動や、富士山の不法投棄について学ぶバスツアーなども実施しました。

いま振り返ると、環境NPOの活動によって自分のなかでバランスがとれるようになったのだと感じます。まちをつくる自分と、自然を守る自分。その両方が大事であり、自分はそれをマッチングしていきたい。NPOでの活動を通じて、そんな思いを強めていきました。

環境NPOの活動と並行して、デベロッパーでの仕事がおもしろくなってきたのは入社して2年目の半ばからでした。

それまではまちの開発について「環境破壊」という思い込みがありました。たしかにそういった一面もまったく否定はできませんが、一方では「人々の夢を実現する」一面もあると気づいたのです。そう気づくことができたのは、複数の開発用地取得に関わり、開発における一連の流れを俯瞰できたことが大きかったと思います。ある街区の開発をきっかけに、さびれかけていた商店街が活性化したり、廃れかけていた伝統行事がまた盛り上がることもある。またそれは、新しく住まう方や心ある地権者の幸せにも貢献できる。さらにやり方によっては、開発をむしろ環境問題を解決する手段にもできるかもしれない。複数の開発を経験するなかで、そうした可能性に気づけたのです。

従来型の開発はスクラップ&ビルド——つまり古きを壊し、新しく効率的なものを導入する考え方ですが、これはもう古い。そうではなく、これからはコミュニティ・デベロップメントいう考え方で、まちに暮らす人々の生活やそこに息づく商い、伝統や風景を紡いでいくべきだと感じ始めました。

このように考え方がシフトできた背景には、先達の背中を見せてもらったこともあります。たとえば、環境共生型の住まいとまちを創造し、普及させるコンサルティング会社として株式会社チームネットを設立した代表・甲斐徹郎さんには、大きな影響を受けました。なかでも同社が手がけた、「緑を残したい」地権者の方の思いと「緑豊かな暮らしがしたい」居住者の方々の思いをつなぎ合わせた東京都内のコーポラティブ住宅（入居予定者が組合をつくり、土地取得や設計・建設の手配などを自ら行ってつくる集合住宅）、「経堂の杜」「欅ハウス」「風の杜」を見学させてもらったことは特に印象に残っています。

自然や周辺環境と調和がとれた住まい、かつ住んでいる人々同士に心地よいつながりがある暮らし。住民同士で集まってバーベキューをしたり、子どもの見守りをし合ったり……。

その光景を目の当たりにして、大きな感銘を受けました。そして、その価値観を取り入れた複数の集合住宅の企画・コンセプトメイキングに自分も関わらせてもらうことに。このときの経験は今の自分の礎になっています。またプライベートでもコーポラティブ住宅に興味を持ち、住むことにしました。

こうした貴重な出会いの影響により、私の開発への意識が変わっていきました。以前は開発の暗い部分だけを見ていたのが、開発の持つ可能性に気づいて、仕事が楽しくなっていったのです。

対象のまちをしっかりと見つめ、分析し、そのまちに合った人々のつながりを大切にしていくこと。コミュニティ・デベロップメントという考え方で、伝統的なものでも良きものは残し、更新したほうがいいものは更新していくこと。そうした考え方が、まちを活性化していくと気づきました。

将来世代の可能性を損なわない範囲で、現世代のニーズを満たす

ちょうどそのころ、CSR（企業の社会的責任）の考え方に基づき、私たちの環境NPOの活動を支援してくれる会社が現れました。小さなNPOにもかかわらず、ブランド力のある著名な企業が支援してくださり感動したことを覚えています。

そこでCSRについて知った私は、社内にもCSR部署の新設を提案しました。2006年、26歳のときのことです。その提案が通り、デベロッパー内のCSR活動として住まいを企画しはじめたことが、現在のネイバーフッドデザインの入り口になりました。

なお、提案した背景には、CSRコンサルティングなどを手がける株式会社イースクエアに所属していたピーター D. ピーダーセンさんや、菊地辰徳さんの影響があります。ピーダーセンさんに教えてもらった、「**サステナブル・デベロップメント＝将来世代が自らそのニーズを満たす可能性を脅かすことなく、現世代のニーズを満たす開発**※」というフレーズに心を動かされたのです。サステナブル・デベロップメント、その根本にあるサステナビリティという概念について、お二人には多くを学ばせてもらいました。従来型の開発は、基本的に大量生産・大量消費の世界。これからはそうではなくて、より社会がよくなる「持続可能な開発」がしたい。自身もそんな決意を抱き、CSR部署新設の提案へと至ったのでした。

そもそも、私が環境問題に興味を持つことになった原体験は、熊本で過ごした幼少時代、雑木

林で身近に自然を感じながら遊び回っていたことのように思います。また小・中学生時代を過ごした埼玉県川口市の団地でも自然に触れられる環境がありました。その後、大学時代にはアジアの戦争問題を考えるゼミに所属。いつか枯渇する化石燃料を資源として争うのが戦争の一面でもあると知り、環境問題への興味を深めました。さらにデベロッパーに就職してからは、開発の問題にも可能性にも気づくようになりました。「持続可能な開発」という考え方に出会って大きな感銘を受けたのは、こういった経緯があったからです。

加えて、自分が子どものころ雑木林で遊んでいたように、都会で暮らす子どもたちにも日常のなかで自然に触れられる機会をつくりたい気持ちもありました。その思いがデベロッパーのCSRとして、環境共生型住宅の企画を行うことで実現できるかもしれない。CSR部署新設の提案が採用されたことで、これまでの経緯と今の仕事の可能性が結びつき、一本の線として見えたような気持ちでした。

今になって思えば、当時の提案はいろいろと未熟な部分も多かったと思います。それでも提案を受け入れ、チャンスを与えてくれた先輩方や経営陣にはとても感謝しています。

新規事業として立ち上がったCSR部署を率先する立場で数年働いた後、30歳を機にHITOWAを創業。会社に恩返しをしきれていない気がして迷いもありましたが、より多くのデベロッパーと、より業界全体の水準を上げていく、社会を変えるような仕事がしたいと独立したの

※1987年、国連「環境と開発に関する世界委員会」（ブルントラント委員会）公表の最終報告書による定義

です。

そして創業からわずか3か月後、東日本大震災が発生。復興支援のため東北へ通い、被災された方々の声に接したことから、私はネイバーフッドデザインの意義を改めて認識し、よりいっそう力をいれて取り組んでいくことになりました。その経緯や各地での取り組みは、これまでお伝えしてきた通りです。

コミュニティで暮らす、を実践して

ところでプライベートでも、私はネイバーフッド・コミュニティのある暮らしを送っています。デベロッパーで環境共生住宅の企画に携わったことから、自分もそうした環境で暮らしてみたいと興味を持ち、環境共生型のコーポラティブ住宅に住むことにしたのです。当時の私はまだ20代で住宅購入には勇気がいりましたが、チャレンジしてみたい思いが勝り、購入を決意。他の入居予定者と一緒に、設計から関わって自分の住まいをつくっていきました。

その住宅では11年間暮らしました。その間、近所の方々とゆるやかなつながりのある暮らしとはどういうものか、また環境共生型の暮らしとはどういうものか、いろいろな経験をさせてもらいました。

まずご近所とのゆるやかなつながりという視点では、コーポラティブ住宅は入居希望者が主体となって設計や施工を発注するため、設計段階から住民全員の顔と名前がわかり、かつメーリングリストで気軽に連絡がとりあえる環境がありました。そのため災害時にもすぐ連絡を取り合うことができ、住み始めた後にも大きな安心感があったと実感しています。

また、マンションとして交流イベントを行うのは年に1、2回の懇親会くらいと、決して多いわけではありませんが、日常のなかで、ときどきエレベーターホールに「屋上菜園で野菜が採れすぎたのでご自由にどうぞ」と野菜が置いてあったり、隣接するお寺の敷地で採れたふきのとうや荏胡麻が置いてあったりすることも。お互いの生活に介入するわけでもなく、会えば挨拶や立ち話をし、帰省すればお土産を交換するような、ちょうどいい距離感の関係性が心地よく感じられました。

環境共生の視点では、ベランダにコンポストを設置して生ごみを堆肥化し、野菜を育てたりしていました。また照明は基本的にLED、かつ通気性がよく冷房に頼らない設計としたため、電気も必要最小限に。床と建具の内装はすべて、日本の人工林の再生に寄与するべく国産無垢材を使用。傷がつきやすいと聞いていましたが気になるほどではなく、むしろ多少の傷は風合いとして感じられます。

また2021年の秋からは、本書で登場してきた「まちにわ ひばりが丘」の活動エリアにほど近い場所に引越しました。引越の理由は空間的に少々手狭になってきたからですが、周辺には友人・知人が多く、そこでの生活も楽しんでいます。

転居先の地域は、自治会憲章にて庭に木を植えることを推奨しており、緑が豊かなところにも惹かれました。昔ながらの無人の直売所がたくさんあり、地産地消を楽しんでいます。また早速小さな畑を借りて、ご近所の方に野菜づくりを教わっています。

建物は今回も基本的に国産木材を使用。また雨水タンクを設置し、庭へのコンポスト設置や、工事の端材を活用した庭のＤＩＹも行いました。加えて、製材工場などから発生する端材、森林の育成過程で生じる間伐材などの原料を燃焼させるペレットストーブを入れるなど使用電力を減らす工夫も。できれば太陽光パネルの設置などオフグリッド（電力の自給自足）も実践したかったのですが、諸事情で実現できなかったため、電力は自然エネルギーの電力会社のものを利用することにしました。こう羅列をすると費用面で高コストに見えるかもしれませんが、可能なところはＤＩＹを取り入れ、地域の工務店と工夫をしながら適切な費用にて施工しました。

ネイバーフッドデザインを手がける身として、そうした暮らしを提供するだけでなく、自分自身もネイバーフッド・コミュニティのある暮らし、環境共生型の暮らしを楽しんでいきたいと考えています。

まちづくりにおけるスポーツの価値と可能性

人と人とのつながりづくりという観点からもうひとつ触れておきたいのは、スポーツの価値と可能性についてです。

私は子どものころからサッカーや野球が好きで、地域のサッカーチームに所属し、その練習がないときは草野球をしているような少年時代を過ごしました。

ずっと身近にあったスポーツですが、そのスポーツのより広い意味での価値と可能性に気がつき、その認識を深めたのは大人になってからでした。これには2つのきっかけがあります。

ひとつはデベロッパー時代に立ち上げた環境NPOで、「グリーンフットサル」というプロジェクトを行っていたことです。２００５年に立ち上げ、約10年ほど取り組んでいました。

環境問題に関心を持ってもらいたいと思っても、まじめに勉強会をやっているだけでは広がりがない。そこで「遊びながら環境問題を知ってもらう機会をつくろう」と始めたのがこのグリーンフットサルでした。グリーンフットサルは参加費の一部が、ひとり1本分の苗木購入に充てられる仕組み。苗木は障がいのある方々の施設で作られたもので、その購入は障がい者の雇用促進にもつながります。

また購入した苗木は、提携している葉山の森に植えられる仕組みに。現地で年に2回（当時）行われている植樹祭に参加すれば、実際に苗木を森に植えるところまで体験できる形をつくりました。なお提携している植樹先は海外にもあり、国内・海外をあわせると約3万本の植樹につながっています。

こうした活動を通じて、スポーツ好きの人や、スポーツ以外でも体を動かしたい人たちとのつながりができ、「ああ、なんかスポーツとコミュニティっていいな」という体感がありました。

もうひとつ、スポーツの価値と可能性を再認識するきっかけとなったのは、２０１１年以降、東日本大震災の復興支援に関わっていたときのことです。

当時、ＨＩＴＯＴＯＷＡでも復興支援に取り組んでいましたが、全体の問題の大きさに対しては圧倒的な無力さを感じることも多い日々でした。そんななか、日本代表VSJリーグ選抜のチャリティマッチが開催されたのです。

そのころは災害の甚大さが徐々に判明し、日本全体が大きな不安に包まれていたときです。そんな状況下の試合で三浦知良選手がゴールを決めて、渾身のカズダンス。涙があふれたのを覚えています。何よりその後に、サッカーを通じてたくさんの笑顔と、たくさんのお金が被災地に届き、地域の方々もとても喜んでいたことが印象的でした。そんなふうに多くの人々を勇気づける様子を目の当たりにして、スポーツの新しい価値や可能性を強く認識することになったのです。

こうした背景から、スポーツの力を震災復興や防災・減災、ネイバーフッドデザインに活かしていきたいと考え、HITOTOWAでもサッカー・フットサルを通じて社会課題の解決を行うプロジェクト、「social football COLO」を立ち上げました。以降、現在もソーシャルフットボール事業として、「見識のデザイン」でも触れた「ディフェンス・アクション」などの取り組みを続けています。

スポーツは基本的に勝ち負けを競い合うことを楽しむものですが、ネイバーフッドデザインにおいてスポーツを扱うときには、その価値が勝ち負け「だけ」にならないよう、気をつけながら扱うべきだと考えています。

もちろん、競争で勝つことは悪いことではありません。むしろ、健全に勝敗を争えるスポーツの価値は大切にすべきもの。私自身も負けず嫌いです。ただそれが行きすぎて、勝ち負け「だけ」に焦点が当たるのもよくないと考えています。思えば私も中高生時代の部活動では、競争に勝つことが一番の目的になっていました。またそうした考え方に偏りすぎると、支配的な指導者が多くなったり、上手い人だけが評価されたり、理不尽な縦社会につながったりするような傾向が見られるとも感じています。

これからは、もっと多面的にスポーツの価値を捉えていきたい。グリーンフットサルでつながった人々の表情や、震災復興の現場で被災した方々がスポーツに触れ合って笑顔になる様子、あるいはディフェンス・アクションで大人から子どもまで防災をテーマに真剣に遊ぶ様子などを見ていると、人と人が仲良くなる、健康増進、自己表現など、勝敗以外にもスポーツが秘めている大きな価値を感じます。

スポーツを通じて人と触れ合うことは、健康的で爽やかなつながり方のひとつ。もちろん、つながりのきっかけは人それぞれいろいろな形があってよいと思いますし、私自身はお酒や音楽ライブも好きです。ただひとつの選択肢として、スポーツを通した人との健康的なつながりがもっと身近になっていくことは、超高齢社会という日本の現状から考えても望ましいことではないかと思っています。

またスポーツの楽しみ方は自分が「やる」だけではありません。サポーターとしてまちのチームを「応援する」ことも、その人自身の幸せになったり、人とつながるきっかけになったり、まちへの愛着を育んだりする面があるでしょう。私はかつて埼玉に住んでいたこともあって、今でもずっと埼玉西武ライオンズファンなのですが、応援するスポーツチームがあることは生きがいだな、と身をもって感じています。

たとえばドイツでは、ひとつのまちにひとつのプロチームのようなものがあり、スポーツクラブのようなものはまちに数百もあるといいます。そういった環境のなか、まさにネイバーフッド・コミュニティで地元のチームを応援しながら、自分たちもスポーツを楽しんでいるのです。子どもからお年寄りまで世代を問わず、ひいきのチームを応援したり、そのチームのウェアを来てスポーツを楽しんだり……。そんなふうにスポーツが身近にあるまちは、美しいなと感じます。まちに住まう人々の健康を促進したり、まちへの愛着を増加させたりするという面からも、その効果ははかりしれません。

「スポーツが身近にあるまち」という意味では、日本はまだまだ伸びしろがあります。ネイバーフッ

図 9.1　スポーツが身近にあるまちをつくりたい

ドデザインの知見と、スポーツの素晴らしさをかけ合わせて、独自の世界観を日本のまちに還元していくこと。それが私の夢のひとつであり、使命だと思っています。

描いていきたいのは、友人が徒歩圏にいる暮らし

ネイバーフッドデザインを通して描いていきたい未来について思いを馳せるとき、まず浮かんでくるのはいたってシンプルなイメージです。それは、まちの人々それぞれが、「徒歩圏に仲のいい友人がいる」暮らしをしているというもの。私も転居地で友人と近い暮らしを楽しんでいると書きましたが、まさにそれがあらゆる人にとって実現している状態が、ネイバーフッドデザインを通して描いていきたい未来像のひとつです。

ネイバーフッドデザインの本質が「助け合い」であることを考えると、いざというときやちょっと困ったとき、すぐに相談できる人が徒歩圏にいることはとても大切です。そして「助け合いの関係性がある」とはシンプルに言えば「仲のよい友人がいる」こと。日頃から言葉や笑顔を交わし、状況を知っているような友人であれば、困ったときには自然と手を差し伸べたいと思うでしょう。

近年ではソーシャル・キャピタル（社会関係資本）という言葉で、人と人との関係性やつながりを「資源」として捉え直す考え方も広まってきています。その発想自体は私も賛同しますが、ビジネス社会の一部ではそれが「効率化のために組織やチームにとって有益な人とつながろう」

という文脈で捉えられていることもあると感じます。個人的にはそうした損得の考え方よりも、シンプルに「やっぱり友人は大事だよね」と考えるのがよいのではないかと思っているところです。いい友人がいることは、人生にとって重要なこと。しかも徒歩圏、生活圏内に信頼できる友人がいる生活は、毎日の暮らしの質を高めるうえでとても大きなインパクトのあることです。

わざわざ約束をしなくても、近所を散歩したり買い物へ行ったり、日常生活を送るなかで仲のよい友人にばったりと会える。すれ違って挨拶できる。もちろん約束をしてゆっくり話したいときも、すぐに会える距離にいる。急に風邪をひいたとき、子どもをちょっと見てほしいとき、悩みについて相談したいとき、ただちょっと雑談したいとき、遊びたいとき、愚痴を言いたいとき、近所で顔が浮かぶ人がいる。複数人いる。その楽しさや安心感、心強さ。そうした関係性が、毎日の生活を送る場所、家から徒歩圏内に存在するか否かは、想像以上に人生を左右するものなのです。

また、プロボノなどを通じた自己実現やキャリアアップなどの目的を持って地域に関わることもよいと思いますし、それがまちをよくするならなおよしですが、それがすべてではありません。ただ心地よいから、ただ楽しいから、まちに関わる、というのも十分に意味のあることです。むしろ凹んだとき、つらいとき、安心できる居場所を探しているときこそ、地域は居場所のひとつになると思うのです。学校や職場の友人や、家族とも違う距離感だから打ち明けられることもあるでしょう。そんなふうに、気持ちを支え合ったり、励まし合ったりする関係性がまちに増えていくといいなと思います。

あらゆる立場の人が、暮らしているまちに友人がいる、またはそのまちで新たに友人をつくれる機会がある。これは、ネイバーフッドデザインがもたらすべきとても大事な未来像だと考えます。

ゆるやかなつながりと、セーフティネットの両立

ネイバーフッドデザインが育んでいくのは「ちょうどよい距離感」の心地よいつながりです。日頃は近すぎない、ほどよい距離感で暮らしつつ、困ったときには助け合えるようなゆるやかなコミュニティ。

この「ゆるやかさ」は、寛容で包摂的な暮らしをデザインしていくうえでもとても大切な性質です。ただ、意識していないといつのまにかルールが増えて動きづらくなったり、「〜すべき」「〜ねばならない」が増えていったりと、暮らしにくさにつながっていってしまうこともあります。そこでネイバーフッドデザイナーには、関係性のあり方を常に見極めながら、あえて厳密なルールを明文化しなかったり、曖昧さを許容する姿勢を見せたりと、意図的に「**ゆるさをデザインする**」発想も求められます。

一方で、防災や防犯、生活支援などの仕組み自体はしっかりと整備しなければなりません。そうしたセーフティネットの取り組みはきちんとプロジェクト化し、行政と民間が連携したうえで、社会福祉協議会や地域包括支援センター、各種NPOなどの専門機関がまちにもっと関われるようにしていくべきです。

たとえばシングルマザーやシングルファザーの方、認知症の方、障がいのある方、就労支援が

必要な方、ヤングケアラーの方、外国籍の方等々、何らかの支援を必要としている方は多方面にいます。それぞれ、支援する公的な制度やNPOの仕組みなどがありますが、そうした支援先の存在を知らない方々も多くいます。その一因には、困っている方の周囲に、支援先について知らせてくれるような関係性がないこともあると思います。

このような状況下、ネイバーフッドデザインにできることは、「ゆるやかさ」の持ち味を活かし、**支援を必要としている方々と、公的な支援や専門家、NPOなどセーフティネットとの接点をつくっていく**ことだと考えます。

日常における雑談も含めて、日頃からまちの方々との対話を大切にすること。困ったとき、「相談してみようか」と思える友人のような関係性を育んでゆくこと。そしてまちの方々から相談を受けたとき、適切な支援先を紹介すること。ただ紹介するだけでなく、その人の個性や状況にあわせてコーディネートすること。これは、一人ひとりとの対話を大切にするネイバーフッドデザイナーの強みのひとつだと考えています。

また、私たちが運営するコミュニティスペースでは、所得や年齢などの状況に関係なく利用でき、そこでゆるやかなつながりを育んでいけることを大切にしています。たとえば生活保護制度や介護保険制度を利用している方々も訪れ、特別扱いされることもなく、ごく普通に団らんする様子も見られます。そうした居場所づくりは、まさに私たちが行っていくべきところです。さまざまな支援が必要な方々にとってもまちに居場所が増えるように、そして関係性と仕組みの両面からあらゆる人が安心・安全を感じられる状態が多くのまちで当たり前になるように、これからも挑戦を続けていきたいと思います。

「子どもの声がうるさい」問題に思うこと

近年、「**ソーシャル・インクルージョン（社会的包摂）**」という考え方が議論されるようになってきました。いろいろな立場にある一人ひとりを孤独や孤立から守り、社会の一員として支え合う考え方です。そしてネイバーフッドデザインが目指すのもまたソーシャル・インクルージョンを土台とするまち。つまりあらゆる立場の一人ひとりが互いに許容され支え合う、寛容で包摂的なまちです。

この観点から気になっていることのひとつが、マンション管理会社や管理組合、自治会などからよく聞く、「子どもの声がうるさいと言われる」という話。残念ながら、団地のように広場や公園など豊かな共用部があるところでも、子どもたちがごく普通に遊んでいるだけで「うるさい」とクレームが入ることが多いようです。

確かに「四六時中、廊下や隣接した住戸で騒いでいる」など、改善が必要なケースもあるでしょう。しかし自由に過ごしてよいはずの広場や公園で遊んでいてクレームになるのは、やはりあまりに不寛容な状態と言えるのではないでしょうか。

私の以前住んでいたマンションにも、小さな子どもたちはたくさん住んでいました。コロナ禍において自分が在宅ワークとなり、かつ子どもたちも休校や休園となった時期は確かに、仕事中に子どもの声などが気になることもありました。ただ、それに対して怒ったりイライラしたりするのではなく、「生活音だからしょうがない」と捉え、イヤホンをして仕事をしていました。自分たちもやむなく深夜に洗濯機をまわしてしまうこともある。そういう意味ではお互いさまだと思っているからです。子どもたちが遊んでいるだけでクレームというのはあまりに一方的な考え方ではないでしょうか。

私も子どものころは団地住まいだったので、騒いでいて近所の方に注意されたことはたくさんあります。ただそれは、「危ないからやめなさい」や「もう遅い時間だけど、おうちの人は知ってるの？」など、見守りの視点からくる注意でした。

しかし最近ある親子から聞いた話では、子どもが遊んでいるところを勝手に動画に撮られ、「警察に突き出すぞ！」と言われたのだそうです。異様にも感じますが、近年それに近い話をいろいろなところで耳にします。

結局はそうした不寛容性が、**まちの人々同士で信頼関係を育みづらい一因になっていると**感じます。また子どもたちにとっても、せっかく近所に友達がいる団地住まいなのに、そのよさを存分に体験できない状況を生み出しています。とてももったいないことです。

本来なら、「子どもが元気に遊んでいて、活気のあるいいまちだ」と思う価値観が根底にあり、もし度を越してうるさいなら「もう少し静かに遊んでね」と冷静に伝えればよい話です。やはり社会において寛容性が低下しているのではないかと感じます。

ただ、「子どもの声がうるさい」と騒ぐ方々もまた、孤独や孤立など、何らかの生きづらさを抱えているのかもしれません。たとえばご高齢の方は年を重ねるにつれて友人や知人が亡くなり、「知り合いが減っていく暮らし」になりがちです。また年代を問わず、個々のさまざまな事情で孤独感を高めている人は多いでしょう。

だからこそネイバーフッドデザインを通して、「近くに常に仲間がいる暮らし」を生み出していきたいと思うのです。**友人や仲間の存在を感じて自分自身の孤独感がやわらぐことは、他者への寛容性を高めることにつながっていく**と考えます。

実際にあるネイバーフッドデザインの拠点では、ふらりと入って来られたご高齢の方が突然、地域への不満などを含むご自身の主張を、強い調子で一方的に話し続けるといったことがありました。しかし拠点スタッフが傾聴に徹したところ、二度目の来訪からは落ち着いた調子でお話ししてくれるように。その後もたびたび会話するなかで、徐々にまちのイベントのことを気にかけてくださるようになり、また前向きな地域活動のアイデアを提案してくださるようになっていきました。

こうした状況は、その拠点だけの話ではありません。話を聞いてほしいと思っても、聞いてくれる人がいないことで、心を閉ざし、他者を攻撃しやすくなってしまう。攻撃的な気質が強まることで、さらに話を聞いてくれる人がいなくなっていく……。そうした悪循環に、周りもご自身も気づかないうちにはまってしまっていることがあります。この拠点でのエピソードは、そうした方々のお話もまずしっかりと受け止めることで、その方も孤独感がやわらいで安心感が高まり、周囲の人々やまちに対して寛容な姿勢になっていくことを示唆しているのではないでしょうか。

子どもの騒がしさを排除しようとクレームを入れる人がいる一方で、子どもを可愛がろうと声をかけたら「通学中の子どもが知らない人から声をかけられた」と通報されるような状態も存在しています。もちろん、事件に巻き込まれるのではないかと保護者が警戒する気持ちはよくわかります。ただこれも、違った視点からは不寛容性の表れと言えるかもしれません。

根本的な原因は、まちが「他人」しかいないと感じる状態だから。つまり信頼ではなく不信・不審が前提になっているからではないでしょうか。

たとえば同じように「知らない人」から声をかけられた状況でも、周囲を歩いている大人に「知り合い」がいる環境であれば、捉え方は異なるはずです。しかし現状では、そうやって自然と見守ってくれる「近所の目」が足りていない。安全性を高めようとすると「防犯カメラ設置」といった発想になってしまう。しかし本当に必要なのは、防犯カメラ設置など個々の問題への対処よりも、まち全体で自然と見守り合えるようなゆるやかなつながりを育み、まちに包摂的なあり方をつくっていくことではないでしょうか。これがまさに、ネイバーフッドデザインの役割でもあります。

そして互いに見守り合えるような関係性があれば、広場で子どもが遊んでいるだけで「うるさい」と思う価値観にはなりにくいはずなのです。またそうした関係性が前提にあれば、子育てしている方々のほうも、周囲を敵と捉えるような考え方にはなりにくいはずです。

大切なのは、**互いにゆるやかな信頼関係を築こうとすること**。異なる環境やライフステージの特徴を理解すること。そこに「近所の目」があること。

たとえば子育てをしている方々も、自ら近所の方々へ歩み寄ることもできるでしょう。あるマンションで子育て世代の方から聞いた話では、自宅で子どもが騒ぐのを完全に防ぐことはできないため、お土産などをおすそ分けする機会があれば子どもと一緒に上下階の住人の方々に挨拶に行き「いつも騒がしくてすみません」と声をかけたり、子ども自身に手紙を書いてもらったりと、顔の見える関係を自分からつくるようにしているとのことでした。そのかいあって、ご近所の方々とは良好な関係を築けているそうです。

起きている問題だけを見つめるのではなく、お互いに関心を持って歩み寄り、顔の見える関係性をつくっていくこと。それが結果として問題を解決していくことは多いのではないかと思います。

あらゆる立場の人が少しずつ歩み寄ることで、まちとしての空気感も寛容で包摂的なものへと底上げされていくのではないか。ネイバーフッドデザインを通して、その価値観の醸成に貢献していきたいと考えています。

余談ですが近年のコロナ禍により、屋内で集まることが難しくなった経緯から、逆に空き地や道路など屋外の公共空間活用については少しずつ寛容的な態度が芽吹いているとも感じています。この流れにのり、子どもたちが気兼ねなく遊べる場所があちこちに増えていけばいいなと感じているところです。

生きづらさは、見えづらいから

「見識のデザイン」で、他者の抱えている問題に思いを馳せるためには「知識」と「体験」の両方が大切とお話ししました。つまり**寛容で包摂的なまちとは、言い換えれば多くの人々が、「知識」と「体験」の両方を得ている状態**だということです。

人の抱えている悩みや困りごと、生きづらさは、周りの人々からはなかなか「見えづらい」もの。一見、何の悩みもなく暮らしているように見える人でも、仲良くなって話を聞くと、普段の明るい表情からは想像できなかったような悩みや生きづらさを抱えていることがあります。

しかし普通に暮らしているだけでは、誰が何にどう困っているのかに気づき、深く理解する機会は少ないのも事実です。だからこそ、ネイバーフッドデザインでは「知識」を得るきっかけづくりや、「体験」を通して理解を深める機会づくり、また当事者の方が気軽に相談できるような声かけなどを意識的に行っています。

私自身もダイバーシティを学び、発信する機会があっても、当事者としての実感はあまりありませんでした。そうした課題感と、以前からサッカーやフットサルが好きな背景もあり、2020年までの3年ほど、「バルドラール浦安デフィオ」というインクルーシブ型のフットサルチームに選手として参加していました。

このチームはメンバーの半数ほどが聴覚、知的など何らかの障がいのある方々です。皆フットサルが上手くて、元気で明るい仲間たち。でも仲良くなって話をしていると、日常における悩みや生きづらさについて聞かせてくれることもあります。

たとえば聴覚障がいの友人は、「聴覚障がいは見た目では伝わりにくいし、補聴器があれば不自由なく聞こえると誤解されることが多い。最近はスーパーのレジでマイバッグやポイントカードの有無など質問が多く困っている。わからなくて聞き返すとすごく驚かれ、そのたびに傷つくし、そういうところにソーシャル・インクルージョンが感じられない」と言っていました。

こうした具体的な生きづらさに関する話は私自身、このチームに参加し、多様な友人に出会うまでは思いを馳せることができずにいたと思います。だからこそ、**自らそうした機会をつくって体験していくことが大事**だと感じています。ただ、すべての人が能動的に機会をつくるのが難しい面もあるでしょう。だからこそ、ネイバーフッドデザインがそうした機会を提供していければと思います。

まちで、時間とうまく付き合うには

寛容性を考えるうえでもうひとつ言及しておきたいのは「時間」との付き合い方です。いま、都市生活を送る人々は常に時間に追われていると感じます。大人も子どもも、仕事や家庭、勉強や習いごとなど処理すべきタスクが山積みで、時間的にゆとりがないことが前提のライフスタイルになってしまっている。かくいう私自身もそうです。これを読んでくださっている皆さんも、身に覚えがあるのではないでしょうか。

時間に余裕があれば落ち着いて受け止められるちょっとしたトラブルも、時間がないと「ただでさえ時間がないのに」とイライラしてしまい、相手を思いやる気持ちの余裕もなくなってしまいがちです。

そう考えると、人々の寛容性を高めて助け合えるまちをつくるためには、時間との付き合い方に向き合う都市生活をつくっていくことが理想だと考えます。

近年では生活と仕事との時間的なバランスを考える「ワーク・ライフバランス」を超え、生活でも仕事でも充実感を手に入れる「ライフ・ワークハピネス」という言葉も耳にするようになりました。こうした考え方は少しずつ、いろいろなところで取り入れられるようになってきているとも感じます。


仕事と時間のバランスという文脈では、ネイバーフッドデザインについても、「まちのコミュニティ活動をしていると、どうしてもそれが処理すべき『タスク』になり、だんだん時間に追われる感覚になる」といった課題が起こりがちです。コミュニティ活動を安定して続けていくためには、この課題をどうにか解消しなければなりません。

ひとつの鍵が「主体性のデザイン」で触れた「その人の幸せのために行動する」という考え方です。タスクを担うという考え方ではなく、「個人の夢や目標とまちのプロジェクトの接点を見つけ、その人自身が幸せを感じられる」環境づくりを大切にする。自分の幸せや生きがいに時間を使うことが、同時にまちのためにもなっていく状態をつくることは、とても大事です。

このように個人単位で時間との付き合い方を見直すこともひとつですが、そもそもひとりや一部のメンバーですべてを抱えず、周囲の人々も含めて「分担」する考え方が根付いていくべきだとも感じます。**まちの組織は、もっと地域に頼りながら運営してもいい、むしろそのほうがよいのではないかということです。**

たとえば私たちの拠点の中には、まちぐるみで子育てを応援するために、「放課後サポート」として近隣地域の住民スタッフによって小学生を対象とした宿題の見守りなどを行っているところがあります。事務局など一部のコアメンバーが「全部自分たちでやらなくては」と抱え込むのではなく、そこで暮らす人々で共有し、分担していくこと。これもまた立場を超えて認め合い支え合う、寛容で包摂的な価値観の表れではないでしょうか。

さらに、まちのコミュニティ活動に関する時間との付き合い方については、やりがいを主軸にする、周囲と分担するという考え方に加え、仕事として収入が得られる状態にすることも選択肢のひとつだと思います。第8章の「管理から経営へ」でもお話ししましたが、たとえば地域の活動で収入が得られるようになれば、「本業を時短とし、時間と心のゆとりを生みながらコミュニティ活動を推進していく」こともできるはずです。もちろんすべての人がこのやり方を採用すべきというわけではありませんが、選択肢のひとつとして、こうした生き方が広がっていくのも未来像のひとつです。

最後に、時間に追われない暮らしをするためには、**自ら時間の流れを変えること**もひとつの方法です。その効果的な方法のひとつが、身を置く環境を変えること。

たとえば同じ都市のなかでも、オフィスにいるのか、公園にいるのか、場所によって時間の流れ方が異なるのを感じたことのある方は多いのではないでしょうか。

まちのコミュニティ拠点やカフェは、騒がしい印象を持たれている方もいるかもしれませんが、基本的にとてもゆるやかな時間が流れています。ネイバーフッドデザインではつながりの濃淡を選べることを前提にしているので、その拠点もまた、サークルなどでわいわい楽しみたい方も、ひとりでゆっくりと過ごしたい方も受け入れられるよう、工夫をしているからです。

週に30分でもそうした地域の居場所に身を置き、普段の時間の流れと距離を置いてみることは、自分の暮らしや生き方を見つめ直す機会となるかもしれません。自宅でも職場でもないサードプレイスが、時間との付き合い方を考えるきっかけになればいいなとも思います。

言葉に潜む「分断」の文化を変えていく

あらゆる立場の一人ひとりを認め合うことがソーシャル・インクルージョンの基本だとすれば、ある集団をグループに分割し、それぞれを比較してその優劣に言及することは「包摂性」とは真逆のベクトルにあると考えられます。

ただネイバーフッドデザインを通して育んでいるつながりづくりも、ある意味「グループ化」のひとつと捉えられるかもしれません。ネイバーフッドデザインを行っていくうえでは、その矛盾にも自覚的になりながら、それが「分断」にはつながらないよう、注意して行っていく必要があります。

ネイバーフッドデザインで描こうとしているのは、ひとつの地域にひとつの強固なグループが存在して他を排除するのではなく、むしろ規模も性質もさまざまな多くのゆるやかなつながりの輪が、複層的に重なって同じ地域に存在している状態です。**他者を排除する「分断」ではなく**、

それぞれの人が役割を得て支え合う「分担」をする。これがネイバーフッドデザインにおけるつながりづくりの考え方です。

しかし、ネイバーフッドデザインを手がけるなかでいろいろな方と接していると、これまでの日本では分担よりも「分断」の文化が染み付いている、と感じる機会が多々あります。たとえば、ある地域で代々そのまちの活性化を行ってきた方の中には「三世代住んで初めて、まちの住民になる」といった価値観を持つ方がいる。また私たちも、簡潔に説明が求められるシーンではつい「新旧住民」といった線引きの言葉を使ってしまうことがあります。ただ自戒も込めて冷静に考えると、こうした「分断」の文化は、もう時代に合ったものではなくなってきています。

現代では、複数の家を行き来しながら暮らす多拠点生活や、固定の家を持たないアドレスホッピングなどのライフスタイルも出てきています。そうしたライフスタイルもひとつの選択肢であり、豊かさの形です。こうした変化を踏まえると、これからは排他的なまちではなく、オープンで寛容的なまちのほうが選ばれ、発展していくのではないでしょうか。

また不動産の世界には「地位（じぐらい）」という言葉があり、「あそこは地位が高い、ここは低い」など土地のグレードを指すものとして慣用的に使われてきました。土地をあらわす言葉に、「優劣」や「分断」の概念が前提として染み付いているのです。

このように、慣習的に使われている言葉にはそれ自体に、不寛容性を内包しているものも多くあると感じています。慣習だからといってそうした言葉を無意識に使い続けていくことは、不用意に人との断絶を生み出し、まちの不寛容性を高めていってしまうリスクもあるでしょう。**文化は言葉を生み、言葉もまた文化に反映されていく**ことを考えると、こうした言葉づかいから変えていく必要性を感じます。

「15分圏内」の文化的な価値を大事にする

ところで、ネイバーフッド・コミュニティとして適切な距離感はどのくらいでしょうか？　先ほど未来像のひとつとして「徒歩圏に友人がいる暮らし」と表現しましたが、私の感覚では徒歩または自転車などで15〜20分程度の範囲なのではないかと感じます。なぜなら日常生活で困ったときや災害時など、いざというときに助け合えるのがその距離だからです。

そしてその距離感は、近年まさに都市計画の分野で注目を集めています。たとえばパリでは「15分都市」構想、メルボルンでは「20分生活圏」構想などが発表され、各都市がネイバーフッド・コミュニティの大切さをアピールしているのです。

パリの「15分都市」構想とは、誰もが自動車なしで15分以内に仕事や学校、買い物や公園、病院、行政施設などにアクセスできる都市を目指そうというもの。背景には大気汚染など環境問題の解決や、暮らしの豊かさ向上などの複数の文脈があり、私たちの考えと重なる部分が大きいと感じます。

図 9.2　ネイバーフッド・コミュニティ

個人的には「助け合える距離」の視点から徒歩圏の距離感に目を向けたのでしたが、海外のそうした構想にも触れるなかで、助け合いの文脈にとどまらず、その土地ならではの食や歴史、風景、生活、アートなど、文化的な価値が徒歩圏に存在することが、まちとしてさらに理想的だと考えるようになりました。まちに文化的な価値があることは、まちへの愛着を高めるとともに、友人や知人のつくりやすさにもつながり、助け合いの関係性づくりをよりいっそう促進してくれると思うからです。

ただし、すべての都市や地域がパリやメルボルンのように「徒歩圏になんでもある」を実現できるとは思いません。もちろん「なんでもある」を実現できるまちならばそれを目指せばよいですが、それができないまちも、そのまちならではの文化、個性を大事にしていく考え方が大事です。

「文化的な価値」という視点から見てみると、日本の都市はどうしても画一的なものになりがちです。どの都市を見ても特徴が少ない、またはわかりづらいなと感じます。まちの中心部は全国どこでも見覚えのあるチェーン店やビジネスホテルの看板が立ち並び、そのまちの個性が見えづらいと感じたことのある方は多いのではないでしょうか。

一方、たとえば東京都墨田区や台東区の一部には古くから職人のまちとして栄えた経緯があり、現在も「ものづくりのまち」としてまちの個性をつくっていこうとする人たちが集まっています。ものづくり以外にも、地域に根付いた四季折々の祭りや相撲、芸者文化、また江戸前の食材を使った食事など、まちの魅力が時代の変化も取り入れつつ、脈々と受け継がれている。こうした姿勢には私たちも学ぶべきところがあると感じます。

開発が「新しく画一的なものをつくる」ことを指すのではなく、「まちにある個性を守ったり、新たにまちの個性をつくりあげていく」ことを表すようにしていきたい。そんなふうに開発のあり方を変えていくこと、また同時に、市民レベルでまちの個性を守っていくことが大切です。

私は創業数十年経った個人経営のいわゆる「まち中華」の行きつけがあるのですが、小さくともそのまちに脈々と受け継がれ、「まちの顔」となっているものはいろいろとあるはず。受け継がれていく過程では継承問題なども生じるなか、文化的な価値をどう守っていくのか。ここはネイバーフッドデザインの力で貢献していきたいところでもあります。

これに関して開発の分野では近年、**「マイクロデベロップメント」**という考え方が出てきています。従来の開発が道路やビルなど大規模なインフラとしてのまちづくりを行うのに対し、マイクロデベロップメントは、いまそのまちにある土地や建物、機械や技術、人やその思いなど小さなものに焦点をあて、リノベーションや小規模開発などのアプローチによって見直し、まちの価値向上へとつなげていくものです。

たとえばマイクロデベロップメントを手がける有限会社仙六屋では、梅屋敷（東京都大田区）で地元の方々に愛されてきた老舗甘味処が閉店するのに際し、代表的なメニューであるクリームモナカのレシピと製造機器を受け継ぎ、まちの価値としてつくり育てていくプロジェクトを行っています。

きっかけは、仙六屋代表の茨田さんが子どものころから通っていた甘味処「福田屋」が突然、閉店したこと。自身も寂しさを感じるなか、福田屋のシャッターにも閉店を惜しむ声や感謝の声が続々と貼られ、福田屋の商品が地元の方々の思い出と深く結びついていることを実感したそうです。「このまちに、なんとか福田屋の味を残したい。店舗をそのまま引き継ぐのは難しくても、ひとつのメニューだけでも継承できないか？」。そう考えて福田屋の店主に相談に行ったところ、店主もそれを喜んで受けてくれたとのこと。ただアイス製造機は相当なリペアが必要な状態で、メーカーもすでに廃業。そんななか、ものづくりが盛んなまちならではの町工場ネットワークにより、機械の修復が実現したのだとか。これもまさに複層的なコミュニティによって、まちの価値が継承されていった事例ではないかと思います。

そして、クリームモナカの継承とともに、カフェスペースとイベントスペースを兼ね備えた

「仙六屋カフェ」をオープン。コーヒーやイベントとあわせて展開することで、新たな人々の流れが生まれました。受け継いだのはクリームモナカというメニューだけではなく、このまちへの愛着や、新しい人がまたここで記憶や思い出を紡いでいくという価値、そのものなのではないかと感じます。今後は単純な継承を越え、直伝アイスを活用した新メニュー開発など、より価値を育てる挑戦を続けていくそうです。

こうした取り組みはまさに、そのまちならではの文化的な価値を守る、新しい開発のあり方のひとつではないでしょうか。このようなビルや住宅、商店や商店街の再生や小規模開発とネイバーフッドデザインとを組み合わせながら、そのまちがそのまちらしくあり続けるべく、私たちも努力を続けていきたいと思っています。

また近年、人口減少に伴って空き家の増加が課題となっています。しかし空き家の増加も、古民家など歴史を伝える建物を活用できたり、地域に新しく活用可能な場が増えていたりする状況と捉えれば、そのまちの文化的な価値であるということもできるはずです。

空き家活用に関しては、リノベーションによる展開など、先述したマイクロデベロッパーによる取り組みも興味深いものです。また他にも、新たな民泊プラットフォーム「Fair bnb」※などの取り組みにも注目しています。

人口の減少とともに各地で増え、課題となっている空き家・空き室を活用し、その収益の一部を地域の暮らしを豊かにするコミュニティ活動に還元していく。こうした仕組みであれば、そのまちの人々も観光客に対して歓迎の気持ちを抱きやすくなるのではないでしょうか。これは第8

章でも触れた、地域における新たなお金の稼ぎ方のひとつだと思います。地域の暮らしの質を高めるサステナブル・ツーリズムの取り組みは、個人的にも機会があればチャレンジしたい分野です。

まちの「文化的な価値」について考えていると、先述した「スポーツの価値と可能性」もまた、ネイバーフッドデザインの視点においてより大切に認識され、かつ身近になってほしいという思いに駆られます。

まち対まちのチームの試合は、まさにアイデンティティのぶつかり合い。選手やサポーターが醸す一体感は、「まちへの愛着を持ちましょう」と標語を掲示する何十倍もの効果をもって、まちへの愛着を高めてくれるでしょう。またJリーグやJクラブも地域に根ざすという考え方のもと、地域貢献活動に力を入れています。私たちもそうした活動の一部をお手伝いしていますが、地域のクラブが、その地域のハブとなってコミュニティを育むなど、その成果が出始めていると実感しています。

※Fair bnb（https://fairbnb.coop/）……利益を地域に還元する仕組みをもった新たな民泊プラットフォーム。物件のホスト側が得る金額やゲストが支払う金額は従来の民泊プラットフォームとほぼ変わらないものの、プラットフォーム手数料の半分は運営に、もう半分はその物件がある地域のコミュニティ活動のために使われる仕組み。ホスト一人につき登録できる物件は1件とし、大手事業者の介入を防ぐ工夫も。さらに運営元は、物件ホスト、近隣住民、地域の事業主などの協同組合。地域の人々による、地域のためのツーリズムを目指す。

その先の未来では、サッカーだけでなく多様なスポーツの中から、それぞれの人が自分に合ったものを選べるような環境が、徒歩圏内にできてくるといい。まちのスポーツクラブに参加したり、まちのチームを応援したりすることは、非日常的な価値もありながら、そのまちの日常をつくるネイバーフッド・コミュニティを育み、かつ一人ひとりの生きがいにもなると思うからです。

このように、文化・スポーツを含めたまちの価値を継承していくことはまちへの愛着へとつながり、徒歩圏に友人や知人が増えていくきっかけにもなります。その先で、あらゆる人々が互いを認め合い、助け合えるようなつながりが少しずつじっくりと育まれていく。

半歩ずつ、一歩ずつを積み重ねた先に広がっていく「ともに助け合えるまち」を、これからも日本のいろいろな都市でつくっていきたいと思います。

本章のポイント

- 著者はデベロッパーでの開発の経験、環境NPOでの経験から、持続可能な開発や環境共生型の住宅に関心を持ち、HITOTOWA創業に至った。
- まちづくりにおいてスポーツには大きな価値と可能性がある。勝ち負けだけでない多面的な価値を活かし、人々の健康的なつながりや、まちへの愛着を育むことにつなげたい。
- 徒歩圏内に友人がいる暮らし、ちょうどよい距離感のつながりとセーフティネットを両立したまちづくりが必要。

▼子どもの声にクレームが生じるような不寛容性は、まちの人々につながりがないのが原因。
▼目先の問題だけを見つめるのではなく、互いに関心を持って関係性をつくることが、問題の解決につながる。
▼見えにくいさまざまな「生きづらさ」に気づけるような機会をつくっていくことが必要。
▼活動を分担して時間のゆとりを持つこと、分断につながる言葉づかいを変えていくこと、画一化を防ぎ個々のまちの文化的な価値を守ることも重要。

はじめの一歩、そのヒント

さて。ここまで読み進めてきて、ネイバーフッドデザインの意義は理解したけれど「じゃあ自分は、何から取り組んでいけばいいのだろう？」と悩んでいる方もいらっしゃるかもしれません。もしあなたがそう悩んでいるなら、もっともお伝えしたいことは「はじめの一歩はどうか気軽に」です。

もちろん、最終的に「助け合いのつながりを育んでいく」うえでは気をつけるべきこと、考えるべきことがたくさんあります。それは本書を通して存分にお伝えしてきたところです。しかし一方で、ネイバーフッドデザインに関わる「はじめの一歩」は難しいことを考えすぎず、気軽で取り組みやすいことをやるのが一番だと考えています。

たとえば、私たちやエリアマネジメント組織などのまちづくり団体が運営するカフェやコミュニティスペースに足を運んでみる。地域のイベントやお祭り、マルシェに参加してみる。その企画への興味が深まれば、今度は運営ボランティアとして関わってみる。市民農園や地域の花壇の手入れ活動に参加してみる。あるいは、ご自身の興味のあるNPO等の活動に参加してみる。

まずはそうした地域の情報に気づけるよう、地域コミュニティのホームページやSN

Sなどを頻繁にチェックしてみる。

はたまた近隣で、スタッフと会話が弾むような行きつけのお店をつくってみる。保育施設や学校で挨拶しか交わさない他の保護者に、プラス一言の雑談を持ちかけてみる。分譲マンションに住んでいるなら、管理会社や理事会にアイデアを相談してみる。話題のきっかけとしてこの書籍を配ってみる。

または自分の興味に応じて、地域のスポーツチームやNPO団体を調べて参加してみる。一例ですが、Jリーグは全58クラブと（2022年現在）、47都道府県に対して1以上の割合で存在しており、サッカー観戦だけでなくホームタウン活動やシャレン！と題した市民参加可能な取り組みにも積極的です。また参加しやすい市民活動として、全国の都市で行っているものではNPO法人 greenbird のごみ拾い活動などがあります。その他、自分の住んでいる地域ならではの取り組みも、ぜひ探してみてください。


まずは本書で得た何らかの気づきを半歩でも、一歩でも行動に変えてみる。

これを読んでくださった皆さんのそんな一歩一歩によって、ネイバーフッドデザインの種が全国各地で少しずつ芽を出し、ひとりでも多くの方々の幸せにつながっていけば、それほど嬉しいことはありません。

おわりに

ここまでお読みいただいた皆さま、誠にありがとうございました。

本書はこれまで取り組んできたネイバーフッドデザインの経験や考察、手法についてまとめたものですが、私自身、このまとめるというプロセスに期待を持っていました。

というのも、「人々のつながり」は目に見えるものではなく、幅も広く、捉えどころがないからです。またひとくちにネイバーフッドデザインと言っても、地域やプロジェクトごとにかなりの差異があります。まちの特徴や人々の個性によってつながりの意味やあり方も変わるなか、本当にまとめることはできるのだろうか、と疑問もありました。

しかし、より豊かに安心して都市生活を送るためには、「人々のつながり」にどのような価値があり、そうしたつながりがどのように創出されるのか、文章にまとめる意義があると常々感じていました。

その思いはコロナ禍によって人々の行動や生活に制限がかかり、半ば強制的にネイバーフッドでしか出歩けなくなった体験を世界中が共有した現在において、より増したと言えます。

実際に執筆を進めていくなかで、気づいたことがありました。それは、これまで多くのまちに関わってきたことで、いつの間にか「人々のつながり」の輪郭を多角的に語ることができるようになっていた、ということです。仕事としてネイバーフッドデザインに取り組むことができたこと。そこで多くの出会いや学びがあったこと。独立後はもちろん、新卒で入社したデベロッパーでの経験、プライベートでのNPO活動や日々の暮らし。そのすべてのおかげだと感じています。

なお本書における多くの事例や考察は、私やHITOTOWAの社員が経験したことです。実態の委細を把握し、実感を持って書けるからこそ、その輪郭が見えてくると考えます。さまざまな経験によって、ようやくネイバーフッドデザインというものが少し見えてきた。そんな気がしています。

一方で、より深掘りしていきたいと思ったテーマもありました。まちのあるべき姿の構築、一人ひとりの生きがいを生み出す取り組み、セーフティネットとなる「人々のつながり」を専門家とのネットワークとともにデザインすること、財源の仕組み、お金との向き合い方、などなど。まだまだやらなければならないこと、学びたいことはたくさんあります。

そして、これらの経験や考察をまとめるプロセスでもっとも感じたことは、「ネイバーフッド・コミュニティの本質は、コミュニティという集団ではなく、まちの一人ひとりと向き合うことである」ということでした。なぜなら、一人ひとりの暮らしや営みにこそ幸せは宿るものであり、まちはその集積体だからです。本書を手に取ってくださった一人ひとりにも、まちに助け合える関係性と仕組みがあること、またはそうした状態がこれからつくられていくことを願っています。

個人的な夢の話をすると、私は将来自分の住んでいるまちの近くで、スポーツとコミュニティ施設の集合体のような場をつくりたいです。スポーツを通じて遊びながら地域課題の見識を高めたり、共助の関係性を育んだりできる場所です。これは私の夢ですが、本書が皆さまの「まちで実現したいこと」を陰ながらお手伝いするような書籍になればと願っています。

最後に、お礼を記させていただきます。

本書の執筆に関して大変お世話になった英治出版の高野達成さん、編集兼ライターの渡邉雅子さん、ありがとうございました。お二人なくして、本書はこの世に生まれなかったと思います。時にネイバーフッドデザインそのものを哲学する問いも与えていただきました。またイラストレーターの川合翔子さんには本書に彩りを加えていただきました。

ＨＩＴＯＴＯＷＡの出版チームとして奮闘してくれた奥河洋介、寺田佳織、田中宏明、中村優希とは、本書の執筆にあたり、おおよそ隔週にて議論し続け、ようやく世に届けることができました。たくさんの学びをありがとう。ネイバーフッドデザインを言語化していく時間は、とても有意義で、とても楽しいものでした。

さらにＨＩＴＯＴＯＷＡの皆、青山めぐみ、浅野北斗、西郷民紗、佐藤祥子、佐藤まどか、髙村和明、津村翔士、鳥山あゆ美、原田稜、細川瑛代、宮本好、葛西優香、黒川彩子、探究心をもって日々まちや人に向き合ってくれているおかげで、本書がつくられました。ありがとう。

本書は経験に基づいたものです。各拠点やプロジェクトをともにする皆さま、また、ＨＩＴＯＴＯＷＡを信頼し、ともに協働・活動してくださるデベロッパー、管理会社、行政、ＮＰＯほか、本当に多くの方々、そして、地域の皆さまのおかげです。ありがとうございます。

そして、常に見守り、支えてくれている家族の皆、ありがとう。

最後の最後に、ここまでお読みいただいた皆さま、誠にありがとうございました。本書が皆さまの一助になればこの上なく幸せです。今後さらに、一緒にネイバーフットデザインを究めていきましょう。

２０２２年４月　荒　昌史

［著者］ 荒 昌史 Masafumi Ara
HITOTOWA INC. 代表取締役
2004年早稲田大学卒業後、リクルートコスモス（現コスモスイニシア）入社。2007年より新規事業として環境共生住宅やマンションコミュニティの企画を行う。同時期にNPO法人GoodDayを立ち上げ、環境問題に取り組む。
2010年に独立、HITOTOWA INC.を創業。都市に助け合える関係性と仕組みをつくることを志し、ネイバーフッドデザイン事業では、デベロッパーや行政のアドバイザーやエリアマネジメント及び集合住宅のコミュニティプログラムの企画を推進。東京都住宅政策審議会委員等を歴任。
趣味はまち歩きとフットサル、サッカー日本代表と埼玉西武ライオンズの応援。

［編者］ HITOTOWA INC.
2010年12月24日創業。人と和のために仕事をし、都市の社会環境問題の解決に取り組む。防災減災、子育て、お年寄りの生きがいの創出。それらを地域住民の方々が助け合えるよう、ネイバーフッドデザイン、ソーシャルフットボール、HITOTOWAこども総研の3事業を展開。

［企画］ 奥河 洋介 Yosuke Okugawa
HITOTOWA INC. 執行役員、一般社団法人まちのね浜甲子園 事務局長
被災地や住宅密集地などでのまちづくりを経験後、HITOTOWAに入社。浜甲子園団地エリアで、住宅街におけるエリアマネジメントを推進。その他、関西エリアにおけるネイバーフッドデザイン事業を担当。「風の民」として地域に追い風をつくる存在でありたい。

寺田 佳織 Kaori Terada
HITOTOWA INC. シニアディレクター
大学院修了後、マンション管理会社に入社。より多角的に居住者の暮らしに関わっていくため、HITOTOWAに入社。ネイバーフッドデザイン事業にて、「みずべのアトリエ」や「健幸つながるひろば とよよん」、「SHINTO CITY」等の集合住宅エリアにおける共用施設の企画・仕組み設計、住民主体の組織立案から伴走支援を行う。

田中 宏明 Hiroaki Tanaka
HITOTOWA INC. シニアプランナー
HITOTOWAへ入社後、ひばりが丘団地再生事業区域のエリアマネジメント業務に従事。2020年2月より賃貸マンション「フロール元住吉」の管理・コミュニティサポート業務と、マンション併設の地域交流スペース「となりの.」の運営を担当。

[英治出版からのお知らせ]

本書に関するご意見・ご感想を E-mail（editor@eijipress.co.jp）で受け付けています。
また、英治出版ではメールマガジン、Web メディア、SNS で新刊情報や書籍に関する記事、
イベント情報などを配信しております。ぜひ一度、アクセスしてみてください。

メールマガジン：会員登録はホームページにて
Web メディア「英治出版オンライン」：eijionline.com
X / Facebook / Instagram：eijipress

ネイバーフッドデザイン

まちを楽しみ、助け合う「暮らしのコミュニティ」のつくりかた

発行日　2022 年 4 月 27 日　第 1 版　第 1 刷
2024 年 4 月 26 日　第 1 版　第 3 刷
著者　荒 昌史（あら・まさふみ）
編者　HITOTOWA INC.
発行人　原田英治
発行　英治出版株式会社
〒150-0022 東京都渋谷区恵比寿南 1-9-12 ピトレスクビル 4F
電話　03-5773-0193　FAX　03-5773-0194
http://www.eijipress.co.jp/
プロデューサー　高野達成
スタッフ　藤竹賢一郎　山下智也　鈴木美穂　下田理　田中三枝
平野貴裕　上村悠也　桑江リリー　石﨑優木　渡邉吏佐子
中西さおり　関紀子　齋藤さくら　荒金真美　廣畑達也
編集協力　渡邉雅子
イラスト　川合翔子
装丁　英治出版デザイン室
印刷・製本　中央精版印刷株式会社
校正　株式会社ヴェリタ

ISBN978-4-86276-305-1　C0036　Printed in Japan